DE LIJFWACHT

Robert Crais

DE LIJFWACHT

De Fontein

Oorspronkelijke titel: *The Watchman*

Uitgeverij De Fontein, Postbus 1, 3740 AA Baarn

Deze uitgave is totstandgekomen na overeenkomst met Lennart Sane Agency AB.

Vertaald uit het Engels door: Ineke van den Elskamp
Omslagontwerp: Mark Hesseling Design, Ede
Zetwerk: Text & Image, Almere
ISBN 978 90 261 2351 1
NUR 332

www.uitgeverijdefontein.nl
www.robertcrais.com

voor Lauren

geen offer te groot
geen liefde zo oprecht
geen ouders zo trots

God, schep in mij een zuiver hart, vernieuw mijn geest, maak hem standvastig.

– PSALM 51:12

Ssj! mijn liefste, sluimer stil.
Engelen waken over je bed!

– ISAAC WATTS

pike; snoek – roofvis met een langgerekt lichaam, bekend om zijn snelheid en agressie.

PROLOOG

STAD DER ENGELEN

De stad was één uur van haar, dat ene magische uur slechts, alleen van haar. De nacht van het ongeluk reed ze tussen drie en vier uur, toen de straten verlaten waren en de engelen waakten, met honderdtwintig kilometer per uur in oostelijke richting over Wilshire Boulevard, zonder één keer af te remmen voor de rode verkeerslichten op het rechte stuk dat de Miracle Mile wordt genoemd, en stoof ze met glimmende, blauwe strepen mascara op haar wangen door het ene rode licht na het andere zonder zelfs maar vaart te minderen.

In haar verklaring zou ze later over de periode voor het ongeluk aan de politie vertellen dat ze in een club op Yucca in Hollywood was geweest, zo'n club waar paparazzi samenklitten bij de deur. Ze had een uur lang een filmster op leeftijd van zich af proberen te houden, terwijl zij en haar vrienden (steenrijke lui uit Westside en de top van jong Hollywood: acteurs, impresario's en musici van wie ze de namen moeiteloos kon opnoemen voor de politie) met hun mobieltjes foto's van elkaar maakten, waarop ze kushandjes gaven en met felgekleurde drankjes poseerden. De brigadier die haar ondervroeg, trok zijn wenkbrauwen op toen ze hem vertelde dat ze niet had gedronken, maar de blaastest bevestigde haar verhaal. Eén Virgin Cosmo die ze niet helemaal opgedronken had.

Om drie uur was haar tijd gekomen. Ze stopte de parkeerwachter een honderdje toe voor haar Aston Martin en scheurde weg. Vijf straten verder stopte ze – alleen – midden op Hollywood Boulevard, zette de motor uit en genoot van een zacht windje. Uit de heuvels kwam de geur van jasmijn en rozemarijn. De motor tikte, maar ze spitste haar oren om de stilte te horen. De stilte in de stad op dit uur was adembenemend.

Ze keek omhoog naar de gebouwen en stelde zich voor dat er engelen op de dakranden stonden, lange slanke engelen met hangende vleugels die haar volmaakt stil gadesloegen, zonder verwachtingen als in een eeuwigdurende droom: We geven je de stad. Niemand kijkt. Leef je uit.

Ze heette Larkin Conner Barkley. Ze was tweeëntwintig jaar. Ze woonde in een hippe loft in de binnenstad, niet ver van de rivier, in een wijk waar vooral beginnende kunstenaars en tussen Los Angeles en New York pendelende musici woonden. Het gebouw was eigendom van haar familie.

Larkin trapte het gaspedaal in en voelde haar haar opwaaien in de wind. Ze reed in zuidelijke richting verder over Vine en daarna lachend, met tranen in haar ogen naar het oosten over Wilshire. Verkeerslichten vlogen voorbij; rood of groen, het maakte niet uit en het kon haar niet schelen. Toeterende claxons gingen verloren in het geraas. Haar lange, koperkleurige haar wapperde achter haar aan. Ze sloot haar ogen, hield ze dicht, kneep ze nog langer dicht, sperde ze toen wijd open en lachte omdat ze nog steeds keurig rechtuit reed...

...honderddertig...

...honderdveertig...

...honderdzestig...

...een diepzwarte flits van tweehonderdduizend dollar met open dak en een veeg albasten huid en rood Medusa-haar die wild en vrij door de stad vloog. Ze nam de bocht in MacArthur Park en zag de snelweg, de Pasadena, snel dichterbij komen. Ze minderde vaart, maar net genoeg, nauwelijks genoeg toen er auto's opdoken en de straten smaller werden, en vloog over de snelweg de kluwen van eenrichtingsstraten in het centrum in: Sixth, Seventh, Fourth, Ninth; Grand, Hill en Main. Ze sloeg af waar ze wilde, reed tegen de rijrichting in, koerste snel naar de rivier en remde uiteindelijk, onvermijdelijk, af toen alles ging golven en wazig werd...

Ze hield zichzelf voor dat het door de droge nachtwind en het wapperende haar kwam dat haar ogen volschoten toen haar eenzame race ten einde kwam, maar het was altijd hetzelfde, of de lucht nu droog was of niet, of haar haar loshing of opgestoken was, dus ze wist wel beter. Die paar minuten dat ze door de stad reed, kon ze zichzelf zijn, volkomen en echt zichzelf. In die momenten vond ze zichzelf, enkel om zichzelf weer kwijt te raken wanneer ze afremde en achterop raakte bij haar ware ik die vrij voortsnelde in de lege nacht...

Ze stak slingerend Alameda over, terwijl haar snelheid wegebde.

...honderd...

...vijfennegentig...

...vijfentachtig...

Larkin reed een straat in die parallel aan de rivier naar het noorden liep. Het was nog maar een paar blokken naar het gebouw waar ze woonde, toen de airbag zich opblies. De Aston Martin tolde zijwaarts en kwam tot stilstand. Een nevel van wit poeder hing in de lucht en lag over haar schouders en armen. De andere auto was niet meer dan een schicht geweest, niet meer dan een schaduw in zee, een glimmende, door het prisma van haar tranen gebroken flits, en toen de botsing.

Larkin maakte haar gordel los en klauterde uit de auto. Er stond een zilverkleurige Mercedes op de stoep met een loshangende, verbogen achterbumper. Voorin zaten een man en een vrouw, de man aan het stuur. Op de achterbank, het dichtste bij de plek van de botsing, bevond zich nog een man. De bestuurder hielp de vrouw, wier gezicht bloedde; de man achterin lag op zijn zij en deed vergeefse pogingen rechtop te gaan zitten.

Larkin gaf een klap op het raampje naast de bestuurder.

'Alles in orde? Kan ik iets doen?'

De bestuurder keek haar wezenloos aan voor hij haar echt zag en deed toen zijn portier open. Hij had een snee boven zijn linkeroog.

'O, lieve hemel, sorry. Wat vreselijk. Ik zal het alarmnummer bellen. Ik zal vragen of ze een ambulance sturen,' zei Larkin.

De bestuurder was in de vijftig, goed gekleed en zongebruind. Hij droeg een grote gouden ring aan zijn rechterhand en een mooi horloge om zijn linkerpols. De vrouw zat sprakeloos naar het bloed op haar handen te kijken. De passagier achterin tuimelde naar buiten, viel op zijn knieën en trok zichzelf aan de zijkant van de auto overeind.

'Niets aan de hand. Het valt wel mee,' zei hij.

Larkin realiseerde zich dat haar mobieltje nog in haar auto lag. Ze moest zorgen dat deze mensen hulp kregen.

'Ga alsjeblieft zitten. Ik bel –'

'Nee. Ik zal wel voor u zorgen.'

De man van de achterbank zette een stap in haar richting, maar zakte door zijn benen. Larkin zag hem duidelijk in het licht van de koplampen van haar auto. Zijn ogen waren groot, en zo donker dat ze zwart leken in het gebroken licht.

Larkin liep haastig naar haar auto. Ze vond haar mobieltje op de grond en belde net het alarmnummer toen de Mercedes achteruit het trottoir af reed. De achterbumper sleepte over de stenen.

'Hé, wacht even...!' zei Larkin.

Larkin riep nog een keer, maar ze stopten niet. Ze stond net hun kenteken in haar geheugen te prenten toen ze hoorde dat de man van de achterbank hard wegrende, midden over straat.

Een blikkerige stem maakte een einde aan haar verbijsterde zwijgen.

'Alarmcentrale, hallo?'

'Ik heb een auto-ongeluk gehad, een aanrijding...'

'Zijn er gewonden?'

'Ze zijn weggereden. En die man, ik weet niet...'

Larkin sloot haar ogen en noemde het kenteken. Omdat ze bang was dat ze het zou vergeten, pakte ze haar lipgloss – Cherry Pink Ice – en schreef het nummer op haar arm.

'Hebt u hulp nodig?'

Larkin voelde zich duizelig.

'Mevrouw...?'

De aarde kantelde en opeens zat Larkin op straat.

'Mevrouw, weet u waar u zich bevindt?.'

Larkin wilde antwoord geven.

'Mevrouw, waar bent u?'

Larkin strekte zich uit op de koele, harde straat. Donkere gebouwen verdrongen zich boven haar hoofd als priesters in zwarte togen die zich vooroverbogen in gebed. Ze zocht naar engelen op de daken.

Na zeven minuten kwam een politiewagen aanrijden; de ambulance kwam drie minuten later. Larkin dacht dat het na die nacht, wanneer de politie al haar vragen had gesteld, voorbij zou zijn. Maar haar nachtmerrie was pas net begonnen.

Achtenveertig uur later zou ze kennismaken met medewerkers van het ministerie van Justitie en het Openbaar Ministerie. Zes dagen later zou er een aanslag op haar leven worden gepleegd. Elf dagen later zou ze kennismaken met een zekere Joe Pike.

Haar hele leven zou veranderen. En dat begon die nacht.

DAG EEN

HOU DE SWING ERIN

EEN

Het meisje stapte met tegenzin uit de auto en trok een lelijk gezicht om hem duidelijk te maken dat ze het sjofele huis en de snoeihete straat waar het naar chili en *episote* rook, niet zag zitten. Wat hem betrof, was deze anonieme woning prima. Terwijl hij op haar wachtte, speurde hij routineus de omliggende huizen af om te zien of er ergens gevaar dreigde. Hij had het gevoel dat hij opviel in het overhemd met de lange mouwen. De zon van Los Angeles was te heet voor mouwen, maar hij had er niets over te zeggen. Hij bewoog zich voorzichtig, zodat niemand zou zien wat er onder het overhemd zat.

'Mensen die in dit soort huizen wonen, krijgen misvormde kinderen. Ik kan hier niet blijven,' zei ze.

'Praat eens wat zachter.'

'Ik heb de hele dag nog niet gegeten. Ik heb gisteren niet gegeten en nu word ik misselijk van die lucht hier.'

'We eten straks wel, als we veilig zijn.'

Toen het meisje naast hem was komen staan, deed de vrouw die eruitzag zoals Bud hem had beschreven, de deur open. Ze was een gedrongen vrouw met grote witte tanden en vriendelijke ogen, en ze heette Imelda Arcano. Mrs. Arcano beheerde verschillende appartementen en eengezinswoningen in Eagle Rock en Buds bedrijf had eerder zaken met haar gedaan. Hij hoopte dat ze de vier keurige gaatjes die de vorige avond in hun bumper waren gestanst, niet zou zien.

Hij draaide zich om om het meisje toe te spreken.

'Door die arrogante houding van je val je op. Doe normaal. Je moet juist onzichtbaar zijn.'

'Zal ik maar in de auto wachten?'

Daar kon geen sprake van zijn.

'Laat haar maar aan mij over.'

Het meisje lachte. 'Ja, dat is echt iets voor jou. Dat wil ik meemaken. Dat jij het woord doet en je charmant gedraagt.'

Hij nam het meisje bij de arm en wandelde naar het huis. Het sierde haar dat ze met hem mee liep zonder een scène te maken en dat ze een andere houding aannam door haar schouders te laten hangen zoals hij haar had voorgedaan. Ook al droeg ze een overdreven grote zonnebril en een Dodgers-pet, toch wilde hij haar zo snel mogelijk binnen en uit het zicht hebben.

Mrs. Arcano glimlachte vriendelijk toen ze bij de voordeur kwamen en verwelkomde hen.

'Mr. Johnson?'

'Ja.'

'Wat is het heet, hè, vandaag? Binnen is het koel. De airconditioner doet het goed. Ik ben Imelda Arcano.'

Na de nachtmerrie in Malibu had Buds bedrijf bliksemsnel het nieuwe huis geregeld: het geld was afgeleverd en Mrs. Arcano was verteld wat ze moest weten. Dat was waarschijnlijk niet veel. Het geld was snel verdiend; geen vragen stellen hoorde bij de afspraak; de huurders hielden zich gedeisd en vertrokken binnen een week. Mrs. Arcano zou de afwezige eigenaar waarschijnlijk niet eens melden dat het huis was verhuurd, maar Buds geld in haar zak steken en het daarbij laten. Ze ontmoetten Mrs. Arcano alleen omdat zij hun de sleutel moest geven.

Imelda gebaarde dat ze binnen moesten komen. De man aarzelde even, zodat hij een blik achterom de straat in kon werpen. Het was een smalle straat zonder bomen en dat was goed. Hij had vrij uitzicht naar beide kanten, maar de kleine huizen stonden dicht op elkaar en dat was niet gunstig. In de smalle steegjes zou het na zonsondergang pikdonker zijn.

Hij wilde zo snel mogelijk van Mrs. Arcano af, maar de vrouw stortte zich op het meisje – vrouwen onder elkaar, dat soort gedoe – en liet hun het huis zien. Ze voerde hen mee naar de twee piepkleine slaapkamers en de badkamer, de minuscule woonkamer en keuken, de kale achtertuin. Hij keek uit elk raam naar de naburige huizen en vanuit de opening van de achterdeur naar het roestende hek dat het huis van de achterliggende woning scheidde. In de tuin van het buurhuis lag een beige met wit gevlekte pitbull aan een ijzeren paal. Het dier lag met zijn kop op zijn poten, maar sliep niet. Het deed hem genoegen de pitbull te zien.

'Doet de tv het?' vroeg het meisje.

'O, ja, er is kabel en gas, water en licht; alles wat je nodig hebt, maar er is geen telefoon. Dat is logisch, hè? Het heeft geen zin voor zo'n korte tijd een aansluiting te laten aanleggen.'

Hij had het meisje opgedragen geen woord te zeggen, maar nu voerden ze een gesprek. Hij brak het af.

'We hebben mobieltjes. Geef me de sleutels maar, dan kunt u weg.'

Mrs. Arcano verstijfde, een teken dat ze was beledigd.

'Wanneer trekt u erin?' vroeg ze.

'Nu. Geef de sleutels maar hier.'

Mrs. Arcano peuterde twee sleutels van haar sleutelring en vertrok. Voor de eerste en enige keer die dag liet hij het meisje alleen. Hij liep met Mrs. Arcano naar haar auto, omdat hij zo snel mogelijk hun spullen naar binnen wilde brengen. Hij wilde Bud bellen. Hij wilde weten wat er de avond ervoor in hemelsnaam was gebeurd, maar hij wilde vooral zorgen dat het meisje veilig was.

Hij treuzelde bij zijn auto tot Mrs. Arcano wegreed en keek toen opnieuw de straat in: beide kanten op, naar de huizen, tussen de huizen. Alles leek in orde. Hij nam zijn plunjezak en die van het meisje mee het huis in, samen met de spullen die ze bij de drogist hadden gekocht.

De tv stond aan. Het meisje schakelde heen en weer tussen de lokale zenders voor het nieuws. Toen hij binnenkwam, lachte ze, en deed hem na. Ze liet haar stem dalen en zei op vlakke toon: '"Geef me de sleutels maar, dan kunt u weg." O, wat waren we weer charmant. Als je zo doet, val je echt niet op.'

Hij zette de televisie uit en stak haar de tas van de drogist toe. Kwaad omdat hij de tv had uitgezet, weigerde ze de tas aan te pakken, dus liet hij het ding op de grond vallen.

'Ga je haar doen. We halen iets te eten als je klaar bent.'

'Ik wilde kijken of we op het nieuws zijn.'

'Ik kan niks horen met de tv aan. We moeten alles kunnen horen. Straks misschien.'

'Ik kan het geluid uitzetten.'

'Ga je haar doen.'

Hij trok zijn overhemd uit en gooide het op de grond bij de voordeur. Als hij weer naar buiten ging of als er iemand aan de deur kwam, zou hij het aantrekken. Er zat een Kimber .45 semiautomatisch pistool achter zijn broekband. Hij maakte zijn plunjezak open en haalde er een riemholster voor de Kimber uit en nog een wapen, een Colt Python .357 Magnum, met een loop van tien centimeter, die al in een holster zat. Hij hing de Kimber zo aan de voorkant van zijn broek dat hij hem kruislings met zijn rechterhand kon trekken. De Python hing hij aan zijn rechterzij. Hij had geen holsters durven dragen vanwege Mrs. Arcano, maar hij had ook niet ongewapend willen zijn.

Hij haalde een rol isolatietape uit zijn tas en ging naar de keuken.

Achter hem zei het meisje: 'Klootzak.'

Hij controleerde of de achterdeur op slot zat, ging naar het kleine slaapkamertje aan de achterkant, deed de ramen op slot en trok de gordijnen dicht. Daarna scheurde hij stukken isolatietape af en plakte ze rondom vast aan de vensterbank en de stijlen van het raamkozijn. Als het iemand lukte een raam open te schuiven, zou het lawaai maken als het gordijn werd losgetrokken en dat zou hij horen. Toen de gordijnen waren vastgeplakt, haalde hij zijn Randall-mes tevoorschijn en maakte in elk gordijn een verticale snee van zo'n zevenenhalve centimeter, net groot genoeg om met zijn vingers open te trekken, zodat hij in de gaten kon houden of er iemand aankwam. Hij stond in de gordijnen te snijden toen hij haar naar de badkamer hoorde gaan. Eindelijk werkte ze mee. Hij wist dat ze bang was, voor hem en door alles wat er gebeurde, en daarom was hij verbaasd dat ze zo tegendraads was geweest. En blij, omdat hij dacht dat ze daardoor misschien iets langer in leven zouden blijven.

Onderweg naar de slaapkamer aan de voorkant kwam hij langs de badkamer. Ze stond voor de spiegel haar koperrode haar af te knippen. Ze nam het haar tussen haar vingers, trok het strak en hakte er op los met de goedkope schaar van de drogist tot er ongelijke pieken van zo'n vijf centimeter overbleven. Verpakkingen Clairol-haarverf, ook zojuist aangeschaft, stonden op de wastafel. Ze zag hem in de spiegel en trok een boos gezicht.

'Ik vind dit verschrikkelijk. Ik zie er straks uit alsof ik uit Melrose kom.'

Ze had zich uitgekleed tot op haar bh, maar liet de deur openstaan. Hij vermoedde dat ze wilde dat hij haar zo zag. De spijkerbroek van vijfhonderd dollar hing laag op haar heupen onder een vrolijk springend dolfijntje tussen de kuiltjes in haar onderrug. Haar bh was lichtblauw en doorzichtig, en stond prachtig bij haar olijfkleurige huid. Ze keek naar hem en speelde met haar haar, dat nu in ongelijke pieken alle kanten op stond. Ze kneedde er model in en bekeek het peinzend. De wastafel en de grond lagen bezaaid met het haar dat ze had afgeknipt.

'Wat dacht je van wit? Ik zou het wit kunnen maken. Zou je daar blij mee zijn?' zei ze.

'Bruin. Onopvallend.'

'Ik zou het blauw kunnen verven. Blauw is misschien wel leuk.'

Ze draaide zich om om haar lichaam te tonen.

'Zou je dat mooi vinden? Retropunk? Echt helemaal Melrose? Zeg eens dat je het mooi vindt.'

Hij liep door naar de slaapkamer aan de voorkant zonder antwoord te geven. Ze had geen blauw gekocht. Ze dacht waarschijnlijk dat hij er niet op had gelet, maar hij lette overal op. Ze had blond, bruin en zwart gekocht. Hij deed de ramen in de slaapkamer aan de voorkant op slot en plakte de gordijnen vast zoals hij in de rest van het huis had gedaan. Daarna keerde hij terug naar de badkamer. De kraan liep en ze stond voorovergebogen over de wastafel met plastic handschoenen aan de verf door haar haar te wrijven. Zwart. Hij vroeg zich af hoe lang het zou duren voor het rood onzichtbaar geworden was. Hij pakte zijn mobieltje en belde Bud Flynn terwijl hij haar gadesloeg.

Hij zei: 'We zijn er. Wat was dat gisteravond?'

'Daar probeer ik achter te komen. Ik heb nog geen idee. Is het nieuwe huis goed?'

'Ze wisten waar we zaten, Bud. Ik wil weten hoe.'

'Ik ben ermee bezig. Is alles goed met haar?'

'Ik wil weten hoe.'

'Jezus, ik ben ermee bezig. Moet je nog iets hebben?'

'Ik moet weten hoe.'

Hij klapte de telefoon dicht op hetzelfde moment dat zij zich oprichtte. Het water liep door de holte van haar rug omlaag naar het dolfijntje tot ze haar haar in een handdoek wikkelde. Pas toen zochten haar ogen hem weer in de spiegel en glimlachte ze.

'Je staat naar mijn kont te kijken.'

De pitbull blafte.

Hij aarzelde geen moment. Hij trok de Python en holde naar de slaapkamer aan de achterkant.

'Joe! Verdomme,' zei ze.

In de slaapkamer trok hij een van de gaten in het gordijn open, terwijl het meisje haastig achter hem kwam staan. De hond was overeind gekomen en tuurde naar iets wat hij niet kon zien.

'Wat is er?' zei ze.

'Sst.'

De pitbull probeerde iets links van hen te zien en blafte niet meer. Hij stond met diepe plooien in de platte bovenkant van zijn kop en zijn stompe oren gespitst, te snuiven.

Pike keek door de spleet en luisterde ingespannen.

'En?' fluisterde het meisje.

De pitbull barstte los in een woest geblaf en rukte aan zijn ketting.

Op dat moment kwam een man achter de garage vandaan. Het gebeurde weer. Pike zei over zijn schouder: 'Naar de voorkant, maar hou de deur dicht. Schiet op.'

De handdoek viel van haar hoofd toen hij haar voor zich uit duwde. Hij hing hun plunjezakken over zijn schouder en loodste haar naar de deur. Hij keek door de spleet die hij in de gordijnen aan de voorkant had gemaakt. Er liep één man over het tuinpad en een andere kwam dwars door de tuin heen naar het huis toe. Pike wist niet of er nog meer buiten waren en waar, maar hij en het meisje zouden het niet overleven als hij de strijd vanuit het huis aanging.

Hij pakte haar kin en dwong haar hem aan te kijken. Ze moest haar angst zien te vergeten. Haar ogen ontmoetten de zijne en hij zag dat ze er helemaal bij was.

'Let op mij. Kijk niet naar hen of naar iets anders. Let op mij tot ik je wenk en ren dan zo snel als je kunt naar de auto.'

Wederom aarzelde hij niet.

Hij rukte de deur open, richtte snel op de man op het tuinpad en vuurde tweemaal met de Colt. Toen richtte hij op de man die door de tuin kwam. Pike schoot zo snel tweemaal op de beide mannen, dat het leek of het niet vier maar twee schoten waren – *baboembaboem* – en holde toen de voortuin in. Hij zag verder niemand, dus wenkte hij het meisje.

'Schiet op!'

Ze rende zo snel als ze kon, dat moest hij haar nageven. Pike ging achter haar aan. Hij liep achteruit zoals verdedigers doen als ze een aanvaller dekken en bleef dicht bij haar om haar lichaam af te schermen met het zijne, want de pitbull bleef blaffen. Er waren er nog meer.

Toen Pike bij de lijken kwam, liet hij zich op een knie zakken en klopte op hun zakken. Hij hoopte een portefeuille of een of ander identiteitsbewijs te vinden, maar hun zakken waren leeg.

Er kwam een derde man om het huis heen het tuinpad op. Hij zag Pike en dook weg. Pike vuurde zijn laatste twee kogels af. Hout en stucwerk vlogen van de hoek van het huis, maar de man had dekking gezocht en de Python was leeg. De derde man kwam vrijwel onmiddellijk weer tevoorschijn en schoot drie keer: *bapbapbap*. Hij miste Pike, maar raakte zijn jeep als een bolhamer. Pike had geen tijd om de Python in de holster te stoppen. Hij liet hem vallen, trok de Kimber, loste nog twee schoten en haalde de man bij de hoek van het huis neer. Pike rende naar de auto. Het meisje had het linkerportier opengetrokken, maar stond als aan de grond genageld.

Pike schreeuwde: 'Stap in. Erín!'

Er verscheen nog een man om de hoek van het huis, die in het wilde weg zo snel als hij kon kogels afvuurde. Pike schoot, maar de man had al dekking gezocht.

'Erin.'

Pike duwde het meisje in de auto, ramde het sleuteltje in het contactslot en reed plankgas naar de hoek van de straat. Hij ging haaks de bocht om, trapte het gaspedaal tot de bodem in en wierp toen een blik op het meisje. 'Alles goed? Ben je geraakt?'

Ze keek recht voor zich uit met rode, natte ogen. Ze huilde weer. 'Die mannen zijn dood,' zei ze.

Pike legde zijn hand op haar bovenbeen. 'Kijk me aan, Larkin.'

Ze kneep haar ogen dicht en wrong haar handen. 'Er zijn net drie mannen gestorven. Nog drie mannen.'

Hij zei zacht met zijn zware stem. 'Ik zorg ervoor dat je niets overkomt. Hoor je me?'

Ze keek hem nog steeds niet aan.

'Geloof je me?'

Ze knikte.

Pike zwenkte over een kruispunt. Hij remde net genoeg af om een botsing te voorkomen en reed toen op hoge snelheid de autoweg op.

Ze waren achtentwintig minuten in het huis in Eagle Rock geweest. Hij had opnieuw drie mannen gedood en nu waren ze op de vlucht. Alweer.

Hij vond het jammer dat hij de Colt kwijt was. Het was een goed wapen. Het had hen gisteravond in Malibu gered, maar nu kon het hun het leven kosten.

TWEE

Pike scheurde in noordelijke richting over de 101 en waarschuwde niet toen hij tussen het verkeer door vier rijstroken overstak naar de afrit. Ze vielen van de snelweg af, als een steen die in het water valt.

Larkin gaf een gil.

Ze kwamen dwars onder aan het talud terecht. Pike gaf een ruk aan het stuur en reed tussen het tegemoetkomende verkeer door. Claxons en banden gilden toen Pike keerde en de tegenoverliggende oprit op reed, terug zoals ze gekomen waren. Het meisje zat in elkaar gedoken met haar armen om haar benen geklemd zoals je dat in een vliegtuig moet doen als het gaat neerstorten.

Pike reed met de jeep naar de volgende afrit, trapte op het laatste moment op de rem en liet zich er weer af vallen. Onder het vallen keek hij al in het achteruitkijkspiegeltje.

Het meisje kreunde.

'Hou op! Hou op, je jaagt ons allebei de dood in.'

Ze kwamen uit bij USC in de middagspits. Pike schoot het Chevron-benzinestation onder aan de afrit in, zwenkte om de pompen en het kantoortje heen en stopte. Ze bleven met draaiende motor staan, terwijl Pike kogels in het magazijn van de Kimber deed en de auto's in de gaten hield die van de snelweg af kwamen. Op dit tijdstip was het druk op de afrit. Pike bestudeerde de passagiers in elke auto, maar niemand gedroeg zich als een moordenaar in de achtervolging.

'Kende je die mannen bij het huis?'

'Dit is waanzin. We doden mensen.'

'Die ene in de voortuin; je bent langs hem gelopen. Had je hem al eens gezien?'

'Ik kon niet... het ging allemaal... nee.'

Pike liet het rusten. Ze had de twee die hij eerder had gedood ook niet gezien; donkere schimmen die vielen, meer niet. Pike had hen zelf nauwelijks gezien: grove mannen van in de twintig of dertig, met zwarte T-shirts en pistolen, strepen schaduw en licht dwars over hen heen.

Pikes mobieltje trilde, maar hij negeerde het. Hij reed achteruit bij het gebouwtje vandaan, draaide de neus van de auto van de snelweg af en meerderde vaart toen hij ervan overtuigd raakte dat ze niet gevolgd werden.

Een eindje verderop reed Pike een winkelstraat in, een van die straten waar de winkels elke twee maanden op de fles gaan. Hij sloeg aan het einde van de straat een smal steegje in en zag niets anders dan vuilnisbakken en gaten in de bestrating.

Pike zette de motor uit, stapte uit, liep om de jeep heen en opende haar portier. 'Stap uit.'

Ze reageerde niet snel genoeg, dus trok hij haar naar buiten. Hij hield haar overeind, anders zou ze zijn gevallen.

'Hé! Wat... hou op!'

'Heb je iemand gebeld?'

'Néé.'

Hij drukte haar met zijn heup tegen de jeep en zocht in haar zakken naar een mobiele telefoon. Ze probeerde hem weg te duwen, maar hij sloeg geen acht op haar.

'Hou op... hoe had ik nou kunnen bellen? Ik was bij jou, sukkel. Hou op...'

Hij griste haar slappe Prada-tas van de grond en gooide de inhoud op de stoel.

'Idioot! Ik heb geen telefoon. Die heb je afgepakt.'

Hij doorzocht de vakken in haar tas en haalde toen haar plunjezak van de achterbank.

'Ik heb niemand gebeld. Ik heb geen telefoon!'

Pike doorzocht al haar spullen en keek haar toen peinzend aan.

'Wat nou? Waarom kijk je zo naar me?'

'Ze hebben ons gevonden.'

'Ik weet niet hoe ze ons hebben gevonden.'

'Geef me je schoenen.'

'Hè?'

Hij duwde haar achteruit de jeep in en trok haar schoenen uit. Dit keer bood ze geen verzet. Ze liet zich achteruit in de stoel zakken en keek naar hem toen hij haar voeten optilde.

Pike vroeg zich af of ze een zendertje op haar hadden geplaatst. Misschien had ze van het begin af aan een zendertje gehad en waren de U.S. Marshals en Bud Flynn haar daardoor bijna kwijtgeraakt. Pike controleerde de hakken van haar schoenen en keek naar haar riem en de ijzeren knopen van haar spijkerbroek. Ze haalde diep adem toen hij haar riem afdeed.

'Zo goed?' zei ze.

Pike negeerde haar glimlachje. Het was schunnig en volmaakt.

'Zal ik mijn broek ook uit doen?'

Pike richtte zijn aandacht op haar plunjezak en ze lachte.

'Je bent gek. Dat zijn mijn spullen. Die heb ik geen moment uit het oog verloren sinds ik met de Marshals ben meegegaan, idioot! Waarom zeg je niets? Waarom praat je niet tegen me?'

Pike dacht niet dat hij iets zou vinden, maar hij moest het controleren en dat deed hij dus ook, zonder acht te slaan op haar. Hij had het bij de marine geleerd: die ene keer dat iemand zijn geweer niet schoonmaakte, was de keer dat het blokkeerde; die ene keer dat je geen tape over een gesp deed of je spullen niet vastbond, kostte de herrie die ze maakten je het leven.

'Blijven we hier? Is het wel veilig hier? Ik wil naar huis.'

'Thuis hebben ze je bijna vermoord.'

'Nu ben ik bij jou en hebben ze me al twee keer bijna vermoord. Ik wil naar huis.'

Pike haalde zijn mobiele telefoon uit zijn zak en bekeek de berichten. De drie binnenkomende gesprekken waren van Bud Flynn. Pike drukte op de beltoets om de telefoontjes te beantwoorden en vroeg zich af of ze opgespoord werden via zijn eigen mobiele telefoon door middel van een driehoeksbepaling van het signaal tussen de gsm-masten. Om hem op te sporen moesten ze zijn nummer weten, maar Bud had zijn nummer. Misschien wisten zij het ook, als Bud het wist.

Bud nam onmiddellijk op.

'Ik ben me kapot geschrokken. Ik dacht dat je er geweest was toen je niet opnam.'

'Ze hebben ons weer gevonden.'

'Kom hierheen. Waar zit je?'

'Luister. Ze wil naar huis.'

Pike keek naar het meisje toen hij het zei en zij keek terug.

Bud gaf niet direct antwoord, maar toen hij begon te praten klonk zijn stem zacht. 'Rustig aan. Laten we geen overhaaste beslissingen nemen. Is ze in veiligheid? Is alles goed op dit moment?'

'Ja.'

'Ik wil even controleren of ik het goed begrijp: heb je het over het huis in Malibu of het huis waar ik je net heen heb gestuurd, dat in Eagle Rock?'

Bud had hen de vorige avond naar een adres in Malibu gestuurd en vervolgens naar het huis in Eagle Rock, toen de schutters Malibu aanvielen.

'In Eagle Rock. Je hebt me twee slechte adressen gegeven, Bud.'

'Dat kan niet. Ze kunnen onmogelijk van dit huis hebben geweten.'

'Er zijn weer drie mannen dood. Dekt Justitie me of hoe zit het? Ik moet het weten, Bud.'

Bud wist al van de twee in Malibu. Justitie had geprotesteerd, maar had beloofd Pike en het meisje tegenover de plaatselijke politie te dekken.

Nu leek Bud niet zo overtuigd meer. 'Ik zal met ze praten.'

'Doe het snel. Ik ben een van mijn wapens kwijt, de .357. Als de politie de nummers natrekt, hebben ze mijn naam.'

Bud liet een zacht gesis horen dat eerder vermoeid dan boos klonk. Pike zette hem niet onder druk. Pike liet hem nadenken.

'Goed, luister, ze wil naar huis?'

'Ja.'

'Geef haar eens.'

Pike hield haar de telefoon voor. Het meisje drukte hem tegen haar oor, maar ze leek nu te twijfelen. Ze luisterde een paar minuten en zei toen één keer iets.

'Ik ben echt bang. Mag ik niet naar huis?' zei ze.

Pike wist het antwoord al voor ze de telefoon teruggaf. Ze stonden in een steegje in het zuidoosten van Los Angeles bij een temperatuur van tweeëndertig graden, en het meisje zag eruit alsof ze het koud had. Ze vloog over dit soort buurten heen in het privévliegtuig van haar familie, maar nu stond ze hier, en dat allemaal omdat ze op het verkeerde moment op de verkeerde plaats was geweest en, waarschijnlijk voor het eerst en het laatst in haar leven, eens iets goeds had willen doen. En als ze nu iets goeds wilde doen, moest ze bij hém blijven.

Pike nam de telefoon weer aan op het moment dat er aan de andere kant van het steegje een auto opdook. Hij ging onmiddellijk tussen het meisje en de naderende auto staan en zag toen dat de bestuurder een heel kleine, jonge latina was, die haar hoofd in haar nek moest leggen om over het stuur te kunnen kijken.

Pike bracht de telefoon naar zijn oor. 'Met mij.'

'Oké, moet je horen, ze vindt het goed om bij jou te blijven. Dat lijkt mij het beste, en haar vader ook. Ik regel een ander huis...'

'Hou je huis maar. Weet je al wie die mannen in Malibu waren?'

'We moeten zorgen dat jullie ergens veilig zijn. Ik regel een ander huis.'

'Je huizen zijn slecht.'

'Joe...'

'Ze hadden ons twee keer te pakken in een van je huizen. Ik zorg zelf wel voor onderdak.'

'Je kunt me niet overal buiten houden. Hoe weet ik dan...'

'Je hebt haar aan mij gegeven, Bud. Ze is van mij.'

Pike zette zijn telefoon uit. Het meisje stond hem in de zinderende hitte in het steegje aan te kijken.

'Nu ben ik van jou? Zei je dat echt?'

'Als je naar huis wilt, breng ik je naar huis. Dat bepaal jij, niet zij. Dat bedoelde ik ermee. Meer niet. Ik breng je terug als je dat wilt.'

Pike wist dat ze het overwoog, maar toen haalde ze haar schouders op.

'Ik blijf.'

'Stap in.'

Pike hielp haar in zijn jeep en keek toen naar beide kanten het steegje door. Hij wilde op pad, maar zijn jeep vormde nu een risico. De politie zou er via zijn wapen na verloop van tijd achter komen dat hij erbij betrokken was, maar als een getuige in Eagle Rock zijn kenteken had genoteerd, was de politie misschien al op zoek naar een rode jeep Cherokee. Pike wilde uit de buurt van de politie blijven, maar hij kon niet blijven staan. Als je stilstond, was je iemands schietschijf.

De steeg was verlaten. Nu, op dit moment en op deze plaats, waren Pike en het meisje onzichtbaar. Als Pike het zo kon houden, zou het meisje blijven leven.

DRIE

Pike draaide de parkeerplaats van de Bristol Farms op Sunset bij Fairfax op en parkeerde zo ver mogelijk van de kruising om zijn jeep te verbergen.

'Wat doen we hier?' vroeg ze.

'Ik moet iemand bellen. Stap uit.'

'Waarom bel je niet uit de auto?'

'Ik vertrouw mijn mobiel niet. Stap uit.'

'Mag ik niet hier wachten?'

'Nee.'

Pike was bang dat ze herkend zou worden, zelfs met het andere kapsel en de zonnebril, en misschien zou ze toch niet bij hem willen blijven, ervan door kunnen gaan en zichzelf de dood in jagen. Ze kenden elkaar nu exact zestien uur. Ze waren vreemden voor elkaar.

Larkin liep snel om de jeep heen om met hem mee te lopen. 'Wie ga je bellen?'

'We moeten een andere auto hebben en een slaapplaats. We moeten iets te weten komen over de mensen die jou willen vermoorden. Als de politie achter ons aan zit, moeten we het anders aanpakken.'

'Hoe bedoel je, aanpakken? Wat gaan we doen?'

Pike was het zat om te praten en zweeg. Hij leidde haar langs de bloemenkraam voor de winkel naar een rij telefooncellen en stopte muntjes in een telefoon.

Larkin stak haar arm door de zijne, alsof de Santa Ana-wind haar zou wegblazen als ze niet verankerd was.

'Ik wil iets eten.'

'Geen tijd.'

'Ik kan iets halen terwijl jij belt.'

'Straks.'

Pike was eigenaar van een kleine wapenwinkel in Culver City, niet ver van zijn appartement. Hij had vijf werknemers: vier mannen en één vrouw; twee fulltime krachten en drie die vroeger bij de politie hadden gewerkt.

Een man die Ronnie heette, nam op toen de telefoon twee keer was overgegaan.

'Wapenwinkel.'

'Ik bel over twee minuten,' zei Pike.

Pike hing op.

Larkin drukte zijn arm. 'Wie was dat?'

'Hij werkt voor me.'

'Is hij ook een lijfwacht?'

Pike negeerde haar en keek hoe de secondewijzer een cirkel op zijn Rolex beschreef. Ronnie zou voor Pikes telefoontje naar de naastgelegen wasserette gaan.

Terwijl Pike wachtte, kwamen twee mannen van achter in de twintig de winkel uit en liepen voorbij. Een van hen nam Larkin van top tot teen op en grinnikte en de andere staarde naar haar gezicht. Larkin keek terug. Pike probeerde in te schatten of de man haar herkende. Op de parkeerplaats dolden ze even met elkaar voor ze in een zwarte Audi stapten en daaruit maakte Pike op dat ze haar niet hadden herkend.

'Dat moet je niet meer doen.'

'Wat niet?'

'Oogcontact maken zoals je met die kerels deed. Niet doen.'

Pike dacht dat ze iets ging zeggen, maar in plaats daarvan perste ze haar lippen op elkaar en keek naar de winkel.

'Ik had allang terug kunnen zijn met iets te eten.'

Na de twee minuten belde Pike en Ronnie nam op. Pike schetste de situatie, gaf Ronnie opdracht de winkel te sluiten en iedereen naar huis te sturen. De mannen die Larkin dood wilden hebben, waren vrijwel zeker op de hoogte van Pikes identiteit toen ze de huizen in Malibu en Eagle Rock overvielen, maar hadden deze kennis niet nodig gehad om het meisje op te sporen. Nu Pike met haar was verdwenen, zouden ze via hem Larkin proberen op te sporen, en deze kennis zou hun de mensen in Pikes leven geven als omrollende golven; de ene zou naar de andere leiden, elke golf zou een volgende doen omslaan.

'Ik snap het. Wat heb je nodig?' zei Ronnie.

'Een auto en een mobiel. Haal zo'n prepaidtelefoon die ze bij Best Buy en Target verkopen.'

'Oké. Je kunt mijn oude Lexus nemen als je wilt. Is dat wat?'

Ronnies Lexus was twaalf jaar oud. Ronnies vrouw had hem aan hun dochter gegeven, maar zijn dochter studeerde rechten en woonde op kamers, zodat de auto meestal voor de deur stond. Hij was donkergroen.

Pike zei Ronnie dat hij de Lexus over vijfendertig minuten moest parkeren bij een Albertsons die ze allebei kenden, auto neerzetten en weglopen. In die vijfendertig minuten zou Pike nog even naar zijn appartement kunnen gaan voor hij de jeep achterliet.

'Zet het alarm en de bewakingscamera's uit als jullie afsluiten, Ronnie. En ga dan niet meer terug. Niemand gaat terug voor je van mij hoort,' zei Pike.

'Misschien kunnen we beter open blijven. Als je vrienden langskomen, kunnen we ze een poepie laten ruiken.'

'De politie komt misschien ook langs.'

'O, oké.'

Pike hing op en liep onmiddellijk met het meisje terug naar zijn jeep. Voor hem waren de wegtikkende minuten een race die hij aan het verliezen was. Zodra de strijd met de vijand was losgebarsten, was snelheid van cruciaal belang. Snelheid was leven.

Ze trok aan zijn arm. 'Je loopt te snel.'

'We moeten nog een hoop doen.'

'Waar gaan we heen?'

'Naar mijn huis.'

'Blijven we daar?'

'Nee. De schutters gaan daar ook heen.'

Pike woonde in een uitgestrekt appartementencomplex in Culver City, op nog geen twee kilometer van de kust. Het terrein was omgeven door een gestucte muur met hekken, waarvoor je een magneetsleutel nodig had. De appartementen waren ondergebracht in lage gebouwen met elk vier woningen, gegroepeerd om twee tennisbanen en een gemeenschappelijk zwembad waar Pike nooit gebruik van maakte. Pikes woning stond in een rustig hoekje, afgeschermd van de andere.

Pike begaf zich rechtstreeks naar het complex, maar ging het terrein niet op. Hij reed een keer om de muur heen om te zien of iemand de hekken in de gaten hield of op de uitkijk stond. Pike vond het vervelend het meisje mee te nemen naar zijn appartement, maar hij dacht dat hij niet veel gelegenheid meer zou hebben erheen te gaan.

Pike reed één keer om het complex heen, draaide daarna de achteringang in en opende het hek door met zijn magneetsleutel te zwaaien.

Larkin keek om zich heen naar de gebouwen. 'Dit is best aardig. Ik dacht dat je in een of ander smerig krot zou wonen. Hoeveel geld verdient een lijfwacht?'

'Ga op de grond onder het dashboard liggen.'

'Kan ik bij jou thuis iets te eten krijgen? Je hebt toch zeker wel iets te eten in huis?'

'Jij komt de auto niet uit.'

Pike wist – zonder het te zien – dat ze haar ogen ten hemel sloeg, maar ze liet zich onder het dashboard glijden.

'Als een man me vraagt om op de grond te kruipen, is het meestal voor iets anders.'

Pike keek haar even aan. 'Grappig.'

'Waarom lach je dan niet? Lachen lijfwachten nooit?'

Pike reed naar het kleine parkeerplaatsje waar hij normaal gesproken zijn auto neerzette. Er stonden maar drie auto's en Pike herkende ze alle drie. Hij stopte, maar hij haalde de jeep niet uit de versnelling en liet de motor draaien. Het terrein was beplant met palmbomen, Chinese rozen en glanzende paradijsvogelbloemen. Tussen de palmen lagen betonnen wandelpaden. Pike keek naar het spel van groen en bruin en andere kleuren op de gestucte muren en pannendaken.

'Wat is er?' zei Larkin.

Pike gaf geen antwoord. Hij zag niets bijzonders, dus liet hij de jeep zacht vooruit rijden en zette ten slotte de motor uit. Hij kon het meisje meenemen, maar zonder haar zou hij sneller zijn.

Pike stak haar de Kimber toe. 'Ik ben over een halve minuut terug. Hier.'

Ze schudde haar hoofd. 'Ik heb een hekel aan wapens.'

'Blijf dan hier. Niet weggaan.'

Pike glipte de jeep uit voor ze iets kon terugzeggen en draafde over het pad naar zijn voordeur. Hij controleerde de twee nachtsloten op sporen van braak en zag niets. Hij liet zichzelf binnen en liep naar een tiptoetspaneel dat hij in de muur had ingebouwd. Pike had een videobewakingsinstallatie die de ingang van zijn woning en de benedenverdieping bewaakte.

Pike zette zijn alarm aan, ging naar buiten uit en draafde terug naar de jeep. Larkin zat nog onder het dashboard.

'Wat heb je gedaan?' zei ze.

'Ik weet niets van deze mensen. Als ze hierheen komen, worden ze gefilmd. Dan heb ik iets om mee te werken.'

'Mag ik weer gaan zitten?'

'Ja.'

Toen ze het hek weer uit reden, verscheen er niemand in het achteruitkijkspiegeltje. Pike zette koers naar de Albertsons.

Larkin kwam onder het dashboard vandaan en deed haar gordel om. Ze zag er nu kalmer uit. Pike voelde zich ook beter.

'Wat gaan we nu doen?' zei ze.

'De nieuwe auto halen en dan een plek zoeken waar we kunnen slapen. We moeten nog een hoop doen.'

'Als je geen lijfwacht bent, wat ben je dan? Bud heeft mijn vader verteld dat je vroeger bij de politie hebt gewerkt.'

'Dat is lang geleden.'

'Wat doe je tegenwoordig? Als iemand je vraagt wat je doet, op een feest of in een bar bijvoorbeeld, als je met een vrouw staat te praten die je aardig vindt, wat zeg je dan?'

'Zakenman.'

Larkin lachte, maar haar lach klonk hoog en gespannen. 'Ik ben opgegroeid met zakenmannen. Jij bent geen zakenman.'

Pike wilde dat ze ophield met praten, maar hij wist dat de angst die ze met zich meedroeg oplaaide zoals kolen opgloeien als je erop blaast, en dat het gebabbel alleen maar erger zou worden. Dit was een rustig moment, en tijdens gevechten waren de rustige momenten het ergste. Je voelde je prima zolang je onder vuur lag, maar op de momenten dat je tijd had om na te denken, ging je rillen als een natte hond in de wind. Pike vermoedde dat ze zich nu zo voelde.

Pike raakte de zijkant van haar hoofd aan. Toen hij haar aanraakte, trilden haar lippen en daardoor wist hij dat hij gelijk had. 'Wat ik ook ben, ik zal je geen kwaad doen en ervoor zorgen dat niemand anders je kwaad doet.'

'Beloof je dat?'

'Het is gewoon zo.'

Hij streek het piekerige haar glad dat nog stug was van het verven, maar op dat moment begon ze weer te praten.

'Jij denkt dat ik niet oplet, maar ik weet waar je mee bezig bent. We zouden uit Los Angeles kunnen weggaan en ons in Bisbee in Arizona kunnen verstoppen of zo, maar dat wil jij niet. Jij wilt je niet verstoppen; jij wilt hen te grazen nemen voor ze ons te grazen nemen. Daarom wil je een foto van ze hebben. Je gaat naar ze op jacht.'

Pike concentreerde zich op het verkeer. 'Zoals ik al zei. Ik ben geen lijfwacht.'

Ze zei een tijdje niets meer en Pike was blij met de stilte.

VIER

De groene Lexus stond in de derde rij op de parkeerplaats, gewoon een van de vele auto's in een zee van anonieme voertuigen. Pike parkeerde de jeep op het dichtstbijzijnde lege plaatsje, maar liet de motor draaien. Hij stak zijn hand onder het dashboard, zocht behendig en snel het nylon net op en gooide een holster met een .40 kaliber Smith & Wesson op Larkins schoot.

'Stop in je tas.'

'Die raak ik niet aan. Ik heb toch al gezegd dat ik een hekel aan wapens heb.'

Hij stak zijn hand onder het dashboard bij de passagiersstoel en haalde een .380 Beretta zakpistool tevoorschijn. Hij pakte een plastic doos met geladen magazijnen voor de Smith en de Beretta. Die gooide hij met de Beretta ook op haar schoot.

Ze zei: 'Godsamme, wat ben jij voor engerd?'

Hij dook nog een keer onder het dashboard voor een verzegelde plastic zak met tweeduizend dollar, creditcards en een rijbewijs op naam van Fred C. Howe, met zijn foto erop. Hij legde de zak op haar schoot bij de wapens.

'Hier zit geld in. Misschien past dat beter in je tas.'

Toen zette Pike de motor uit en hij stapte uit zonder op haar te wachten. Hij bracht hun plunjezakken naar de Lexus en liep naar het linkervoorwiel, waar Ronnie het sleuteltje had verstopt. Pike zette hun bagage in de Lexus, sloot de jeep af en legde het sleuteltje op dezelfde plaats onder het wiel. Ronnie zou de jeep ophalen en hem achter de wapenwinkel neerzetten.

Larkin sloeg Pike met haar armen over elkaar gade. 'Wat gaan we nu doen?'

'Ten eerste, instappen.'

'Wat dacht je van: ten tweede, iets te eten halen?'

'Straks.'

Pike klemde de Kimber onder zijn rechterdij, met de kolf naar buiten, zodat hij voor het grijpen lag. Hij startte de auto om de airconditioning aan te zetten en pakte toen de nieuwe telefoon. Ronnie had de telefoon, twee telefoonkaarten en een briefje bij de bestuurdersstoel op de grond gelegd. Bij de telefoon zat een oplader die Pike in de auto kon aansluiten, nog een oplader om binnenshuis te gebruiken en een oordopje om handsfree te kunnen bellen. Ronnie had de telefoon al opgeladen en er tweeduizend belminuten op gezet; de telefoon was klaar voor gebruik. Hij had Pikes nieuwe mobiele nummer op het briefje geschreven.

'Ik barst echt van de honger. Kunnen we alsjeblíéft iets te eten gaan halen?' zei Larkin.

Pike bestudeerde de telefoon om te zien hoe hij werkte, trapte daarna op het gaspedaal en reed achteruit de parkeerplaats af, terwijl hij het nummer intoetste van een makelaar die hij kende.

'Godzijdank. Eindelijk. Ik heb zo'n honger, dat mijn maag zichzelf opeet,' zei Larkin.

'Nog niet.'

Larkin werd rood van ergernis. 'Nou ja, zeg. Wat een waanzin! Ik heb hónger. Ik wil éten.'

Pike moest een plek zien te vinden waar ze zich konden schuilhouden. Hij had aan een motel gedacht, maar in een motel zouden ze regelmatig mensen tegenkomen en dat was niet goed. Ze moesten privacy hebben in een buurt waar niemand woonde die het meisje zou kunnen herkennen. Ze moesten ergens direct in kunnen trekken zonder dat er vragen werden gesteld en dat betekende dat Pike geen zaken kon doen met onbekenden. Hij had de makelaar ooit geholpen toen ze werd lastiggevallen door een agressieve ex-echtgenoot, en sindsdien had hij verschillende huizen via haar gekocht en verkocht.

Toen Pike haar aan de lijn had, beschreef hij wat hij nodig had. Larkin hing met haar armen over elkaar nors tegen het portier aan haar kant van de auto.

'Help! Help! Hij verkracht me. Help!' zei ze. Hard.

'Wie is dat?' zei de makelaar.

'Ik speel voor babysitter.'

Larkin keek nog kwader. 'Je hebt nog nooit op een baby zoals ik gepast.' En ze boog zich naar de telefoon toe.

'Ik heb hem gepijpt!'

'Lijkt me aardig,' zei Pikes vriendin.

'Ik heb hem gepijpt en nu wil hij me niet te eten geven! Ik ga dood van de honger!' schreeuwde Larkin.

Pike legde zijn hand om de telefoon zodat hij door kon praten.

'Kun je een huis voor me regelen?'

'Ik heb wel iets wat geschikt is, denk ik. Kan ik je terugbellen?'

Pike gaf zijn nieuwe nummer aan zijn vriendin, beëindigde het gesprek en wierp een blik op het meisje. Ze hing weer tegen het portier aan en zat door haar zonnebril boos naar hem te kijken alsof ze benieuwd was wat hij zou doen. Misschien stelde ze hem op de proef. Alles wat Pike over dit meisje wist, was hem nog geen zeventien uur geleden verteld door Bud Flynn en de vader van het meisje en inmiddels wist hij dat Buds informatie onbetrouwbaar was.

Pike wierp nogmaals een blik op haar. 'Hoe heet je?'

Ze zette haar bril af en fronste naar hem alsof hij achterlijk was. 'Waar heb je het over?'

'Hoe heet je?'

'Ik snap het niet. Spelen we soms een spelletje, *truth or dare*, of zo?'

'Je naam.'

'Ik snap niet waarom je me mijn naam vraagt.'

'Hoe heet je?'

Haar gezicht verbleekte van ergernis en ze trok aan haar shirt. 'Ik heb honger. Wanneer haal je iets te eten voor me?'

'Je naam.'

'LARKIN CONNER BARKLEY! Jezusmina. Hoe heet jij dan?'

'Je vader?'

'CONNER BARKLEY! MIJN MOEDER IS DOOD! ZIJ HEETTE JANICE! IK BEN ENIG KIND! KRIJG TOCH DE PEST!'

Pike keek in de achteruitkijkspiegel en wees naar haar tas die bij haar voeten lag. 'Rijbewijs en creditcards.'

Ze protesteerde niet. Ze greep haar tas, diepte haar portefeuille op en gooide die naar hem toe.

'Gebruik een creditcard om iets te eten te kopen.'

Pike sloeg de portefeuille open en schoof met zijn duim haar rijbewijs eruit. Er zat een kleurenfoto van haar op en het was afgegeven door de afdeling Motorvoertuigen van Californië op naam van Larkin Conner Barkley. Als haar adres stond een flatgebouw in Century City vermeld, maar zowel Bud als haar vader had het over een woning in Beverly Hills gehad.

'Woon je in Century City?' zei Pike.

'Dat is ons hoofdkantoor. Alles gaat naar dat adres.'

'Waar woon je?'

'Wil je naar mijn loft? Ik heb een geweldige loft. Het gebouw is van ons.'

‘Waar?’

‘In de stad. Het zit in een prachtig industriegebied.’

‘Was je daar de eerste keer dat ze je wilden doden?’

‘Toen was ik bij mijn vader. In Beverly Hills.’

‘Wanneer was dat?’

‘Weet ik veel. Jezus!’

‘Denk na.’

‘Een week geleden. Nog niet eens. Zes dagen misschien.’

‘Wie is Alex Meesh?’

Ze zakte onderuit. Al haar nijdige zelfverzekerdheid was verdwenen. ‘De man die me wil vermoorden.’

Pike had het al van haar vader en Bud gehoord, maar nu wilde hij het uit haar mond horen. ‘Waarom wil hij je dood hebben?’

Ze staarde door de voorruit in het niets en schudde haar hoofd. ‘Dat weet ik niet. Omdat ik hem die nacht met de Kings heb gezien. Toen ik dat ongeluk had. Ik werk samen met het ministerie van Justitie.’

Pike bladerde door haar creditcards en wierp er onder het rijden een blik op. De kaarten waren allemaal afgegeven aan Larkin Barkley, soms met de middelste naam erbij en soms niet. Pike haalde er een American Express en een Visa-kaart tussenuit. De American Express was een van die speciale zwarte kaarten, wat aangaf dat ze er minstens tweehonderdvijftigduizend dollar per jaar mee uitgaf. Hij gooide haar portefeuille weer bij haar voeten op de grond, maar hield de twee creditcards en haar rijbewijs. Hij schoof ze onder zijn bovenbeen, bij het wapen.

Pike wist wat Bud en haar vader hem hadden verteld, maar nu wilde hij zelf vaststellen wie de partijen waren en wat waar was. Hij zou hulp nodig hebben om die dingen uit te zoeken, dus belde hij nog een nummer.

Larkin wierp hem een blik toe, maar haar hart lag er niet in. Ze produceerde een flauw glimlachje. ‘Ik hoop dat je belt om een tafeltje te reserveren.’

‘Ik bel iemand die ons kan helpen.’

De telefoon ging twee keer over en werd toen opgenomen door een man. ‘Detectivebureau Elvis Cole. Wij kunnen alles.’

‘Met mij. Ik kom eraan.’

Pike klapte de telefoon dicht en zette koers naar de bergen.

VIJF

Tweeëndertig uur eerder, op de ochtend dat het begon, baadde Ocean Avenue in het rokerige, goudgele licht van de straatlantaarns en de flatgebouwen langs de kust op Santa Monica. Joe Pike was aan het hardlopen. Hij liep midden op straat en werd vergezeld door een coyote die in de opeengehoopte schaduwen op het klif met hem mee rende. Het was acht minuten voor vier. Zo vroeg in de ochtend ging de Stille Oceaan nog schuil in de nacht en eindigde de aarde bij de brokkelige rand van het klif, opgeslokt door een zwarte afgrond. Pike genoot van de rust in die stille uren, terwijl hij midden op de rijweg liep, iets wat hij niet zou kunnen doen wanneer het licht de duisternis stal.

Pike wierp nogmaals een blik op de schaduwen en zag dat de coyote hem moeiteloos bijhield, soms zichtbaar, op andere momenten, wanneer hij zich tussen de palmbomen voortbewoog, niet. Het was een oud mannetje. Zijn snuit was wit en zat onder de littekens en hij was uit de canyons naar de stad gekomen om voedsel te zoeken. Elke keer dat Pike een blik op de coyote wierp, zag hij dat het dier naar hem keek, hem zelfs onder het lopen onafgebroken in de gaten hield. De coyote vond hem waarschijnlijk raar. Coyotes leefden tussen de mensen volgens bepaalde regels. Dat was ook de reden dat het goed met ze ging in Los Angeles. Een van hun regels was dat ze alleen 's nachts tevoorschijn kwamen. Coyotes waren kennelijk in de veronderstelling dat de nacht toebehoorde aan wilde wezens. Deze coyote vond waarschijnlijk dat Pike de regels overtrad.

Pike hees zijn rugzak iets hoger en dwong zichzelf harder te gaan lopen. Er kwam nog een coyote bij.

Joe Pike liep deze route vaak: vanaf zijn appartement in westelijke richting over Washington, naar het noorden over Ocean tot San Vicente en dan in oostelijke richting naar Fourth Street, waar een steile betonnen trap als een grillige rij tanden van het klif omlaag liep. Honderdnegenentachtig treden, opgestapeld tegen het klif, vier keer onderbroken door een klein bordes, om mensen die vielen op te vangen. Zonder de bordessen zou iemand die struikelde, dood kunnen vallen. Honderdnegenentachtig treden is even hoog als een gebouw met negen verdiepingen. De treden op rennen stond dus gelijk aan negen trappen op rennen.

Deze ochtend droeg Pike een rugzak waar vier zakken meel van vijf kilo in zaten. Pike zou de trap twintig keer nemen, omlaag en weer terug, voor hij op weg naar huis ging. Om zijn middel had hij een heuptasje met zijn mobiele telefoon, identiteitsbewijs, sleutels en een .25 kaliber Beretta zakpistool.

Pike verwachtte het telefoontje die ochtend nog niet. Hij had geweten dat het zou komen, ooit, maar die ochtend ging hij helemaal op in het vertrouwde, prettige gevoel van zweet en inspanning, totdat zijn mobiel trilde. Hij zat lekker in zijn ritme, maar er waren maar weinig mensen die zijn geheime nummer wisten, dus bleef hij staan en nam op.

De man zei: 'Wedden dat je niet weet wie dit is?'

Pike liet zijn ademhaling tot rust komen en verschoof de rugzak. Het gewicht werd alleen zwaar als hij ophield met lopen.

De man, beduusd omdat Pike geen antwoord had gegeven, zei: 'Spreek ik met Joe Pike?'

Pike had de stem van de man niet meer gehoord sinds een 8-jarig jongetje, dat luisterde naar de naam Ben Chenier, was ontvoerd. Pike en zijn vriend Elvis Cole waren op zoek gegaan naar het jongetje, maar ze hadden hulp nodig gehad van de man aan de telefoon om de ontvoerder op te sporen. De prijs die de man vroeg, was simpel: op een dag zou de man bellen met een klus voor Pike en Pike zou ja moeten zeggen. Het zou van alles kunnen zijn, ook het soort werk dat Pike niet meer deed en niet meer wilde doen, maar hij zou geen nee mogen zeggen. Pike zou ja moeten zeggen. Dat was de prijs voor de hulp om Ben Chenier te redden, dus had Pike hem betaald. Dat woord. Ja. Op een dag zou de man bellen en nu was het zover.

'Jon Stone,' zei Pike.

Stone lachte. 'Kijk, je weet het nog. Nu zullen we te weten komen of je een man van je woord bent. Ik heb je gezegd dat ik zou bellen en hier ben ik dan. Je bent me een klus schuldig.'

Pike keek op zijn horloge hoe laat het was. Nog een coyote had zich bij de andere twee gevoegd. Ze stonden in de schaduw naar hem te kijken.

'Het is vier uur 's nachts,' zei Pike.

'Ik ben al vanaf gisteravond op zoek naar je nummer, beste kerel. Sorry als ik je wakker heb gebeld, maar als je me laat zitten, moet ik iemand anders zoeken. Vandaar dit ongelukkige tijdstip.'

'Wat heb je?'

'Er moet op een pakketje worden gepast en het is al heet.'

Pakketje betekende persoon. Heet betekende dat er al aanslagen op het leven van het doelwit waren gepleegd.

'Waarom loopt het pakketje gevaar?'

'Dat weet ik niet en het kan me ook niet schelen. Als jij je maar aan je woord houdt. Ik mocht bellen als ik een klus voor je had en nu is het zover. Ik moet die mensen vertellen of je het doet of niet.'

Grijze gedaanten zwierven als geesten tussen de palmbomen. Er voegden zich nog twee coyotes bij de andere drie. Hun kop hing laag, maar hun ogen vingen het goudkleurige licht op. Pike vroeg zich af hoe het zou zijn om met ze door de nachtelijke straten te rennen, even goed te bewegen als zij, even stil en snel, te horen en te zien wat zij hoorden en zagen, zowel hier in de stad als hoog in de heuvels.

Stone was aan het praten en zijn stem klonk gespannen. 'Die vent die belde, zei dat hij je kende. Bud Flynn.'

Pike keerde terug uit de heuvels. 'Ja.'

'Ja, Flynn. Hij heeft een of andere opdracht om mensen die zwemmen in het geld te beschermen. Ik wil wat van die poen, Pike. Je staat bij me in het krijt. Ga je het doen of niet?'

'Ja,' zei Pike.

'Zo ken ik je weer. Ik bel je straks om te vertellen waar je moet zijn.'

Pike klapte zijn telefoon dicht. Vierhonderd meter verder, waar San Vicente overging in Ocean, vlamden remlichten op. Pike keek naar de rode lampjes tot ze verdwenen en hees toen zijn rugzak weer omhoog. Op de rand tussen licht en donker bevonden zich nu een stuk of acht coyotes. In een steegje tussen twee restaurants doken er nog drie op. Er stond er nog een, een stuk verder in de straat en Pike had hem niet eens zien aankomen. Pike haalde diep adem en rook de salie en aarde in hun vacht.

De oude coyote zette geen koers naar de canyon. Hij liep met een grote boog om Pike heen, stak Ocean Avenue over en ging Santa Monica Boulevard op. De andere coyotes liepen met hem mee. Tot zonsopgang was de stad van hen. Ze zouden haar pas op het laatste moment prijsgeven.

Pike liet de rugzak van zijn schouders glijden en zette hem op straat. Hij haalde diep adem, stak zijn armen boven zijn hoofd en rekte zich uit. Zijn spieren waren warm en zijn slechte schouder – de schouder die bijna onherstelbaar was beschadigd toen hij was neergeschoten – deed geen pijn. De littekens die over zijn deltaspier liepen, kwamen onder spanning te staan, maar hielden het. Pike boog vanuit zijn heupen voorover en zette met gemak zijn handpalmen op straat. Hij liet zijn gewicht op zijn handen rusten en zwaaide zijn benen omhoog tot hij midden op Ocean Avenue op zijn handen stond.

Pike voelde zich rustig en bleef keurig in balans.

Hij liet zichzelf recht omlaag zakken tot zijn voorhoofd de straat raakte, duwde zichzelf daarna weer omhoog, deed een verticale push-up, niet voor zijn conditie maar om zijn lichaam te voelen werken. Op de plaats waar zijn zenuwen beschadigd waren, en altijd beschadigd zouden blijven, tintelde zijn schouder, maar Pike duwde zichzelf moeiteloos omhoog.

Hij liet zijn voeten zakken en ging rechtop staan. Hij zag dat de coyotes terug waren en stonden te kijken, straathonden die thuis waren in de stad.

Pike hing de rugzak op zijn rug en liep door. Veertien uur later zou hij naar het noorden rijden om het meisje op te halen en voor het eerst in twintig jaar Bud Flynn te zien, een man van wie hij veel en oprecht had gehouden.

Vijftien uur later arriveerde Pike bij de ruïne van een kerk in de hooggelegen woestijn.

De kerk had geen deuren en ramen en was niet meer dan een paar afgebrokkelde gestucte muren met lege ogen en een gapende mond, anderhalve kilometer van de Pearblossom Highway en vijftig kilometer ten noorden van Los Angeles. Door jaren van schrale wind, zonneschijn en het ontbreken van een zorgzame mensenhand had het gebouw de kleur van stof gekregen. Op de muren stond graffiti, maar zelfs die was al oud en verbleekt, evenzeer een deel van het gebouw als de struiken en salie die uit de muren groeiden. Het was een eenzame plek, nog troostelozer door de ondergaande zon aan het einde van de dag.

Een zwarte limousine met verduisterde ramen en een even donkere Hummer stonden – misplaatst, als glimmende zwarte edelstenen – vlakbij geparkeerd. Ze waren niet te zien geweest toen Pike hier aan de rand van de woestijn de snelweg af draaide.

Pike bracht zijn jeep tegenover de twee voertuigen tot stilstand. Achter het getinte glas van de Hummer bewogen zich donkere gedaanten, maar in de limousine zag Pike niemand. Pike besloot af te wachten en leunde rustig naar achteren, maar op dat moment verschenen Bud Flynn en een andere man in de kerkdeur. Deze man was te dik, had een vierkant gezicht en sluik haar dat hij uit zijn ogen veegde. Hij maakte een nerveuze indruk en ging de kerk weer in, terwijl Bud glimlachend naar buiten kwam en in het wegstervende zonlicht twintig jaar en twee levens overstak.

Pike had Bud niet meer gezien sinds de dag in de Shortstop Lounge toen Pike ontslag nam bij de LAPD en dat persoonlijk aan Bud had willen vertellen omdat ze zo'n hechte band met elkaar hadden. Bud had gevraagd of Pike al ander werk had en Pike had het verteld, maar Bud was er niet over te spreken geweest. Hij reageerde als een teleurgestelde vader die zich kwaad maakte om de keuze van zijn zoon en dat was dat. Pike had een contract getekend bij een professionele militaire organisatie uit Londen. Hij ging aan de slag als professioneel burgersoldaat, zei hij, als beveiligingsspecialist. Gelul, zei Bud, als huursoldaat, geen haar beter dan een crimineel.

Nu hij Bud zag, voelde Pike de warme gloed van eerdere, betere herinneringen, en hij stapte uit de jeep. Bud was ouder geworden, maar zag er nog fit en goed uit.

Bud stak zijn hand uit. 'Fijn je te zien, agent Pike. Veel te lang geleden.'

Pike trok Bud naar zich toe en omhelsde hem en Bud klopte Pike op zijn rug.

'Ik heb nu een bedrijfsrecherchebureau, Joe. Al veertien jaar; in maart vijftien. De zaken gaan goed.'

'Gebruik je huursoldaten als rechercheurs?'

Bud keek verlegen en misschien geneerde hij zich, terwijl ze allebei aan die dag in de Shortstop dachten, maar hij liet zich niet kennen. 'Soms leidt het recherchewerk tot beveiligingswerk. Ik heb Stones naam van een vriend gekregen. Stone heeft contacten met voormalige agenten van de Mossad en de geheime dienst, mensen die ervaring hebben met klanten met een verhoogd risico. Zo iemand zocht ik, en toen liet hij jouw naam vallen.'

Pike keek even naar de Hummer. Hij stond laag op zijn wielen, een nadelig gevolg van de zware pantsering en het kogelwerende glas. 'Zit het meisje daarin?'

Jon Stone had de pure feiten uiteengezet toen hij terugbelde met de instructies: een jonge vrouw uit een rijke familie had drie moordaanslagen overleefd en Bud Flynn was ingehuurd om haar te beschermen. Punt. Stone wist verder niets omdat Bud Flynn – terecht, naar Pikes mening – vond dat Stone niet meer hoefde te weten. Het enige wat Stone interesseerde, was dat het meisje rijk was. Iemand met Pikes cv kon een tophonorarium bedingen en Stone zou deze mensen het vel over de oren halen.

Flynn negeerde Pikes vraag over het meisje en draaide zich om naar de kerk. 'Kom mee naar binnen. Dan kun je haar vader ontmoeten en zal ik je uitleggen wat er aan de hand is. Als je het wilt doen, halen we het meisje erbij.'

Pike dacht: het is al besloten, en hij liep achter Flynn aan.

In de kerk rook het naar salie en urine. De betonnen vloer lag bezaaid met bierblikjes en tijdschriften, vuil geworden door het zand dat door de kapotte ramen was gewaaid en met de jaren verbleekt. Pike vermoedde dat de urinelucht afkomstig was van dieren. De man met het sluike haar die hij bij de deur had gezien, stond naast een andere man, een magere kerel met de intelligente ogen van een zakenman en een mond waarvan de hoeken afkeurend omlaag hingen. Een koffertje van Corduaans leer stond bij de deur op de grond. Pike vroeg zich af wie de eigenaar van het koffertje was en wie de vader van het meisje. Hij ging uit de buurt van de ramen staan.

Bud knikte naar de man met het sluike haar. 'Joe, dit is Conner Barkley. Mr. Barkley, Joe Pike.'

Barkley perste er een ongemakkelijke glimlach uit. 'Hallo.'

Barkley droeg een zijden overhemd met korte mouwen, waaronder de bobbel van zijn holster te zien was. De man met de hangende mondhoeken had geen stropdas om en droeg een duur gitzwart sportjasje. Pike had een mouwloos grijs sweatshirt, een spijkerbroek en New Balance-sportschoenen aan.

De man met de hangende mondhoeken haalde opgevouwen vellen papier en een pen uit zijn jasje.

'Mr. Pike, ik ben Gordon Kline, Mr. Barkleys advocaat en bedrijfsjurist. Dit is een geheimhoudingsovereenkomst, waarin staat dat u niets mag doorvertellen van wat er vandaag en in de periode dat u in dienst bent van de Barkleys, over de Barkleys wordt gezegd. Evenmin mag het op enige andere manier openbaar maken. U moet dit tekenen.'

Kline hield de papieren en de pen omhoog, maar Pike maakte geen aanstalten ze aan te pakken.

Bud zei: 'Zeg, Gordon, zullen we dat maar even vergeten, gezien de omstandigheden?'

'Hij moet tekenen. Iedereen moet tekenen.'

Pike zag dat Conner Barkley naar de driedimensionale pijlen van rode inkt op zijn deltaspieren keek. Pike was het gewend dat de mensen keken. De pijlen waren voor zijn eerste buitenlandse gevechtsmissie op zijn armen getatoeëerd. Ze wezen naar voren. Mensen staarden naar de tatoeages en naar Pikes verschoten sweatshirt met de afgeknipte mouwen en zagen wat ze wilden zien. Pike vond het prima.

Toen Barkley opkeek van de tatoeages, stonden zijn ogen bezorgd. 'Is dit de man die je wilt inschakelen?'

'Hij is de beste in zijn vak, Mr. Barkley. Hij zal Larkin in leven houden.'

Kline hield de papieren omhoog. 'Als u hier even tekent.'

'Nee,' zei Pike.

Barkleys wenkbrauwen leken wel nerveuze rupsen.

'Ik denk dat het wel goed zit, Gordon. Volgens mij kunnen we wel doorgaan. Denk je ook niet, Bud?'

Klines mondhoeken zakten nog verder omlaag, maar hij stopte de papieren weg en Bud ging verder.

'Goed, het gaat om het volgende: de dochter van Mr. Barkley is een getuige van het ministerie. Ze moet over twee weken voor de rechtbank getuigen. Er zijn de afgelopen tien dagen drie aanslagen op haar leven gepleegd. Dat is drie keer de zwarte boer in anderhalve week en alle drie de keren was het kantje boord. Ik moest wel iemand buiten de normale kanalen zoeken.'

'Mij.'

Pike stapte net ver genoeg opzij om de limousine te kunnen zien. De lucht boven de woestijn was rood door de ondergaande zon. Hij voelde de temperatuur dalen. 's Nachts moest de lucht hierboven scherp en schoon zijn.

'Waarom zit ze niet in het programma voor getuigenbescherming?'

Barkley nam het woord en veegde het haar uit zijn ogen. 'Daar zat ze in. Door hun schuld is ze bijna vermoord.'

Gordon Kline sloeg zijn armen over elkaar alsof hij daarmee wilde zeggen dat de hele Amerikaanse overheid een verspilling van belastinggeld was. 'Stelletje stumpers.'

Bud zei: 'Larkin was elf dagen geleden betrokken bij een verkeersongeluk, om drie uur 's nachts heeft ze een Mercedes gepakt aan de zijkant –'

Barkley viel hem opnieuw in de rede. 'Je verwacht niet dat je dit soort mensen tegenkomt als je in je auto –'

'Conner...' zei Gordon Kline.

'En moet je nou kijken. Zitten wij hier in deze ruïne en vrezen voor ons leven. Een verkéérsongeluk...'

Barkley duwde het haar weer uit zijn gezicht en dit keer beefde zijn hand, zag Pike. Bud ging door over de Mercedes.

'Er zaten drie mensen in. Een echtpaar, George en Elaine King, het was hun auto, en een mannelijke passagier achterin. Zegt de naam George King je iets?'

Pike schudde zijn hoofd, dus gaf Bud een toelichting.

'Een projectontwikkelaar, brandschoon, wordt nergens voor gezocht, geen aanklachten, geen strafblad. George bloedde en Larkin stapte uit om te helpen. De andere man was ook gewond, maar hij heeft de plaats van het ongeluk te voet verlaten. Toen heeft George zich kennelijk vermand en is hij weggereden, maar Larkin had het kenteken genoteerd. De volgende dag vertelden de Kings een ander verhaal aan de politie; ze beweerden dat ze alleen waren. Een paar dagen later kwamen medewerkers van het ministerie van Justitie bij Larkin langs met een tekenaar. Een paar honderd tekeningen later werd de identiteit van de ontbrekende man bekend. Het bleek een zekere Alexander Liman Meesh te zijn, een moordenaar van wie ze dachten dat hij in Bogota in Colombia woonde. Ik heb een FBI-dossier over hem dat ik je kan geven.'

Pike wierp opnieuw een blik op de limousine. 'Hoe is een verkeersongeluk een federaal onderzoek geworden?'

Kline ging tussen Pike en de limousine in staan, maar hij scheen zich er niet meer druk over te maken dat Pike de papieren niet had getekend. 'King was de aanleiding. Het ministerie heeft ons verteld dat ze een onderzoek naar hem hadden lopen vanwege het witwassen van geld via zijn onroerendgoedfirma. Ze vermoeden dat Meesh naar de Verenigde Staten is teruggekeerd met kartelgeld om via King te investeren.'

Bud knikte met opgetrokken wenkbrauwen.

'Meer dan honderd miljoen.'

Klines mondhoeken zakten weer omlaag en hij keek naar de vader van het meisje. 'De overheid wil dat Larkin getuigt, omdat zij King in verband kan brengen met een crimineel. Ze denken dat ze hem op grond van haar verklaring kunnen dagvaarden en dwingen openheid van zaken te geven. Haar vader en ik waren ertegen. We zijn er van meet af aan op tegen geweest dat ze erbij betrokken werd, en moet je nou zien wat een ellende.'

'Dus King wil haar dood hebben?'

'King is een financiële man. Hij heeft geen criminele achtergrond, geen gewelddadig verleden, geen banden met iemand in die wereld behalve Meesh. Het ministerie denkt dat Meesh het geld veilig wil stellen dat hij in projecten van King heeft gestoken. Als King wordt aangeklaagd, worden zijn projecten en zijn middelen bevroren, dus Meesh wil dat liever niet. King weet misschien niet eens dat Meesh achter het meisje aan zit. King weet misschien niet eens waar het geld vandaan komt,' zei Bud.

'Heeft iemand dat aan de Kings gevraagd?'

'Ze zijn gevlucht. Bij zijn bedrijf beweren ze dat ze op vakantie zijn gegaan, zoals het plan was, maar bij Justitie gelooft niemand dat.'

Conner Barkley haalde weer een hand door zijn haar. 'Het is een nachtmerrie. Deze hele zooi is een nachtmerrie en nu zijn we –'

Bud viel hem in de rede. 'Conner, kun je me even een minuutje alleen laten met Joe? We zien elkaar bij de auto. Gordon, alsjeblieft...'

Barkley fronste zijn wenkbrauwen, alsof hij niet begreep dat hem werd gevraagd weg te gaan, maar Kline raakte zijn arm aan en ze vertrokken. Bud wachtte tot ze weg waren en slaakte toen een zucht.

'Die mensen gaan door een hel.'

'Ik ben geen lijfwacht,' zei Pike.

'Moet je luisteren, Joe, de eerste keer dat ze haar wilden te doden, was die meid thuis. Dat landgoed dat ze hebben, de Barkleys, dat is net een fort; anderhalve hectare in Beverly Hills ten noorden van Sunset, volledig beveiligd, personeel. Die mensen zijn rijk.'

'Dat had ik al begrepen.'

Bud maakte het koffertje van Corduaans leer open en haalde er een aantal korrelige foto's uit. Op de foto's stonden drie wazige gedaanten in donkere kleding, eerst bij een zwembad 's avonds, daarna in een tuin en vervolgens voor een stel openslaande deuren.

'Deze zijn door hun beveiligingscamera's gemaakt. Op deze is hun gezicht te zien, maar we weten nog steeds niet wie het zijn. Ze hebben een huishoudster gepakt toen ze Larkin aan het zoeken waren. Ze hebben die vrouw zwaar mishandeld; haar gewurgd tot ze bewusteloos raakte, drie tanden uit haar mond geslagen en haar neus gebroken.'

De huishoudster stond op een van de foto's. Haar ogen zagen eruit als aubergines. Haar lip was zo erg gescheurd, dat je haar tandvlees kon zien. Pike vermoedde dat degene die haar had geslagen, ervan had genoten, haar was blijven slaan toen ze al bewusteloos was.

'Hoe dichtbij zijn ze geweest?'

'Ze wisten goed weg te komen toen de politie aankwam. Die eerste keer kwam de aanslag op haar leven als een verrassing, maar toen werd ze onder bescherming gesteld. De U.S. Marshals brachten haar die avond nog naar een schuiladres bij San Francisco, dat was zes dagen geleden. De volgende avond waren ze er alweer.'

'Op het schuiladres.'

'Eén marshal werd gedood en een andere raakte gewond. Die jongens slaan hard toe.'

Pike hoorde een autoportier dichtslaan en deed direct weer een stap naar het raam toe. Larkin Conner Barkley was uit de limousine gekomen om haar vader en Kline te begroeten. Ze had een hartvormig gezicht met een smalle neus, die een beetje scheef naar links stond. Koperkleurige haarstrengen krulden als kronkelende slangen rond haar hoofd. Ze droeg een strakke, korte broek die laag begon en hoog eindigde en een groen T-shirt en ze klemde een roze merktas met een klein hondje onder haar arm. Het was een van die microhondjes met dikke ogen dat trilde als het zenuwachtig was. Pike wist dat het op het verkeerde moment zou blaffen en haar het leven zou kosten.

Hij draaide zich van het raam af. 'Dezelfde mannen?'

'Is niet te zeggen. Larkin belde haar vader en was tegen zonsopgang weer thuis in Beverly Hills. Ze hadden het helemaal gehad met de getuigenbescherming. Mr. Barkley nam mij die dag in de arm. Ik haalde haar thuis weg en bracht haar naar een hotel, maar een paar uur later vielen ze ons alweer aan.'

'Dus ze wisten alle drie de keren waar ze was.'

'Ja.'

Pike keek opnieuw naar de limousine. Het schemerige licht in de kerk had nu de kleur van rook. 'Er zit een lek bij Justitie.'

Bud klemde zijn kaken op elkaar, alsof hij er hetzelfde over dacht maar dat niet wilde uitspreken. 'Ik heb een huis in Malibu. Ik wil dat je haar daar vanavond heen brengt, jij alleen. Ik wil haar niet mee terug naar de stad nemen.'

'Wat vindt Justitie daarvan?'

'Die laat ik erbuiten. Pitman, dat is de baas daar, denkt dat ik een fout maak, maar de Barkleys willen het zo.'

Pike keek weer naar Bud Flynn. 'Heeft Stone je van onze regeling verteld?'

Bud keek hem niet begrijpend aan. 'Welke regeling?'

'Ik doe dit soort werk niet meer. Ik ben de man een klus schuldig. Eén klus. Hiermee betaal ik hem af.'

'Je kost een vermogen.'

'Ik hou het geld niet. Ik wil het niet en het is ook niet de reden dat ik deze klus doe.'

'Daar heeft hij niets over gezegd. Als je hart er niet in ligt, wil ik niet dat je –'

'Agent Flynn...' zei Pike.

Bud hield zijn mond.

'Kom, we gaan kennismaken met het meisje.'

Haar vader en Gordon Kline stonden te praten toen Pike en Flynn de kerk uit kwamen. Bud wees naar de Hummer en twee mannen in maatkostuums begonnen koffers en reistassen uit te laden. Het meisje zette haar handen in haar zij en bekeek Pike alsof ze iets had gekocht wat tegenviel. Het hondje, dat onder haar arm in zijn tas hing, sloeg zijn komst met wraakzuchtige ogen gade.

Toen ze bij de auto kwamen, knikte Flynn naar Gordon Kline. 'We kunnen weg.' Vervolgens richtte hij zich tot het meisje.'Larkin, dit is Joe Pike. Je gaat met hem mee.'

'En als hij me verkracht?'

Barkley keek niet naar zijn dochter; hij wierp een blik op Gordon Kline.

Kline zei: 'Hou op, Larkin. Het kan niet anders.'

Barkley knikte en Pike vroeg zich af of het Klines taak was Barkleys dochter te zeggen wat ze moest doen.

Larkin zette haar zonnebril af, nam Pike theatraal van top tot teen op en keek toen naar haar vader. 'Hij is wel leuk, geloof ik. Koop je hem voor me, papa?'

Barkley wierp weer een blik op Kline alsof hij wilde dat zijn jurist zijn dochter antwoord gaf. Barkley was kennelijk bang voor haar.

Ze richtte haar blik weer op Pike. 'Denk je dat je me kunt beschermen?'

Pike nam haar aandachtig op. Ze was knap en dat wist ze, en haar kleren en kapsel gaven aan dat ze graag in het middelpunt van de belangstelling stond, wat een probleem zou zijn. De mannen in maatkostuum stonden nog steeds tassen uit te laden.

Larkin fronste haar wenkbrauwen naar Flynn. 'Waarom zegt hij niks? Is hij stoned?'

Pike kwam tot een besluit. 'Ja.'

Larkin lachte. 'Ben je stoned?'

'Ja, ik kan je beschermen.'

Larkins grijns verdween en ze keek hem aan met een schaduw van onzekerheid in haar ogen. Alsof het allemaal opeens echt werd.

'Ik wil je ogen zien. Zet je bril af,' zei ze.

Pike knikte met zijn hoofd naar de steeds groter wordende stapel bagage. 'Is dit van jou?'

'Ja.'

'Eén weekendtas, één handtas, meer niet. Geen mobiele telefoon. Geen elektronica. Geen iPod.'

Larkin verstijfde. 'Maar die dingen heb ik nodig. Papa, zeg eens tegen hem dat ik die dingen nodig heb.'

De ogen van het hondje puilden uit en het gromde.

'Geen hond,' zei Pike.

Conner Barkley haalde zijn hand door zijn haar en de mondhoeken van Gordon Kline zakten nog verder omlaag, maar niemand keek naar de stapel bagage of de hond.

Een akelig uur later waren Pike en het meisje op weg.

Vierenhalf uur later werd in Malibu de vierde aanslag op het leven van Larkin Barkley gepleegd. Toen waren ze op de vlucht.

ZES

ELVIS COLE

‘Joe...?’

Cole realiseerde zich dat Pike had opgehangen. Dit soort telefoontjes kreeg je nu altijd van Joe Pike. Je nam op, hij bromde iets van ‘ik kom eraan’ en dat was het. Beleefd communiceren was nooit een van Pikes sterkste kanten geweest.

Cole legde zijn draadloze telefoon neer en ging verder met zijn gele Sting Ray cabriolet uit 1966 in de was te zetten. Hij droeg een sportbroek en een T-shirt van Harrington’s Café, een fantastisch cafeetje in Baton Rouge. Het grijze shirt was donker van het zweet en hij zou het graag uittrekken, maar hij droeg het om zijn littekens te verbergen. Cole woonde in een klein A-vormig huis hoog boven een diep dal bij Woodrow Wilson Drive in Hollywood Hills. Het was een bosrijke en stille omgeving en zijn buren liepen vaak langs zijn huis wanneer ze hun hond uitlieten. Ze hadden er geen behoefte aan de leverkleurige stiksels te zien waardoor hij eruitzag als een laboratoriumongelukje, vermoedde Cole. Hij had er ook geen behoefte aan dat ze ze zagen.

Cole vond zijn auto in de was zetten een vreselijk karwei, maar de avond ervoor had hij naar *The Karate Kid* gekeken, een van zijn lievelingsfilms, met die scène waar Pat Morito Ralph Macchio traint in de afweertechnieken van kungfu door Macchio zijn auto in de was te laten zetten: wrijf in, wrijf uit. Cole dacht, toen hij naar de film keek, dat zijn auto in de was zetten misschien een goede oefening voor hem zou zijn.

Dertien weken eerder had een zekere David Reinnike Cole in de rug geschoten met een 12 kaliber jachtgeweer. De kogeltjes hadden vijf ribben verbrijzeld, zijn linkeropperarmbeen gebroken, zijn linkerlong doorboord en, zoals hij later tot ieders ergernis zei, een mooie dag verpest. Veertien weken geleden – een week vóór hij werd neergeschoten – kon Cole vanuit zijn middel voorover buigen, zijn borstkas op zijn dijen laten rusten en zijn armen om zijn kuiten slaan; nu bewoog hij zich als een robot met verroeste scharnieren. Maar twee keer per dag ging hij door de pijngrens heen om zichzelf weer in vorm te brengen. Vandaar: wrijf in, wrijf uit.

Cole was nog bezig met de auto toen er aan de andere kant van zijn tuinpad een donkergroene Lexus stopte. Cole rechtte zijn rug en zag tot zijn verbazing dat Pike uitstapte met een jonge vrouw met piekhaar en een grote zonnebril. De vrouw keek achterdochtig en Pike had een overhemd met lange mouwen aan. Pike droeg nooit overhemden met lange mouwen.

Cole hinkte naar hen toe om hen te begroeten. 'Joseph. Je had me moeten waarschuwen dat je visite meebracht. Dan had ik opgeruimd.'

Cole glimlachte naar het meisje en spreidde zijn armen om de aandacht te vestigen op zijn sportbroek, blote voeten en poetsshirt. Meneer de Charmeur die een grapje maakte van zijn bezwete verschijning. 'Ik ben Elvis en ik doe Ralph Macchio na.'

Het meisje bedolf hem onder een glimlach die sluw en scherp was en gebaarde met een duim naar Pike. 'Godzijdank, iemand met persoonlijkheid. Als je bij hem in de auto zit, is het net of je met een lijk rondrijdt.'

'Tot je hem beter leert kennen. Dan kletst hij je de oren van het hoofd.'

Cole zag dat Pike zonder enige teken van ongedwongenheid zijn hand op haar rug legde om haar naar de carport te leiden.

'Kom we gaan naar binnen,' zei Pike.

Cole wierp een blik op de Lexus. Hij begreep al dat dit geen gezelligheidsbezoekje was.

'Die vierdeursauto is slecht voor je imago, man. Wat is er met de jeep gebeurd?'

'Kom mee naar binnen.'

Cole leidde hen via de carport het huis in en vervolgens naar de woonkamer, waar glazen deuren toegang gaven tot zijn veranda en een overweldigend uitzicht op het dal boden. Het meisje keek naar buiten naar het uitzicht.

'Dit is zo slecht nog niet,' zei ze.

'Bedankt. Geloof ik.'

Ze straalde aan alle kanten uit dat ze geld had: de Rock Republic-spijkerbroek van vierhonderd dollar, het Kitson-topje, de zonnebril van Oliver Peoples. Cole kon mensen goed inschatten en hij was er in de loop van de tijd achter gekomen dat hij het bijna altijd bij het goede eind had. Ze straalde ook aan alle kanten uit dat ze in de problemen zat. Hij meende haar te herkennen, maar hij wist niet waarvan.

'Sorry, ik heb je naam niet verstaan,' zei Cole.

Het meisje keek naar Pike. 'Mag ik hem vertellen hoe ik heet?'

Pike zei: 'Dit is Larkin Barkley. Ze is een getuige in een federaal onderzoek. Ze zat in een beschermingsprogramma, maar dat liep mis.'

'Ha,' zei Larkin.

'We zouden wel iets te eten kunnen gebruiken en een douche misschien. Dan vertel ik je wat er aan de hand is.'

Cole begreep dat Pike niet in bijzijn van het meisje wilde praten, dus wierp hij haar nogmaals zijn allercharmantste glimlach toe. 'Waarom ga jij niet lekker douchen? Dan maak ik ondertussen iets te eten klaar.'

Larkin keek hem aan en Cole bespeurde weer iets. Ze wierp hem dezelfde scheve glimlach toe als buiten, alleen maakte ze hem nu duidelijk dat hij niets zou kunnen zeggen of doen wat haar zou verbazen, beïnvloeden of imponeren, hier in zijn kleine huisje dat zo slecht nog niet was. Net een uitdaging, dacht Cole, of een test misschien.

'Ik eet liever eerst. Die Pikenees wil me niet te eten geven. Hij wil alleen seks,' zei ze.

'Zo is hij tegen mij ook altijd, maar ik heb ermee leren leven,' zei Cole.

Larkin knipperde één keer met haar ogen en barstte toen in lachen uit.

'Eén nul voor mij. Ga douchen, of wacht buiten op de veranda. We willen je er niet bij hebben als we praten,' zei Cole.

Ze ging douchen.

Pike haalde haar bagage naar binnen en bracht haar naar de badkamer voor logés, terwijl Cole in de keuken aan de slag ging. Hij sneed een courgette, kalebas en aubergine in de lengte in plakken, sprenkelde er olijfolie en zout op en zette een grillpan op het vuur om heet te worden. Na een paar minuten kwam Pike bij hem staan, maar ze zeiden geen van beiden een woord tot ze het water hoorden lopen. Toen leunde Cole tegen de aanrecht aan.

'De Pikenees?'

Pike overhandigde hem een rijbewijs en twee creditcards. Op de foto op het rijbewijs stond het meisje met spectaculair rood haar. Op de creditcards stond haar naam. De American Express-kaart was zwart. Geld.

'Ik heb haar gisteren voor het eerst ontmoet, maar ik weet niets van haar. Daarvoor heb ik je hulp nodig,' zei Pike.

Pike liet de creditcards volgen door iets wat een enkel uit tekst bestaand strafrechtelijk dossier van het NCIC, het Nationale Misdaadinformatiecentrum van de FBI, bleek te zijn.

'Dit is de man die haar wil doden. Hij heet Alex Meesh, uit Colorado via Colombia.'

Cole wierp een blik op de omslag. Alexander Meesh. Gezocht wegens moord.

'Zuid-Amerika?'

'Ja. Daar naartoe gegaan om aan zijn arrestatie te ontkomen. Justitie heeft Bud dit dossier van hem gegeven, maar ik heb niet veel gevonden waar ik wat aan heb. Misschien zie jij iets anders.'

Cole luisterde naar Pike toen deze de situatie van Larkin Barkley beschreef in de toonloze, korte zinnen van een agent die verslag uitbrengt. Pike vertelde hoe het meisje per ongeluk verwikkeld was geraakt in een onderzoek van het ministerie van Justitie naar een zekere George King, een vermoedelijke witwasser, en hoe haar toezegging te getuigen tot de aanslagen op haar leven hadden geleid. Cole luisterde zonder enig commentaar tot Pike de schietpartijen in Malibu en Eagle Rock beschreef. Toen begon de huid op zijn rug te prikken en stapte hij bij de aanrecht vandaan.

'Wacht even. Je hebt iemand neergeschoten?'

'Vijf. Gisteravond twee, vanochtend drie.'

Pike, die daar met een effen gezicht in zijn keuken stond, die het zei zoals iemand anders zou zeggen dat zijn benzinetank leeg was.

'Joe. Jezus, Joe... zit de politie achter je aan?'

'Dat weet ik niet. Malibu was gisteravond en Eagle Rock is pas een paar uur geleden. Maar lang zal het niet meer duren; ik ben in Eagle Rock een wapen kwijtgeraakt.'

Cole voelde zich even gewichtsloos, zoals wanneer bij een aardbeving de grond onder je voeten wegzakt. Tien minuten geleden was hij zijn auto in de was aan het zetten. Drie dagen geleden had hij 's avonds met Pike plannen voor een trektocht zitten maken.

'Het was zelfverdediging, neem ik aan? Jij verdedigde je leven en het leven van een federale getuige. Justitie steunt je daarin.'

'Dat weet ik niet.'

'Je bent van de plaats van de schietpartij gevlucht omdat je voor je leven vreesde en hebt het ministerie van Justitie op de hoogte gebracht van de gebeurtenissen. Dit is allemaal met medeweten van het ministerie van Justitie gebeurd. Daar denken die mensen ook zo over?'

'Ik heb ze nooit gesproken.'

Cole staarde zijn vriend aan. Pike stond aan de andere kant van de keuken met zijn rug naar de muur, zo ontspannen dat het leek of hij zweefde. Zijn donkere brillenglazen waren zwarte gaten, alsof er een stuk uit hem was gesneden.

Pike zei: 'Hoe dan ook, de politie is nog het minste probleem. De schutters wisten ons op beide schuiladressen te vinden. Ze wisten waar ze was toen ze bij de Marshals was en ook toen Bud haar meenam naar een hotel. Snap je?'

Ook al liep het water, toch liet Cole zijn stem dalen. Nu begreep hij waarom Pike niet in bijzijn van het meisje wilde praten. 'Ze wordt verraden door iemand aan haar kant.'

'Ik heb haar meegenomen. Ik heb Bud en de mensen van Justitie gepasseerd. Zolang niemand weet waar ze is, kan ik haar beschermen, lijkt me.'

'Wat ga je doen?'

'Meesh zoeken.'

Cole wierp nog een blik op de uitdraai. 'Naar wordt aangenomen momenteel woonachtig in Bogota, Colombia,' stond erop.

'Meesh is misschien niet eens in Los Angeles. Misschien zit hij wel in Colombia.'

'Hij heeft vijf keer een poging gedaan dit meisje te vermoorden. Als je iemand zo graag dood wilt hebben, ga je niet ergens anders zitten hopen dat het voor elkaar komt; dan zorg je ervoor dat het gebeurt.'

Pike liep naar de blocnote en de pen die Cole naast de telefoon had liggen en schreef iets op. 'Ik heb de jeep gedumpt en een nieuwe telefoon aangeschaft. Dit is het nummer.'

Cole voelde zich misselijk, maar hij had zich sinds hij was neergeschoten al vaak zo gevoeld. De artsen zeiden dat het tijd nodig had. Ze zeiden dat het misschien nooit zou overgaan.

'Heb je enig idee wie haar verraadt?'

'Bud is het aan het uitzoeken, maar wie kan ik vertrouwen? Het zou een van zijn mensen kunnen zijn. Het zou zelfs iemand van Justitie kunnen zijn.'

Cole borg het nummer op. Hij keerde zich weer naar de pan en legde de groenten erin. De pan was te heet, maar hij vond het heerlijk ruiken wanneer de groenten met het hete metaal in aanraking kwamen.

Cole en Pike hadden samen veel meegemaakt. Ze waren al heel lang vrienden. Toen Cole wakker werd uit zijn coma, zat Joe Pike naast zijn bed en hield zijn hand vast.

Cole legde de vork neer en draaide zich om. 'Het bevalt me niks. Ik vind het een naar idee dat je ergens in verwikkeld raakt zonder dat je weet met wie je te maken hebt. Die Meesh. Die mensen van Justitie die je nog nooit hebt ontmoet. Je vriend Flynn die je in geen twintig jaar had gezien. Het voldoet niet aan onze normen.'

Pike stond als een standbeeld zo stil, alsof delen van het verhaal door schaduwen aan het oog werden onttrokken.

'Nou?'

'Ik wil niet alleen je hulp vragen. Als deze mensen weten wie ik ben, gaan ze me misschien via jou proberen te vinden.'

Er straalde een onverwachte treurigheid vanachter de donkere bril uit.

'Sorry,' zei Pike.

Cole wist zich even geen houding te geven en keerde zich weer om naar het fornuis. 'Als die klojo's hier hun neus laten zien, zijn ze nog niet jarig.'

Pike knikte.

'Ik zal eens kijken wat ik te weten kan komen over die Meesh. We beginnen met Larkin als ze onder de douche uit komt. Misschien weet ze meer dan ze denkt,' zei Cole.

Pike veranderde van houding. 'We kunnen hier niet blijven, Elvis.'

Dat begreep Cole. Als de schutters of de politie verschenen, wilde Pike het meisje ergens anders hebben. 'Praat jij dan met haar. Maar nog één ding. Als ik die Meesh ga natrekken, trek ik ook je vriend Bud Flynn na.'

Pikes mondhoeken trilden en Cole vroeg zich af of het Larkin al was opgevallen dat Pike nooit lachte of glimlachte. Alsof het stuk man dat zich zo vrij kon voelen, dood was in Pike, of zo diep weggestopt dat er alleen een trilling kon ontsnappen.

'Je doet maar,' zei Pike.

Cole was bezig met de sandwiches toen Pikes mobiele telefoon ging en Pike liep met de telefoon naar de veranda.

Cole legde de groenten in lagen op dikke sneeën volkorenbrood, besmeerde de lagen met hummus en legde de boterhammen vervolgens in de grillpan om het brood knapperig te laten worden.

Het water hield opeens op met stromen en de afwezigheid van het geruis bracht stilte voort. Een paar minuten later kwam het meisje uit de gang. Pike stond nog buiten met zijn telefoon.

'Dat ruikt ongelooflijk lekker,' zei het meisje.

'Wil je er een glas melk bij, of water?'

'Graag. Melk.'

Zonder haar zonnebril waren haar ogen rood en Cole vroeg zich af of ze had gehuild. Ze zag dat hij keek en trok de scheve glimlach weer. Die was sluw en uitnodigend en kon nooit getrokken worden door iemand die net had gehuild, maar toch. Cole dacht: die meid is een volleerd toneelspeelster.

'Je komt me bekend voor,' zei hij.

'O ja?'

'Ben je actrice?'

'Lieve hemel, nee.' Ze sloeg de sandwich open en slaakte een gilletje dat niet bij de glimlach paste.

'Geweldig! Ik wilde niet lastig zijn, maar ik ben vegetariër. Hoe wist je dat?'

'Wist ik niet. Ik heb deze voor Joe gemaakt. Hij is ook vegetariër.'

'Hij?' Ze wierp een blik op Pike buiten en Cole meende dat haar glimlach rechttrok.

'Hij wordt agressief van rood vlees.'

Ze lachte en Cole begon haar aardig te vinden. Ze nam een enorme hap van haar sandwich en toen nog een. Ze keek naar Pike op de veranda terwijl ze at.

'Hij zegt niet veel.'

'Hij communiceert telepathisch. Hij kan ook door muren lopen.'

Ze nam nog een hap, maar niet zo'n grote dit keer. Ze keek weer naar Pike, maar haar glimlach was verdwenen en haar ogen stonden peinzend.

'Hij heeft vlak voor mijn neus een man neergeschoten. Ik zag het bloed.'

'Een man die jou wilde vermoorden.'

'Het klonk heel hard. Heel anders dan in de film.'

'Ja. Het klinkt ook hard.'

'Je voelt het gewoon.'

'Dat weet ik.'

'Ze weten steeds waar ik ben.'

Cole legde een hand op haar rug. 'Hé...'

Haar ogen richtten zich op Pike. 'Krijgt hij nu problemen?'

Cole gaf geen antwoord omdat Pike net van de veranda naar binnen kwam.

'We hebben een huis. We gaan.'

Ze wierp een blik op haar sandwich en op die van hem. 'Maar je hebt nog niet gegeten. En ik ben nog niet klaar.'

'We eten wel in de auto.'

Cole liep met hen mee naar buiten, nam afscheid en keek hen na. Hij vroeg Pike niet waar ze naartoe gingen en Pike vertelde het hem niet. Hij wist dat Pike hem zou bellen zodra ze in veiligheid waren.

Cole keek naar zijn huis en naar zijn auto. Joe Pike was het enige wat al langer deel van Coles leven uitmaakte dan het huis en de auto. Ze hadden elkaar ontmoet toen Pike nog bij de politie zat en Cole stage liep bij de oude George Feider om de drieduizend uur werkervaring bij elkaar te sprokkelen die hij nodig had om een vergunning als privédetective te krijgen. Pike had George Coles zijn O.I. genoemd, zijn opleidingsinstructeur. Bud Flynn was Pikes opleidingsinstructeur geweest toen Pike bij de politie begon en Pike had grote bewondering voor de man gehad.

Cole merkte dat hij stond te glimlachen. Een paar jaar later, toen Cole de uren bij elkaar had en Pike ontslag had genomen, ging George met pensioen en hadden Cole en Pike hun geld bij elkaar gelegd om Feiders bedrijf te kopen, waarbij ze hadden afgesproken dat alleen Coles naam op de deur zou komen te staan. Pike was niet van plan een vergunning aan te vragen. Hij had inmiddels andere bedrijven en wilde Cole alleen parttime helpen, omdat Cole volgens zijn zeggen binnen de kortste keren dood zou zijn als hij hem geen rugdekking gaf. Cole had niet geweten of Pike een grapje maakte of niet, maar dat maakte deel uit van Pikes charme.

Als ze weten wie ik ben, gaan ze me misschien via jou proberen te vinden.

Cole haalde eens diep adem. Hij zoog de lucht diep naar binnen en zette zijn borst uit tot de tranen in zijn ogen schoten van de pijn. Toen liep hij terug het huis in.

Gaan ze me misschien via jou proberen te vinden.

Cole dacht: laat ze maar komen. Ik dek jouw rug ook, kerel.

Hij ging aan het werk.

ZEVEN

Pike koerste in oostelijke richting over Sunset Boulevard naar de paarskleurende horizon. Hij reed voor het eerst in twintig uur ontspannen, onzichtbaar in de anonieme auto. Toen ze Echo Lake passeerden met de fontein vaag in de schemering, sloeg Pike links af naar het noorden naar de lage heuvels van Echo Park. De huizen aan de oostkant van het park zouden mooier zijn, maar de bochtige straten aan de noordkant waren smal en de huizen waren klein en van hout. Vooroorlogse straatlantaarns sprongen aan toen ze op het adres aankwamen.

'Hier is het,' zei Pike.

Een smal grijs huis met een steil dak stond een stukje van de straat. De voordeur lag beschut onder de luifel van een kleine veranda en in de achtertuin bevond zich een garage voor één auto. De makelaar had een sleutel onder een plant in een pot bij de deur neergelegd.

Larkin keek achterdochtig naar het huis. 'Wie woont hier?'

'Het is een huurhuis. De eigenaars wonen in Las Vegas en het is op dit moment niet verhuurd. Als je uitstapt, loop je direct naar de voordeur.'

Er waaide een zacht windje uit Chavez Ravine door de warme straat. Gezinnen zaten buiten op hun veranda; sommigen luisterden naar de radio, anderen zaten gewoon te praten. Pike hoorde Vin Scully, die verslag deed van de wedstrijd in het vlakbij gelegen Dodger Stadium, Dodgers vóór op de Giants, vijf tegen twee. De meeste buren waren Oost-Europeanen, naar het scheen. Aan de overkant van de straat stonden vijf jongemannen die met een Armeense tongval spraken, bij een vrij nieuw model BMW. Ze lachten met elkaar en een van hen verhief zijn stem om zich boven het gelach uit verstaanbaar te maken.

Larkin liep niet naar de voordeur. Ze keek naar het huis alsof het haar elk moment kon verslinden, daarna naar de omliggende huizen en ten slotte naar de vijf mannen.

Pike zei: 'Het is in orde. Kom mee.'

Pike droeg haar bagage. Hij had de zijne ook mee kunnen nemen, maar dat deed hij niet. Hij zocht de sleutel op en opende de deur naar een kleine woonkamer. De deur rechts gaf toegang tot een gangetje met een badkamer en een slaapkamer voor en achter. Het huisje was volledig gemeubileerd en het was schoon en netjes, maar de meubels waren oud en de kamers klein. In de woonkamer zoemde één raam-airconditioner, die Pikes vriendin aan had laten staan om het huis te koelen.

'Weet je wat ik dacht? Niemand weet waar we nu zijn, hè? We hebben mijn creditcards. We hebben mijn bankpas. We kunnen gaan waar we maar willen,' zei Larkin.

Pike zette haar bagage neer. 'Er zijn twee slaapkamers. Je mag kiezen.'

Pike liep door naar de slaapkamers, de badkamer en de keuken om de ramen te controleren en de gordijnen dicht te trekken. Larkin raakte haar bagage niet aan en koos ook geen slaapkamer uit. Ze ging met hem mee en liep zo dicht achter hem, dat ze hem twee keer op de hielen trapte.

'Luister nou. We kunnen de privéjet nemen. Dat vindt mijn vader niet erg. We hebben een geweldig appartement in Sydney. Ben je ooit in Australië geweest?'

'Je zult herkend worden. Iemand op het vliegveld: daar gaat Larkin Barkley in haar vliegtuig.'

Pike trok de koelkast open: twee tassen met etenswaren, een doos met flessen water en zes blikjes Corona.

'Mijn vriendin heeft dit voor ons gekocht. Neem wat je wilt.'

'Doe nou niet zo lullig. Moet je horen, we hebben een huis in de Rue Georges Cinq vlak bij de Champs-Élysées. Ik betaal de tickets voor een gewone lijnvlucht. Geen punt.'

'Creditcards laten een spoor na. Vliegtuigen dienen een vliegplan in.'

Pike liep terug naar de woonkamer en Larkin liep achter hem aan.

'Ik haal wel geld bij de geldautomaat. Het is echt geen punt. Ze hebben hier niet eens een telefoon. Er is geen tv.'

De raam-airconditioner gaf een dreun toen de compressor aansprong, alsof er iemand tegen de muur aan was gevallen. De lucht die uit de openingen kwam, loeide als een stormwind met een vaag geratel. Pike zette hem uit. Toen de airconditioner ophield, waren het geblaf van honden, het geluid van een motorfiets dat tussen de heuvels weergalmde en het gelach van de mannen aan de overkant van de straat te horen.

Larkin keek ontzet. 'Wat doe je nou? Waarom zet je dat ding uit?'

'Ik kon niets horen.'

'Maar het is warm. Straks is het hier bloedheet.'

Ze had haar armen over elkaar geslagen en haar vingers diep in haar vlees gedrukt. Pike wist dat dit niet over Parijs of Sydney ging. Het ging over bang zijn.

Pike raakte haar arm aan. 'Ik weet dat dit heel anders is dan wat je gewend bent, maar we hebben wat we nodig hebben. Dit is voor nu een veilige plek. We zijn veilig.'

'Sorry. Ik wilde niet lastig zijn.'

'Ik ga mijn spullen uit de auto halen. Red je het een paar minuten alleen?'

'Ik mis mijn hond.'

Pike wist niet wat hij daarop moest zeggen en zei dus niets.

Larkin produceerde een vermoeide glimlach. 'Natuurlijk. Maak je over mij geen zorgen.'

Pike deed de lichten uit zodat hij niet in de deur afgetekend zou staan en liet zichzelf uit. Hij had zijn bagage in de auto laten liggen, zodat hij even alleen terug kon lopen en zijn berichten af kon luisteren. Als hij iemand moest bellen, wilde hij vrijuit kunnen praten. Hij stapte in de Lexus en gebruikte zijn nieuwe telefoon om de berichten op zijn oude telefoon te beluisteren. Er waren zeven berichten voor hem gekomen. Bud had er drie achter elkaar ingesproken, die allemaal sterk op elkaar leken.

'Bel me, verdomme! Je kunt niet zomaar met dat meisje verdwijnen! Ze is nota bene een federale getuige. Straks sturen ze Justitie achter je aan!'

Bud had ongeveer een uur na de eerste drie een vierde bericht achtergelaten. Het viel Pike op dat Bud in het vierde bericht kalmer sprak. Hij schreeuwde niet meer.

'Joe, je moet wat van je laten horen. Misschien hebben die klootzakken je wel gevolgd en zijn jullie allebei dood. Weet ik veel. Laat me alsjeblieft niet zo in het ongewisse.'

Jon Stone had het vijfde bericht ingesproken. Zijn stem was zacht en zorgelijk.

'Met Stone. Je hebt belangrijke mensen bezorgd gemaakt, kerel. Bel me niet terug. Bel niet. Hou de swing erin.'

Pike aarzelde even voor hij Stones bericht wiste. 'Hou de swing erin' had niets met coole muziek te maken. Het was een uitdrukking die door kleine verkenningseenheden en scherpschutterteams in vijandelijk gebied werd gebruikt. Ze zeiden tegen elkaar dat ze de swing erin moesten houden wanneer het risiconiveau zo waanzinnig hoog was, dat ze amfetaminen slikten om dag en nacht wakker en op hun qui-vive te blijven, omdat ze anders allemaal zouden sterven. Hou de swing erin; neem je pil. Hou de swing erin; veiligheidspal eraf, vinger erop. Hou de swing erin; welkom in de hel. Stone had een waarschuwing in zijn bericht gestopt en Pike vroeg zich af waarom.

Pike wilde Stone bellen, maar nam aan dat Stone niet voor niets had gezegd dat hij niet moest bellen. Bud en Justitie hadden Stone waarschijnlijk onder druk gezet om informatie los te krijgen. Hij vroeg zich af of Meesh dat ook had gedaan.

Het zesde bericht was opnieuw van Bud. Dit keer klonk hij doodmoe.

'Dit is wat ik tot nu toe heb gevonden: de identiteit van de doden uit Malibu is nog niet vastgesteld. Ik weet niet of dat ook voor Eagle Rock geldt, maar dat zal ik morgen uitzoeken. De plaatselijke politie en de sheriffs hebben je nog niet met de schietpartijen in verband gebracht. Ik heb met Don Pitman gesproken; Pitman is de contactpersoon van het ministerie. Hij zal zijn best doen om het voor je te regelen bij de plaatselijke politie, maar hij wil met je praten; hij moet je absoluut spreken. Je moet me bellen, man. Ik weet niet wat ik tegen haar vader moet zeggen. Hij wil de politie inschakelen. Joe, als je nog leeft, bel me dan.'

Een droge mannenstem had het laatste bericht ingesproken.

'Dit is speciaal agent Don Pitman van het ministerie van Justitie. 202-555-6241. Ik heb uw nummer van Bud Flynn gekregen. Bel me, Mr. Pike.'

Mister.

Pike verbrak de verbinding en luisterde naar de omgevingsgeluiden. Hij vroeg zich af wat Bud bedoelde toen hij zei dat de identiteit van de doden in Malibu nog niet was vastgesteld. Pike had verwacht dat de schutters zouden worden geïdentificeerd zodra ze bij de lijkschouwer kwamen en dat hun identiteit hem naar Meesh zou leiden. Pike had over Meesh na zitten denken omdat iets wat Larkin had gezegd hem dwarszat. Haar ongeluk had in een stille uithoek van de stad plaatsgevonden, maar Meesh was te voet gevlucht. Dat begreep Pike niet, en er was nog veel meer wat hij niet wist. Hij wilde Larkin ernaar vragen.

Pike draaide het binnenlampje los zodat het niet aan zou gaan en stapte uit de auto. Het was nu volkomen donker en Pike hield van het donker. Duisternis, regen, sneeuw, mist: alles wat je aan het oog onttrok, was goed. Hij liep om het huis heen om de ramen te controleren, glipte daarna de veranda op en ging naar binnen.

Larkin bevond zich niet meer in de woonkamer, maar haar bagage was weg en hij hoorde haar in de keuken. Hij trok het overhemd met lange mouwen uit en ging in een van de fauteuils zitten wachtten. Hij kon haar niet zien, maar hij wist dat ze een flesje water pakte. Hij hoorde het gerammel van de koelkast toen ze een flesje uit de plastic verpakking wurmde. Hij hoorde de koelkastdeur dichtgaan met een plastic smak en een ratelend gekraak toen ze de dop van het flesje draaide. Haar schaduw danste over de lichte keukenmuur, dus hij wist dat ze zich bewoog, en hij hoorde het droge petsen van blote voeten. Ze kwam de keuken uit en was al halverwege de woonkamer voor ze hem zag, en ze schrok zo hevig, dat er een fontein water de lucht in spoot.

'Ik schrik me dood van je.'

'Sorry.'

Ze snakte naar adem zoals mensen dat nu eenmaal doen, maar ze lachte gegeneerd. 'Zeg de volgende keer iets. Ik heb je niet terug horen komen.'

'Misschien moet je iets aandoen.'

Ze had haar kleren uitgetrokken op een doorschijnende bh en een felgroene string na. Een gouden knopje glinsterde in haar navel. Ze maakte zich lang, trok haar schouders naar achteren en ging recht voor hem staan.

'Ik had het warm. Ik zei toch dat het warm zou worden zonder de airconditioner. Wil je een flesje water?'

'Niet doen,' zei Pike.

Ze liep naar de bank, ging zitten, zette haar blote voeten op de salontafel en keek naar hem tussen haar knieën door.

'Wat nou? Weet je zeker dat je niet naar Parijs wilt? Het is koeler in Parijs.'

Ze keek hem strak aan, met de scheve glimlach schuin op haar gezicht alsof zij, en zij alleen, had ontdekt dat het bij alles in de wereld om seks draait en dat Pike nog nooit zo iemand als zij had gezien.

'Wie is Don Pitman?' zei Pike.

Haar scheve glimlach verdween. 'Daar wil ik nu niet over praten.'

'Ik moeten weten wie die mensen zijn. Hij heeft me gebeld.'

Ze sloot haar ogen. Haar voeten vielen van de tafel. 'Hij is een van de mensen van de overheid. Pitman en nog een andere... Blanchette. Kevin. Kevin is een juridisch medewerker van de minister van Justitie.'

'Bepalen zij wat er gebeurt, of werken ze voor iemand anders?'

Ze kneep haar gesloten ogen samen, alsof ze pijn had maar ermee om kon gaan.

'Nu niet. Ik wil het er niet meer over hebben.'

'Ik moet een paar dingen vragen. Ik zal met die mensen, en met Bud en je vader moeten gaan praten.'

'Genoeg. Nu niet.'

Haar ogen gingen open. Ze leunde naar voren om het flesje op tafel te zetten, zodat haar ronde volle borsten in het flauwe okerkleurige licht in haar bh te zien waren.

'Ik heb een tatoeage op mijn kont. Heb je hem gezien vanochtend? Ik wilde dat je hem zag.'

Pike keek haar aan.

'Het is een dolfijn. Ik vind dolfijnen mooi. Je ziet ze door het water schieten. Ze glimlachen zo leuk. Ze zien er zo blij uit als ze zo hard gaan. Ik wil een dolfijn zijn. Ik wil ook zo zijn.'

Ze liep om de tafel heen naar Pike toe en bleef voor hem staan. Pike schudde zijn hoofd.

'Niet doen.'

Ze knielde neer en legde haar handpalm op zijn schouder over zijn tatoeage heen. 'Waarom heb jij pijlen genomen? Vertel eens. Dat wil ik weten.'

Pike bewoog zich net genoeg om haar hand weg te halen. Hij pakte haar armen beet en duwde haar voorzichtig achteruit. 'Wil je dat niet meer doen?'

Ze staarde een tijdje naar een punt tussen hen in en ging toen terug naar de bank. Pike bestudeerde haar donkere silhouet, de helft van haar gezicht in een flauw schijnsel uit de keuken, de rest in de schaduw. Haar ogen glinsterden in het licht van het raam.

'Het komt allemaal goed. Je bent veilig,' zei hij.

'Ik ken jou niet. Ik ken die mensen van de overheid niet; ik ken Meesh niet, de Kings niet en ik weet niets over het witwassen van geld uit Zuid-Amerika. Ik wilde alleen maar helpen. Ik weet niet waarom ik hier ben. Ik weet niet wat er met mijn leven is gebeurd.'

De glinstering breidde zich uit naar haar wangen. 'Ik ben hartstikke bang.'

Pike wist al dat het een vergissing was toen hij naar de bank toe liep. Hij sloeg zijn arm om haar heen in een poging haar te troosten zoals hij mensen had getroost toen hij bij de politie was, een moeder had getroost wier zoon was neergeschoten, een kind had gekalmeerd dat overstuur was van een verkeersongeluk. En toen hij haar aanraakte, kroop ze tegen hem aan en liet haar hand naar zijn borst gaan en omlaagglijden.

'Nee,' fluisterde Pike.

Larkin vluchtte met petsende blote voeten naar de slaapkamer aan de voorkant. De deur ging dicht.

Pike zat op de bank in het donkere stille huis. Hij was al vijfendertig uur wakker, maar hij wist dat hij niet meer dan een uur of twee zou slapen, als de slaap al wilde komen. Hij trok zijn sweatshirt uit en bewoog zich daarna geluidloos door het huis. Hij ging elke kamer in, luisterde naar de nacht achter de ramen en liep weer verder. Toen hij bij Larkins deur kwam, hoorde hij haar huilen.

Een streep licht langs de rand van een gordijn wierp een baan op de vloer bij zijn voeten.

Pike legde een hand tegen de deur.

'Larkin.'

Ze hield op met huilen. Daardoor wist hij dat ze luisterde.

'De pijlen. Die betekenen dat je zelf bepaalt wie je bent door voorwaarts te gaan, nooit terug; je gaat voorwaarts. Dat doe ik. Dat gaan wij doen.'

Pike wachtte, maar het meisje gaf geen kik. Pike voelde zich slecht op zijn gemak en wilde dat hij niet had geprobeerd het uit te leggen.

'Nu ken je me iets beter.'

Pike draaide zich om en deed alle lampen in het huis uit. Hij ging terug naar de woonkamer. Hij stond in het donker te luisteren, liet zich voorover vallen en ving zichzelf stil op in de push-uphouding.

Hij deed push-ups, de ene na de andere, alleen met zichzelf, als een manier om de nacht door te komen.

Hij hield de swing erin.

DAG TWEE

LICHT IN WATER

ACHT

De volgende ochtend om halfzes werden de ramen licht en wierpen ze de bruine schemergloed van een meertje in het huis in Echo Park. Pike had zich toen al gewassen en aangekleed. Hij droeg een spijkerbroek, zijn mouwloze grijze sweatshirt en de sportschoenen. Hij stond in de woonkamer. Vanuit zijn positie kon hij de hele lengte van het huis overzien, van de voordeur door de keuken naar de achterdeur, en de drie deuropeningen in het gangetje naar de twee slaapkamers en de badkamer. Hij stond al bijna een uur op deze plaats.

In de loop van de nacht had Pike telkens een paar minuten gedommeld op de bank, maar hij was geen moment diep in slaap geweest. Om het uur maakte hij een rondgang door het huis, controleerde de ramen en luisterde. Huizen waren levende dingen, net als vee en bossen en schepen. Als alles in orde was, klonken de geluiden die ze maakten goed. Pike luisterde of hij goede geluiden hoorde. Hij was twee keer de kamer van het meisje binnengegaan en had haar beide keren zacht snurkend aangetroffen, een keer op haar buik, een keer op haar zij, met het beddengoed op een hoopje aan het voeteneinde. Beide keren bleef hij stil in het donker staan luisteren naar haar ademhaling en controleerde hij de ramen voor hij verder ging.

Nu stond hij in de woonkamer.

Om tien over halfzes die ochtend wankelde het meisje haar kamer uit naar de badkamer zonder hem te zien. Het licht in de badkamer ging aan, de deur sloeg dicht, ze deed wat ze moest doen, het toilet werd doorgetrokken.

Pike verroerde geen vin.

De deur ging open en ze deed het licht uit. Ze schuifelde de badkamer uit met haar ene schouder hoger dan de andere en op dat moment zag ze hem. Haar ogen waren opgezwollen spleetjes omdat ze slaapdronken was.

'Waarom heb je je zonnebril op in het donker?' zei ze.

Pike zei niets.

'Wat ben je aan het doen?'

'Ik sta.'

'Je bent gek.'

Ze schuifelde terug naar haar kamer. De stortbak liep vol. Toen was het weer stil in het huis.

Pike verroerde zich niet.

Twee minuten over zes trilde zijn nieuwe mobiele telefoon. Pike nam op toen hij zag dat het Ronnie was.

'Ja.'

'Het alarm van je appartement is twaalf minuten geleden afgegaan.'

Als er een alarmmelding binnenkwam, belde het beveiligingsbedrijf altijd eerst de abonnee om te zien of alles in orde was. Valse alarmmeldingen kwamen vaak voor. Pike had het beveiligingsbedrijf gevraagd Ronnies nummer te bellen als ze een alarmmelding kregen. Hij had hun ook gezegd dat ze de politie niet moesten waarschuwen.

'Wat heb je tegen ze gezegd?'

'Dat alles in orde is en dat ze het alarm weer moeten inschakelen, precies zoals je zei. Zal ik erheen gaan?'

'Nee. Ik regel het wel.'

Pike dacht even na. 'Bel nog een keer naar het beveiligingsbedrijf. Zeg tegen ze dat we van ze verwachten dat ze direct uitrukken als ze een alarmmelding uit de winkel krijgen.'

'Doe ik.'

Pike stopte de telefoon weg en keek hoe laat het was. Het alarm was twaalf minuten geleden afgegaan, waarschijnlijk toen ze zijn voordeur of een raam forceerden. Ze bevonden zich waarschijnlijk nog in zijn huis. En het was even waarschijnlijk dat ze vertrokken zouden zijn tegen de tijd dat hij arriveerde, tenzij ze van plan waren te wachten, maar dat kon Pike niet schelen. Hij moest bij het meisje blijven.

Pike dacht na over het feit dat ze bij hem thuis waren. Hij was ervan uitgegaan dat het niet lang zou duren, en nu was het zover en hij was er blij om. Ze hadden zijn naam achterhaald, zijn adres gevonden en nu probeerden ze hem op te sporen. Hier kon hij veel uit afleiden: iemand die zijn naam kende, had hem doorgegeven en de enigen die zijn naam kenden, waren de mensen uit de omgeving van het meisje: Jon Stone en Bud Flynn. Een andere mogelijkheid was er niet, dus werd ze door iemand verraden. Pike had er goed aan gedaan hen buiten spel te zetten.

Pike hoopte dat ze bij hem thuis op hem zouden wachten, maar ze zouden waarschijnlijk doorgaan naar zijn winkel en later terugkeren naar zijn appartement. Op een gegeven moment zouden ze erachter komen dat hij met Cole samenwerkte, maar ze zouden eerst naar zijn wapenwinkel gaan.

Hoe ze het zouden aanpakken, zou hem veel vertellen over de omvang van hun operatie en hun kundigheid. Het was belangrijk je vijand te kennen.

Maar voorlopig lag het meisje te slapen. De nacht was voorbij. Ze leefde nog. Hij had zijn werk gedaan, maar moest nog veel doen.

Pike liet het meisje slapen. Hij belde Cole om hem op de hoogte te brengen en ging in de woonkamer staan. Hij wachtte. Zijn hartslag ging omlaag. Zijn ademhaling werd trager. Zijn lichaam en geest waren kalm. Hij kon zo dagenlang wachten, en had dat ook gedaan, om een perfect schot af te vuren.

NEGEN

ELVIS COLE

Een klassiek voorbeeld van een telefoongesprek van Pike, een van de vele. Dat gaat als volgt. Cole buiten op zijn veranda zwetend bezig met een paar asana's, wanneer de telefoon rinkelt. Zes uur, wie kan het anders zijn? Hinkt naar binnen. Neemt op.

'Hallo?'

'Dat je het weet. Ze zijn zojuist in mijn appartement geweest.'

Klik.

Niet: wat ben je aan het doen? Niet: hé, hoe gaat het? Niet: moet je horen.

Klassiek.

Cole maakte de asana's af, nam een douche, haalde de oude .38 die George Feider hem had gegeven uit zijn brandkast en zette koffie. Hij nam het wapen, de koffie en de spullen over George King en Alexander Meesh mee naar de veranda. Hij had een groot deel van de vorige avond aan zijn computer gezeten om informatie van internet te halen. Cole was niet bang dat hij bestormd zou worden door in het zwart geklede huurmoordenaars en gebruikte het wapen als presse-papier om te voorkomen dat de vellen papier zouden wegwaaien.

Het was een prachtige ochtend en het zag ernaar uit dat het een verschrikkelijk hete dag zou worden.

Cole keek met samengeknepen ogen naar de melkachtige nevel in het dal, genoot van zijn koffie en zag een roodstaartbuizerd op zoek naar veldmuisjes en slangen rondcirkelen in de lucht.

'Wat denk je? Is het vandaag zijn dag of niet?' vroeg Cole.

Een zwarte kat zat vlakbij op de veranda tussen de spijlen van het hek door naar het dal te kijken. De kat gaf geen antwoord, maar dat krijg je als je tegen poezen praat.

'Je bent gewoon jaloers omdat je niet kunt vliegen,' zei Cole.

De kat knipperde alsof hij in slaap viel en likte toen opeens zijn penis schoon. Katten zijn wonderlijke dieren.

Cole keek aandachtig naar de buizerd. De dag nadat Cole uit het ziekenhuis was gekomen, was hij bij het ochtendkrieken zijn veranda op gelopen (zoals hij sindsdien elke ochtend had gedaan) en had twaalf zonnegroeten uit de hatha yoga afgewerkt (zoals hij sindsdien elke ochtend had gedaan). Hij had ze die eerste ochtend niet goed, of niet volledig gedaan, maar hij deed wat hij kon en ging daarna op de rand van zijn veranda zitten om naar de buizerd te kijken. De buizerd kwam elke dag terug, maar Cole zag hem nooit iets vangen. Toch dook hij elke ochtend weer op en beschreef hij cirkels in de lucht, zoekend naar iets wat hij nooit vond. Cole had bewondering voor zijn doorzettingsvermogen.

Cole nam nog een kop koffie en herlas de informatie van internet over George King. King was een projectontwikkelaar uit Orange County die zijn carrière was begonnen met het bouwen van een eengezinswoning met een heel klein beetje geld dat hij van de ouders van zijn vrouw had geleend. Het was het klassieke verhaal van iemand die zich vanuit het niets opwerkt: King had dat eerste huis met winst verkocht en er nog drie gebouwd. Op de huizen volgden een paar winkels. Op de winkels volgden flats met twintig, veertig en vervolgens honderdzestig appartementen. Op de appartementen volgde een onroerendgoedfirma die in heel Californië, Arizona en Nevada winkelcentra, woonwijken en kantoortorens ontwikkelde. In geen van de artikelen werd gewag gemaakt van onfatsoenlijk gedrag, illegale activiteiten, of duistere praktijken. Afgaande op alles wat Cole las, was George King een keurige burger.

Alexander Meesh was dat niet.

Cole had niets over Meesh gevonden op internet. De laatste notities in het rapport van het NCIC dat Pike hem had gegeven, dateerden van zes jaar geleden en besloten met de opmerking dat Meesh het land was ontvlucht en nu waarschijnlijk woonachtig was in Bogota in Colombia. Omdat hij al zes jaar weg was, was Meesh oud nieuws.

Het verslag van het NCIC was net de tv-gidsversie van een criminele carrière van twintig jaar. Een uitgebreide versie inclusief foto's, vingerafdrukken en zelfs DNA was op speciaal verzoek verkrijgbaar, maar de korte versie vertelde het verhaal door middel van een chronologische lijst van misdrijven, veroordelingen, opsluitingen, signalementen, compagnons en aanhoudingsbevelen.

Meesh was geen lekkertje. Hij was twee keer aangeklaagd voor moord met voorbedachten rade, zeven keer voor samenspanning tot moord en zestien keer voor afpersing, allemaal in de staat Colorado. Meesh, die aan het hoofd stond van verschillende bendes die roofovervallen pleegden, had in Colorado Springs een vrachtwagenchauffeur en zijn vrouw vermoord. Meesh dacht dat de chauffeur hem had belazerd en een lading flatscreen tv's naar een concurrerende bende had doorgeschoven. Bij zijn poging de platte beeldbuizen terug te krijgen, goot Meesh kokende olie over de vrouw van de chauffeur. Niet één keer, maar herhaaldelijk, tijdens een vierentwintig uur durende martelsessie. Daarna ging hij aan de slag met de chauffeur. Getuigen van de foltering beweerden dat Meesh de andere bendes in de streek duidelijk wilde maken dat de wegen van hem waren.

Cole herlas dat gedeelte en keek daarna naar de buizerd. Buizerds goten waarschijnlijk geen kokende olie over andere buizerds. Cole richtte zijn aandacht op zijn kat. Deze zat weer tussen de spijlen door naar het dal te turen. Hij vroeg zich af of de kat en de buizerd naar hetzelfde op zoek waren.

'Hé, maatje.'

De kat kwam naar hem toe en gaf kopjes tegen zijn hand. Als je een kat aaide, kon je dingen als gefrituurd mensenvlees makkelijker vergeten.

Cole keek weer in het dossier. Er werd nergens uitgelegd hoe een crimineel uit Denver een financiële man van een groep Zuid-Amerikaanse drugsbaronnen was geworden, maar dat interesseerde Cole ook niet. Hij wilde Meesh vinden en Meesh was niet in Zuid-Amerika. Hij was in Los Angeles.

In alle criminele dossiers stonden de mensen vermeld van wie bekend was dat ze met de verdachte omgingen, inclusief vrienden, familieleden en bendeleden. Cole had gehoopt dat hij de naam van een compagnon in Los Angeles zou aantreffen, maar de mensen kwamen, net als Meesh' arrestaties, allemaal uit Denver. Het zou kunnen dat een van Meesh' vrienden in de tussenliggende zes jaar naar Los Angeles was verhuisd, maar dat zou Cole eerst moeten nagaan. De kans was klein, maar hij begon een lijst van de namen uit Colorado te maken. Hij zou kijken of een van die mensen connecties in Los Angeles had en dan met die informatie Meesh proberen te vinden.

Cole zat de lijst op te stellen toen er een drupje grijs uit de lucht viel. Cole keek glimlachend omhoog. Hij wilde zien wat de buizerd had gevangen, maar op dat moment ging de bel. Hij dacht meteen dat Alex Meesh heet spekvet over hem heen kwam gieten, maar zijn fantasie ging wel vaker met hem op de loop. Hij hinkte naar de voordeur met zijn pistool en tuurde door het kijkgaatje.

Er stonden twee mannen voor de deur. Hun gezicht werd vervormd door de fisheyelens. Ze zagen er niet uit als spekvetmoordenaars. De voorste man had de bruinverbrande kleur van een golfer en kort bruin haar. Hij droeg een bruin sportcolbert dat er in de Californische zomer, vooral om zeven uur 's ochtends, belachelijk uitzag. De man achter hem was langer en zwart en droeg een blauw linnen colbert en een zonnebril.

Cole stopte het wapen op zijn rug achter zijn broekband, trok zijn T-shirt eroverheen en deed de deur open.

'Elvis Cole?' zei de voorste man.

'Die is naar Oostenrijk verhuisd. Kan ik een boodschap aannemen?'

De voorste man stak een zwartleren portefeuille met een legitimatiebewijs omhoog.

'Speciaal agent Donald Pitman. Ministerie van Justitie. We willen u graag even spreken.'

Ze wachtten niet tot Cole hen uitnodigde binnen te komen.

TIEN

Buiten de muren van het huis in Echo Park ontwaakte de buurt tegelijk met de langzaam opkomende zon. Vinken en mussen tjilpten. De tuinsproeier van het naburige huis sprong aan, spoot twintig minuten en ging toen vanzelf weer uit. Auto's startten, kwamen achteruit het tuinpad af, of reden weg van de stoeprand. De dunne gordijnen die voor de ramen hingen, lichtten op tot er in het hele huis een zachte, goudkleurige gloed hing. Op ochtenden als deze met hun stilte en rust had Pike soms het idee dat hij de aarde voelde draaien. Hij vroeg zich af of er nog iemand in huis was.

Het meisje sliep.

Pike gooide gemalen koffie in een kleine pot, liet de pot vollopen met water en zette hem op het fornuis. Pike zette al jaren koffie op deze manier. Hij liet hem aan de kook komen en schonk hem dan door een stukje keukenpapier, of hij liet het keukenpapier achterwege. De koffie smaakte toch wel goed. Hoe simpeler, hoe beter.

Na een tijdje kookte de koffie. Pike keek even hoe hij borrelde, draaide de pit uit en liet de drab bezinken. Het keukenpapier liet hij achterwege. Hij schonk een piepschuimen bekertje vol met koffie en nam het mee naar de tafel. Hij was net gaan zitten toen zijn telefoon weer trilde.

'Kun je praten?' zei Cole.

Pike kon vanaf de tafel de deur van het meisje zien. Hij zat dicht. 'Ja.'

'Er zijn vanochtend twee agenten van het ministerie van Justitie geweest, Donald Pitman en Kevin Blanchette. Ze hadden je wapen bij zich. Het zat in een bewijszak van de politie.'

'Oké,' zei Pike.

'Ze hebben het niet over King, Meesh en het meisje en zo gehad. Ze hebben niet gevraagd of ik wist wat er aan de hand was, en of ik je had gezien. Ze hebben me alleen het wapen gegeven en tegen me gezegd dat ik tegen jou moest zeggen dat ze het zouden regelen.'

'Je kunt me waarschijnlijk beter niet meer vanuit je huis bellen.'

'Ik ben bij de buren.'

'Oké.'

'Pitman zei dat ik, als ik van je hoorde, tegen je moest zeggen dat je moest bellen. Wil je het nummer?'

'Heb ik al.'

'Hij zei dat het wapen een teken van vertrouwen was, maar dat er een einde aan het vertrouwen zou komen als je niet belde.'

'Ik begrijp het.'

'Ga je bellen?'

'Nee.'

'Nog een paar dingen. Er staat niets in het dossier waaruit blijkt dat Meesh connecties in Los Angeles heeft, of waar we iets mee kunnen, dus we hebben alleen de lijken. Als we daar de identiteit van te weten kunnen komen, kunnen we aan de hand daarvan Meesh zien te vinden.'

'Ik zal met Bud praten.'

'Ik heb het niet echt druk. Ik kan er langsgaan.'

Pike nam een slokje koffie en keek naar Larkins deur. 'Bud is ermee bezig. Heb je het meisje nagetrokken?'

Cole aarzelde en Pike hoorde een andere klank in zijn stem. 'Heeft ze je nog niets over zichzelf verteld?'

'Wat zou ze me moeten vertellen?'

'Ze is het meisje uit de bladen.'

'Is ze fotomodel?'

'Nee, zo bedoel ik het niet. Ze is rijk. Ze is beroemd omdat ze rijk is. Ik kon haar niet thuisbrengen met dat korte haar. Mensen zien er in het echt soms anders uit. Er staat altijd wel iets over haar in de roddelbladen, dat ze uit haar dak gaat in een club ergens, een hoop trammelant maakt, dat soort dingen. Je hebt haar vast wel eens gezien.'

'Ik lees geen roddelbladen.'

'Haar vader heeft een imperium geërfd. Ze bezitten hotelketens in Europa, een paar luchtvaartmaatschappijen, olievelden in Canada. Ze is zeker zo'n zes miljard waard.'

'Hm.'

'Als ze zich gedeisd houdt, is het goed, maar hou haar in de gaten. Ze is het klassieke voorbeeld van een wilde meid uit Los Angeles.'

Pike wierp een blik op de deur. 'Ze houdt zich rustig.'

'Dat je het maar weet.'

Pike nam nog een slok koffie. Hij was koud geworden, maar dat vond Pike niet erg. Hij dacht na over het feit dat Pitman en Blanchette bij Cole thuis waren opgedoken met het wapen. Een teken van goede wil. Hij vroeg zich af waarom twee federale agenten dat zouden doen, maar eigenlijk kon het hem niet schelen. Hij wilde Meesh vinden.

‘Kun je aan het adres van Bud Flynn komen?’ zei Pike.

‘Ben ik niet de beste detective ter wereld?’

‘Ik moet straks iets doen. Ik kan het meisje niet meenemen en ik wil haar niet alleen laten. Kun jij bij haar blijven?’

‘Op een vurige, jonge, rijke meid passen? Ik denk wel dat me dat lukt.’

Pike maakte een einde aan het gesprek en toetste het nummer in van de mobiel van Bud Flynn. Flynn nam op toen de telefoon drie keer was overgegaan. Hij klonk schor en slaperig. Pike vroeg zich af of Bud ergens aan een tafel koffie zat te drinken zoals hij, maar kwam tot de conclusie dat Bud in bed lag. Het was pas tien over halfacht. Bud was waarschijnlijk pas laat gaan slapen.

‘Je klinkt slaperig. Heb ik je wakker gemaakt?’ zei Pike.

Toen hij het zei, ging de deur van het meisje open en Larkin kwam de slaapkamer uit. Haar gezicht was dik van de slaap en ze had nog steeds enkel de bh en de kleine groene string aan. Ze zag er niet erg wild uit.

Pike legde een vinger tegen zijn lippen. Sst. Larkin knipperde slaperig met haar ogen en ging de badkamer in.

‘Ik word gek van je, Joe. Waar zit je in godsnaam?’ zei Bud.

‘Het gaat goed met ons. Waarom is iedereen zo van slag?’

Pike, die zich vrolijk maakte.

‘Je bent van de aardbodem verdwenen, daarom! Het is de bedoeling dat je haar beschermt, ja, maar je kunt niet zomaar verdwijnen. Justitie –’

Pike viel hem in de rede. ‘Hoeveel mensen weten dat ik haar heb?’

‘Wat een stomme vraag! Wat wil je daar nou mee zeggen?’

‘Jij, je jongens in hun mooie zijden pakjes, Justitie, haar familie? Iemand heeft vanochtend bij mij thuis ingebroken, Bud, dus je lek lekt nog steeds. Het vertrouwen is dun gezaaid.’

Larkin stapte de badkamer uit en kwam naar de woonkamer. Haar blote voeten petsten op de vloer. Pike hield zijn beker omhoog om te laten zien dat er koffie was en gebaarde ermee naar de keuken. Ze geneerde zich blijkbaar niet voor het gebrek aan kleren. Ze scheen zich er niet eens bewust van te zijn en liep langs hem heen naar de keuken.

Buds stem klonk nog steeds onzeker.

‘Ik begrijp wel wat je bedoelt, maar we zitten met vijf lijken waar we een oplossing voor moeten zoeken. We zitten met een politieonderzoek en –’

Pike snoerde hem opnieuw de mond. ‘We doen het zo. Larkin en ik komen naar je toe. Je zegt niets tegen haar vader, of die mensen van Justitie, of je jongens in hun zijden pakjes. Je komt alleen en dan zoeken we het uit. Kun je je daarin vinden?'

'Waar?'

Het meisje kwam de keuken uit met de pot. Ze hield de pot omhoog met een verbaasd gezicht dat zei: Wat is dit in hemelsnaam? Pike stak een vinger op om haar duidelijk te maken dat ze even moest wachten en keek toen op zijn horloge. Het was nu dertien voor acht.

'Waar ben je op dit moment?'

'Thuis. In Cheviot Hills.'

'Twaalf uur bij het metrostation in Universal City. Kun je om twaalf uur?'

'Ja.'

'Met wat voor auto kom je?'

'Een bruine Explorer.'

'Parkeer op de noordelijke parkeerplaats. Zo ver noordelijk als je kunt. Wacht in je auto tot ik bel.'

Pike zette zijn telefoon uit. Larkin vatte dit op als een teken dat ze kon praten en zwaaide met de pot. 'Wat is dit?'

'Koffie.'

'Het is modder. Er drijft troep in.'

Pike dronk zijn bekertje leeg, ging naar de bank en trok het overhemd met lange mouwen aan. 'Pak je spullen. We gaan naar Bud.'

Ze liet de pot zakken en keek hem aan alsof ze volledig gekleed was. 'Ik dacht dat we hier veilig waren.'

'Dat zijn we ook. Maar als er iets gebeurt, zijn we blij dat we onze spullen bij ons hebben.'

'Wat gaat er gebeuren?'

'Als we het huis uit gaan, nemen we onze spullen mee. Altijd. Zo doen we dat.'

'Ik heb geen zin om de hele dag opgevouwen in die auto te zitten. Kan ik niet hier blijven?'

'Ga je aankleden. We moeten opschieten.'

'Maar je hebt om twaalf uur met hem afgesproken. Universal is hier maar twintig minuten vandaan.'

'Kom. We moeten opschieten.'

Ze stampte terug naar de keuken en gooide de pot in de gootsteen. 'Je koffie is smérig!'

'We halen wel koffie bij Starbucks.'

Ze leek niet zo wild, zelfs niet als ze met dingen gooide.

ELF

Pike reed niet met haar naar Universal en wachtte niet tot twaalf uur. Cole had Buds adres al voor ze de deur uit waren.

Cheviot Hills was een dure woonwijk in de binnenstad op het glooiende terrein ten zuiden van de Hillcrest Country Club. Elegante huizen met onberispelijke tuinen en smetteloze stoepen lagen overal verspreid, hoewel de grotere huizen dichter bij het park stonden. De huizen verder naar het zuiden en dichter bij de snelweg waren kleiner, maar toch buiten bereik voor iemand met een politiesalaris. In de tijd dat Pike met Bud in een surveillancewagen reed, woonden de Flynns in een twee-onder-een-kapwoning in Atwater Village.

Buds huidige huis was een kleine splitlevelwoning niet ver van de snelweg. Een bruine Explorer stond op de oprit geparkeerd alsof hij daar de hele nacht had gestaan. Het huis stond boven op een heuveltje, met een licht hellende oprit en een grasveld in de voortuin dat leed onder de moordende zomerhitte. Veel van de huizen waren sinds ze in de jaren dertig waren gebouwd, niet veranderd, wat de straat een slaperige, dorpse uitstraling gaf. Een paar palissanderbomen kleurden de auto en de oprit met paarse sneeuw.

Larkin draaide alert en opgewonden haar hoofd toen ze langs het huis reden. 'Wat gaan we doen?'

'Jij blijft in de auto. Ik ga met hem praten.'

'En als hij er niet is? Als hij weg is gegaan?'

'Zie je de bloemen van de palissanderboom op de oprit? Daar heeft nog niemand overheen gelopen.'

'En als hij hier nu niet was? Als hij heeft gelogen?'

'Wees nou toch stil.'

Pike parkeerde recht tegenover de oprit zodat Larkin goed zichtbaar zou zijn in de auto, stapte uit en liep naar de voordeur. Pike ging opzij van de deur staan op een plaats waar hij vanuit het huis niet te zien was. Hij belde Buds mobiel.

'Dat kun jij alleen maar zijn, Joe. Afgeschermd nummer,' zei Bud.

'Kijk op je oprit.'

'Joe?'

'Ga buiten kijken.'

Pike hoorde het geluid van voetstappen door de telefoon en vervolgens in het huis. De voordeur ging open. Bud stapte naar buiten. Hij keek naar het meisje, maar Pike zag hij nog niet. Bud was al aangekleed, maar Pike vond dat hij de afgelopen zesendertig uur jaren ouder was geworden. Hij zag er moe uit.

'Bud,' zei Pike.

Bud keek niet verbaasd. Hij fronste zijn wenkbrauwen net zoals hij had gedaan zoals toen Pike een groentje was, alsof hij zich afvroeg wat hij had misdaan dat hij werd opgezadeld met deze vent die zijn leven verpestte.

'Wat dacht je dat ik zou doen? Universal laten omsingelen? Verkenningsvliegtuigen laten rondvliegen?' zei hij.

Pike maakte een zwengelend gebaar, zodat Larkin haar raampje zou opendraaien.

Pike riep naar haar. 'Zeg Bud eens gedag.'

Larkin zwaaide en riep terug uit de auto. 'Hoi, Bud.'

Pike riep nogmaals. 'Wil je hier bij hem blijven?'

Larkin wees met twee duimen omlaag en schudde haar hoofd. Pike richtte zich weer tot Bud, maar Bud keek nog steeds chagrijnig.

'Waar ben je nou mee bezig?'

'Dit is een mooi huis. Je hebt goed geboerd.'

'Waar ben je nou verdomme mee bezig? Heb je enig idee wat voor problemen ik heb?'

'Ik laat je zien dat ze springlevend is en dat het goed met haar gaat. Je kunt tegen haar vader en speciaal agent Pitman zeggen dat alles in orde is met haar. Je kunt zeggen dat ze niet terug wil komen omdat ze graag wil blijven leven.'

Bud raakte geïrriteerd. 'Ja, ho eens even. We hebben het niet alleen over het meisje, hoor. Je hebt in twee dagen vijf mensen neergeschoten. Wat denk je nou? Dat Pitman tegen de LAPD kan zeggen: Hé, niets aan de hand, onze burger heeft die kerels gedood om onze getuige te beschermen, en dat Moordzaken het dan zal laten passeren? Je zult dit moeten rechtzetten.'

Het kon Pike niet schelen of ze het lieten passeren of niet. Hij vroeg zich af waarom Bud er niets over had gezegd dat Pitman zijn wapen had teruggebracht. Daarna vroeg hij zich af of Bud het wel wist, en zo niet, waarom Pitman het hem niet had verteld.

'Wat wil Pitman?'

'Jou, Justitie, een paar figuren van het hoofdbureau en van de sheriff, daar hebben we het over. Jij en Larkin beantwoorden hun vragen en daarna, zegt Pitman, laat de plaatselijke politie je met rust.'

'Gaat niet gebeuren.'

'Als je niet komt, zegt Pitman, vaardigt hij een arrestatiebevel wegens ontvoering uit.'

Pikes mondhoeken trilden en Bud bloosde.

'Ik weet dat het onzin is, maar jij rent maar rond en niemand weet wat er gebeurt. Justitie denkt dat ze haar kunnen beschermen. Ze denken dat ik het probleem ben en dat hebben ze ook tegen haar vader gezegd. Hij kan me elk moment ontslaan.'

'Nou, Bud, is ze dan veiliger bij jou of bij mij?'

'Ik heb mijn persoonlijke dossiers aan het ministerie van Justitie overgedragen. Ik heb ze mijn mensen gegeven: hun telefoonlijsten, hotels en onkosten, alles. Haar vader heeft Pitman vrij toegang gegeven tot zijn advocaat, zijn personeel, hun e-mails en telefoons, de hele bliksemse boel. We vinden dat lek wel.'

'Wie controleert Pitman?'

Bud knipperde met zijn ogen alsof hij met zijn gezicht in een droge wind stond en schudde ten slotte zijn hoofd. 'Ik kan haar niet beschermen. Ik kan zelfs jou geen rugdekking geven. Ik weet dat dat bij de afspraak hoorde, maar ik ben er niet meer zo zeker van.'

'Voor mij is het lek niet belangrijk.'

Bud keek hem eindelijk aan. Zijn ogen waren harde steentjes, ingebed in vlees dat slap was van ouderdom. 'Joe. Waar ben je mee bezig?'

'Ik ben op zoek naar Meesh.'

'Wel meer dan alleen op zoek. Ik wil hier niets mee te maken hebben. Je wilt mijn hulp hebben, maar ik wil het niet eens weten.'

'Ik heb maar twee sporen die naar Meesh kunnen leiden: de mannen in het mortuarium en de Kings. Als de Kings zaken met hem deden, wisten ze waarschijnlijk waar hij logeerde en hoe ze hem konden bereiken. Misschien kan ik hem via hen opsporen.'

'Ze zijn nog steeds zoek.'

'Justitie moet iets hebben. Kun je me daarmee helpen?'

'Pitman laat hun huis en kantoor dag en nacht bewaken. Hij laat hun telefoons afluisteren. Hij laat zelfs hun jacht door iemand in de gaten houden. Die mensen hoeven maar een scheet te laten, of ze hebben Justitie op hun nek. Je hoeft maar in de buurt te komen van iets wat van hen is en jij hebt Justitie ook op je nek.'

'Dan zijn de mannen die ik heb neergeschoten, mijn laatste kans om Meesh te vinden. Wat weet je?'

Buds gezicht betrok, maar hij keek even naar het meisje en bevochtigde zijn lippen. 'Mijn sleutels liggen binnen. In de hal. Zal ik ze even pakken?'

Pike knikte.

Bud stapte zijn huis in, slechts lang genoeg om zijn sleutels uit een blauwe schaal vlak achter de deur te vissen. Pike liep met hem mee naar zijn auto. Bud maakte de Explorer open en Pike zag het koffertje van Corduaans leer dat hij ook in de woestijn had gezien. Bud haalde er drie foto's uit. Het waren de opnamen van de beveiligingscamera's die waren gemaakt toen er een inval in het huis van de Barkleys was gedaan. Pike had ze in de woestijn ook gezien.

Bud overhandigde ze aan Pike en tikte op de bovenste foto. 'Deze man was een van de oorspronkelijke indringers. Jij hebt hem in Malibu neergeschoten. Hij is de enige van de vijf die je hebt neergeschoten, die er de eerste keer bij het huis van de Barkleys ook bij was.'

'Hoe heet hij?'

'Dat weet ik niet. Maar deze man'– Bud legde een andere foto bovenop en wees een man met opvallende jukbeenderen en een litteken op zijn lip aan – 'dat is de engerd die de huishoudster heeft mishandeld. Herken je een van deze andere kerels uit Malibu of Eagle Rock?'

'Wie zijn het?'

'Weet ik niet. We hebben van geen van de vijf personen die door jouw toedoen in het mortuarium zijn beland, de identiteit kunnen vaststellen. Live Scan heeft niets opgeleverd. Er zijn geen identiteitsbewijzen op de lijken aangetroffen en ze stonden niet in de computer. Je mag deze foto's houden als je wilt.'

Pike keek naar de foto's en vond het maar vreemd dat van geen van de vijf mannen de identiteit was vastgesteld. Het soort man dat je kon inhuren om een moord te plegen, had vrijwel altijd een strafblad. Het Live Scan-systeem digitaliseerde vingerafdrukken en vergeleek deze met de op de computer opgeslagen archieven van het ministerie van Justitie van Californië en de dossiers van het NCIC, en daar stond alles in. Als iemand ooit ergens in het land was gearresteerd of in het leger had gediend, stonden hun vingerafdrukken in die bestanden.

'Dat kan toch niet,' zei Pike.

'Nee, maar die kerels waren alle vijf schoon.'

'Geen identiteitsbewijzen, geen portefeuilles?'

'Helemaal niets van persoonlijke aard. Je hebt heel wat mensen gearresteerd, Joe. Kun jij je veel gasten herinneren die zo slim waren alles op te ruimen voor ze een misdaad gingen plegen?'

Pike schudde zijn hoofd.

'Ik ook niet. Dus daar zitten we dan.'

Bud deed zijn kofferbak dicht en wierp een blik op het meisje. 'Ik zou misschien eigenlijk mijn excuses moeten aanbieden, omdat ik je hierbij heb betrokken, maar ik doe het niet. Je zou haar gewoon aan Pitman kunnen teruggeven. Het is je eigen keus het zo te spelen.'

Bud keek nog een keer naar Larkin, en Pike vroeg zich af wat hij dacht. Toen draaide Bud zich om en nu het licht anders op hem viel, vond Pike dat hij er weer even hard uitzag als vroeger.

'Ik vertrouw erop dat je dat meisje niet in de kou zult laten staan,' zei Bud.

Pike keek Bud na toen hij wegliep, ging terug naar de Lexus en reed onmiddellijk weg.

'Dat leek me wel een aardige man,' zei Larkin.

'Hij was een goede politieman.'

'Dat heeft hij over jou tegen mijn vader gezegd, dat je een goede politieman was. Hij zei dat je de beste jonge agent was met wie hij ooit had gewerkt.'

Pike gaf geen antwoord. Hij zat na te denken over de vijf naamloze, opgeschoonde moordenaars zonder strafblad. Pike dacht dat hij ze misschien toch nog zou kunnen gebruiken om Meesh op te sporen en hij meende te weten hoe.

AANSTELLINGSPERIODE ÉÉN
APPÈL BUREAU RAMPART
AVONDDIENST, 14.48 UUR

Zijn donkerblauwe uniform was nieuw en fris en de vouw in zijn broekspijpen kaarsrecht. Zijn penning van roestvrij staal en koper ving licht als een spiegel en het zwarte leer van zijn holster en schoenen glom zoals het bij de marine had gedaan. Een door het leger verstrekte zonnebril hing aan zijn zak in de voorgeschreven positie. Pikes uniform, uitrusting en uiterlijk waren in orde, perfect volgens het boekje, zoals hij graag had.

Pike, Charlie Grissom en Paul 'P-bag' Hernandez zaten op de eerste rij van de appèlruimte van Bureau Rampart. Omdat dit hun eerste officiële werkdag was nadat ze aan de politieacademie van Los Angeles hun diploma hadden behaald, droegen ze voor het eerst een penning en een geladen wapen. Die dag zouden ze beginnen als politieagenten in proeftijd, binnen de LAPD ook wel rekruten genaamd.

Pike en de andere rekruten zaten stijf rechtop met hun blik gevestigd op brigadier Kelly Levendorf, de wachtcommandant van de avonddienst. Onderuit hangen, voorovergebogen zitten of op de tafel leunen was niet toegestaan. Als rekruten moesten ze op de eerste rij zitten, met hun gezicht naar voren, en het was hun verboden naar de oudere agenten te kijken die achter hen plaatsnamen. Het was hun niet toegestaan tijdens het appèl mee te doen met de plagerijtjes, of te reageren op de oudgedienden, hoeveel papierpropjes er ook hun kant op kwamen. Ze hadden dat voorrecht nog niet verdiend. Hoewel ze het diploma van de politieacademie in hun zak hadden, zouden ze het komende jaar 'straatbevoegd' worden gemaakt door ervaren oudere agenten, ook wel P-III'en – Pee Drieën – genaamd, die hun leraar, hun beschermer en hun god zouden zijn.

Tijdens dit eerste appèl zouden er twee dingen gebeuren. Ze zouden hun P-III ontmoeten, iets waarop Pike zich verheugde, en ze zouden zichzelf voorstellen aan de oudgedienden, iets waar Pike tegenop zag. Pike praatte niet graag, over zichzelf al helemaal niet.

Levendorf deelde de wagens in en nam vervolgens alles door van mogelijke criminele activiteiten en verdachten van wie bekend was of vermoed werd dat ze in de wijk waren, tot en met verjaardagen en ophanden zijnde pensioneringsfeestjes van collega's. Hij las zijn mededelingen grotendeels op uit een dikke multomap. Toen hij klaar was, sloeg hij de map dicht en richtte zijn blik op de ploeg.

'Goed, we hebben een paar nieuwe mensen aan boord. Die zullen we de gelegenheid geven zich voor te stellen. Agent Grissom, u hebt één minuut en één seconde.'

Nou zul je het krijgen, dacht Pike.

Op de academie kreeg iedere nieuwkomer één minuut en één seconde om zich voor te stellen. Er werd van de nieuwkomer verwacht dat hij het kort en zakelijk hield, net zoals dat van hem of haar zou worden verwacht wanneer hij te maken kreeg met meerderen, de radiokamer en het grote publiek.

Grissom schoot overeind, één brok ijverig enthousiasme, en draaide zich om naar de aanwezigen. Hij was een kleine, gedrongen knul met zacht blond haar, die het iedereen altijd naar de zin scheen te willen maken.

'Ik ben Charlie Grissom. Ik ben afgestudeerd aan de San Diego State University, in Geschiedenis. Mijn vader was politieman in San Diego, waar ik ook ben geboren. Ik hou van surfen, vissen en diepzeeduiken. Ik ben altijd op zoek naar duikmaten, dus als je interesse hebt, moet je het maar zeggen. Ik ben niet getrouwd, maar ik heb al ongeveer een jaar vaste verkering. Ik heb altijd politieman willen worden. Mijn vader wilde dat ik bij de politie van San Diego ging, maar ik wilde bij de besten horen. Vandaar dat ik hier ben.'

Dit leverde een goedkeurend gebrul van de ploeg op, maar toen het wegstierf, zei een gebarsten stem achter Pike boven het lawaai uit: 'Wat een slijmerd.'

Pike zag uit zijn ooghoeken dat Grissom bloosde toen hij ging zitten.

Levendorf zei: 'Agent Hernandez, één minuut en één seconde.'

Hernandez keek even schuin naar Pike toen hij opstond en Pike gaf hem een nauwelijks waarneembaar bemoedigend knikje. Pike en Hernandez hadden op de academie samen een kamer had.

Hernandez draaide zich met zijn gezicht naar de zaal. 'Ik ben Paul Hernandez. Mijn opa, mijn vader en twee van mijn ooms zaten allemaal bij de LAPD, ik ben de derde generatie...'

De ploeg klapte en juichte tot Levendorf zei dat ze ermee op moesten houden en Hernandez sommeerde zijn verhaal af te maken.

'Ik heb twee jaar op de California State University in Northridge gezeten en honkbal gespeeld voor ik geblesseerd raakte. Ik ben dol op honkbal en de Dodgers zijn mijn leven. Ik ben getrouwd. We verwachten in juni onze eerste. Ik ben politieman geworden omdat ik bewondering heb voor politiemensen, door mijn familie en zo. Zo ben ik opgevoed. Het zit ons in het bloed.'

De ploeg juichte opnieuw toen Hernandez weer ging zitten.

Levendorf maande de aanwezigen tot stilte en keek naar Pike.

'Agent Pike, één minuut en één seconde.'

Iedereen zei ongeveer hetzelfde; ze hadden het over hun opleiding en hun familie, maar Pike had niet gestudeerd en wilde niet over zijn familie praten. Wat hem betrof, deed dat allemaal niet ter zake en hij begreep trouwens niet wat anderen ermee te maken hadden. Naar Pikes mening was het alleen belangrijk wat een man op dit moment deed, en of hij het wel of niet goed deed.

Pike stond op en draaide zich om. Het was de eerste keer dat hij de verzamelde agenten achter hem zag. Ze waren van alle kleuren en alle leeftijden. Velen glimlachten ontspannen; anderen keken ernstig; en een groot aantal keek verveeld. Pike zag de agenten met twee strepen op hun mouwen. Gewone mensen zagen die altijd aan voor korporaalstrepen, maar dat waren de P-III'en. Een van hen zou zijn opleidingsinstructeur worden.

'Ik ben Joe Pike. Ik ben niet getrouwd. Ik heb bij de marine gezeten en ben twee keer uitgezonden...'

De ploeg begon woest te applaudisseren en te juichen, en veel agenten schreeuwden 'semper fi'. Er zat een groot aantal veteranen uit de marine bij de LAPD.

Levendorf gebaarde dat ze stil moesten zijn en knikte naar Pike dat hij door moest gaan.

'Het motto van de LAPD is "beschermen en dienen" en dat is precies wat ik wil doen. Daarom wil ik politieman worden.'

Pike ging weer zitten. Hier en daar werd geklapt, maar iemand achterin lachte.

'We hebben een echte Clint Eastwood te pakken. Een man van weinig woorden.'

Pike zag dat Levendorf zijn wenkbrauwen fronste.

'We noemen dit deel van het programma "één minuut en één seconde", agent Pike. U hebt volgens mij dus nog zo'n veertig seconden te gaan. Misschien hebt u, in het kader van deze voorstelronde, nog iets meer te bieden, over uw familie en hobby's bijvoorbeeld,' zei Levendorf.

Pike ging weer staan en draaide zich nogmaals met zijn gezicht naar de aanwezigen.

'Ik ben opgeleid tot verkenner/scherpschutter en heb gediend bij het Force Recon Corps van de marine, voornamelijk in luchtmobiele verkenningseenheden, speciale commando-eenheden en bij missies om speciale doelen uit te schakelen. Ik heb een zwarte band in taekwondo, kungfu, wing chun, judo en ubawazi. Ik doe aan hardlopen en conditietraining. Ik hou van lezen.'

Pike zweeg. De ploeg staarde hem aan, maar Pike wist niet of hij moest gaan zitten of niet, dus keek hij terug. Niemand applaudisseerde.

Uiteindelijk zei een oudere zwarte P-III met grijzend haar: 'Gelukkig houdt hij van lezen, ik was al bang dat we er een watje bij kregen.'

De aanwezigen barstten in lachen uit.

Levendorf maakte een einde aan het appèl en iedereen schuifelde naar de uitgangen, behalve Pike en de twee andere nieuwelingen. Ze bleven achter om kennis te maken met hun P-III.

Drie oudere agenten liepen dwars tegen de stroom in en kwamen naar voren. De potige zwarte agent die het grapje over Pike had gemaakt, ging naar Grissom. De volgende P-III was een Aziatische agent met een gezicht dat zo hoekig was als een diamant. Hij stak zijn hand uit naar Hernandez. Pike keek naar de derde P-III. Hij was kleiner dan Pike en hij had kort bruin haar, een roodbruin verbrand gezicht en een smalle, ernstige mond. Pike schatte hem achter in de dertig, maar hij zou ouder kunnen zijn. Er zaten drie jaarstrepen onderaan op zijn mouw. Dat betekende dat hij al minstens vijftien jaar bij de politie zat.

Hij kwam rechtstreeks naar Pike toe en stak zijn hand uit. 'Prettig kennis te maken, agent Pike. Ik ben Bud Flynn.'

'Sir.'

'Ik ben je opleidingsinstructeur tijdens je eerste twee aanstellingsperioden. Als je er dan nog bent, ruil je van opleidingsinstructeur met de andere rekruten, maar de eerste twee maanden ben je van mij.'

'Ja, sir.'

'Je kunt me tot nader order agent Flynn, of sir noemen en ik noem jou agent Pike, Pike, of rekruut. Is dat duidelijk?'

'Ja, sir.'

'Heb je je uitrusting?'

'Ja, sir. Die staat hier.'

'Neem mee, dan gaan we.'

Pike hing de tas met zijn uitrusting aan zijn schouder en liep achter Flynn aan naar buiten naar het parkeerterrein. Het was warm en er hing een smogwolk als een broeierige deken boven de stad. Flynn nam Pike mee naar een gebutste en gedeukte Caprice die waarschijnlijk al twee keer het klokje rond was geweest.

Toen ze bij de auto kwamen, zei Flynn: 'Dit is onze winkel. Hij heet twee-adam-vierenveertig en dat wordt ook jouw naam als ik je heb geleerd hoe de radio werkt. Wat vind je van onze winkel, agent Pike?'

'Ziet er prima uit.'

'Het is een wrak. Er is zo veel mis mee, dat hij bij elk ander politiekorps in Amerika zou worden afgedankt. Maar dit is Los Angeles. Onze gemeenteraad is zo krenterig, dat ze ons niet het geld willen geven om genoeg mensen in dienst te nemen en de juiste uitrusting te kopen en te onderhouden. Maar weet je wat het goede nieuws is, agent Pike?'

'Nee, sir.'

'Het goede nieuws is dat we van de LAPD zijn. En dat betekent dat we toch in dit wrak gaan rijden en dan nog het beste politiewerk zullen leveren dat in een grote Amerikaanse stad voorhanden is.'

Pike mocht Flynn wel. Hij vond Flynn prettig in de omgang en hij hield van mensen die zo trots waren op hun werk.

Flynn zette zijn spullen achter de auto op de grond en keek Pike met zijn handen in zijn zij aan.

'Eerst gaan we de wagen inspecteren, dan zetten we onze spullen erin, maar voor we aan de slag gaan, wil ik even zeker weten dat we op dezelfde golflengte zitten.'

Flynn scheen een antwoord te verwachten, dus Pike knikte.

'Ik heb respect voor je staat van dienst, maar ik geef er geen barst om. De helft van dit politiekorps heeft bij de marine gediend en de andere helft is het zat dat telkens te moeten horen. Dit is een stad in de Verenigde Staten van Amerika. Het is geen oorlogsgebied.'

'Ja, sir. Ik begrijp het.'

'Ben je kwaad, dat ik dat zeg?'

'Nee, sir.'

Flynn bekeek Pike alsof hij Pike ervan verdacht dat hij loog.

'Nou, als je het wel bent, dan weet je dat goed te verbergen. Dat is mooi. Want hier op straat mag je niemand je ware gevoelens tonen. Wat je ook vindt van de schooiers, sloeries en burgers met wie we te maken krijgen – of ze nu slachtoffer of crimineel zijn – je houdt je persoonlijke mening voor je. Vanaf dit moment ben je agent Pike en agent Pike werkt voor de mensen van deze stad, ongeacht wie en wat ze zijn. Is dat duidelijk?'

'Ja, sir.'

Flynn deed de kofferbak open. De bekleding was gescheurd en de bak was leeg. Flynn wees naar binnen.

'Dit is de kofferbak. Ik ga aan het stuur, dus mijn uitrusting gaat aan de bestuurderskant. Jij bent de passagier, dus jouw uitrusting gaat aan de passagierskant. Zo doen we dat bij de LAPD.'

'Ja, sir.'

'Leg je spullen erin, maar blijf luisteren.'

Pike legde zijn spullen in de auto terwijl Flynn verder sprak.

'Op de academie heb je verordeningen en procedures geleerd, maar ik ga je de twee belangrijkste dingen bijbrengen. Het eerste is dit: je zult mensen op hun creatieve, ijverige ergst zien, en ik ga je leren hoe je ze doorgrondt. Je gaat leren hoe je een leugen van de waarheid kunt onderscheiden, zelfs als iedereen liegt, en hoe je bepaalt wat goed en fout is, zelfs als iedereen fout is. Zo leer je hoe je op een eerlijke en onpartijdige manier gerechtigheid doet geschieden, en dat verdienen de mensen in onze stad. Duidelijk?'

'Ja, sir.'

'Vragen?'

'En dat andere?'

'Welk andere?'

'Het eerste is mensen doorgronden. Wat is het tweede?'

Flynn fronste zijn wenkbrauwen alsof hij op het punt stond een eeuwenoude wijsheid te debiteren.

'Je zult leren ze niet te haten. Je zult te maken krijgen met behoorlijk treurige schepsels, agent Pike, maar mensen zijn niet zo slecht. Ik ga je leren dat niet uit het oog te verliezen, want als je dat doet, zul je ze uiteindelijk gaan haten en voor je het weet, haat je jezelf. Dat kunnen we niet hebben, nietwaar?'

'Nee, sir.'

Flynn inspecteerde de kofferbak om te zien of Pike zijn spullen er op de juiste manier in had gezet, bromde goedkeurend en deed de achterklep dicht. Hij draaide zich weer om naar Pike, scheen na te denken, en Pike vroeg zich af of Flynn hem probeerde te doorgronden.

'Nu heb ik een vraag,' zei Flynn. 'Toen je zei waarom je agent was geworden, citeerde je het motto van de LAPD: beschermen en dienen. Welke van de twee is het?'

'Sommige mensen kunnen zichzelf niet beschermen. Ze hebben hulp nodig.'

'En die bied jij dan, agent Pike, met al dat karategedoe en zo?'

Pike knikte.

'Hou je van vechten?'

'Houden van is niet het goede woord. Als ik moet vechten, kan ik het.'

Flynn knikte, maar uit de manier waarop hij op zijn lip beet, maakte Pike op dat hij nog iets dieper wilde graven.

'Betrokken raken bij vechtpartijen is ons werk niet, agent Pike. We hebben het niet altijd voor het zeggen, maar als je maar bij genoeg vechtpartijen betrokken raakt, krijg je uiteindelijk een keer op je donder. Heb je wel eens op je donder gekregen?'

'Ja, sir.'

Pike wilde zijn vader niet ter sprake brengen.

Flynn beet nog altijd nadenkend op zijn lip.

'Als we in een gevecht verwikkeld raken, hebben we gefaald. Als we de trekker overhalen, wil dat zeggen dat we hebben gefaald. Ben je dat met me eens, agent Pike?'

'Nee, sir.'

'Wat betekent het dan volgens jou?'

'Dat we geen andere keus hadden.'

Flynn bromde, maar Pike kon dit keer niet zeggen of het een goedkeurend gebrom was of niet.

'En waarom wil jij dan mensen beschermen, agent Pike? Heb je zo vaak op je donder gekregen dat je aan het overcompenseren bent?'

Pike wist dat Flynn hem aan het peilen was. Flynn gooide een visje uit om te zien hoe Pike reageerde, dus beantwoordde Pike Flynns blik met neutrale blauwe ogen.

'Ik heb een hekel aan klootzakken.'

'En daarom ben jij de vent die de klootzak op zijn donder geeft.'

'Ja.'

'Zolang we maar binnen de regels van de wet blijven.'

Flynn bleef hem nog even aankijken en toen verschenen er kraaienpootjes naast zijn kalme ogen. 'Omdat ik je opleidingsinstructeur ben, heb ik je dossier gelezen, jongen. Volgens mij heb je het in je een goede politieman te worden.'

Pike knikte.

'Je zegt niet veel, hè?'

'Nee, sir.'

'Mooi. Ik praat wel genoeg voor ons allebei. Stap in. We gaan mensen beschermen.'

In hun eerste uur samen werd er niet veel aan het beschermen van mensen gedaan. Een gewone surveillancewagen patrouilleerde normaal gesproken in een bepaald deel van het district, maar Flynn liet Pike eerst het hele district zien. Onderwijl nam Flynn de radioprocedures door, liet Pike oefenen met de medewerkers van de centrale en wees bekende verzamelplaatsen van schurken aan.

Het tweede uur begonnen ze rustig. Flynn liet Pike twee bekeuringen uitschrijven.

Na de tweede bekeuring, voor een oudere vrouw die boos en gepikeerd was toen ze op de bon werd geslingerd omdat ze door het rode licht liep, wierp Flynn Pike een brede glimlach toe. 'En wat vind je tot nu toe van je werk?'

'Een beetje saai.'

'Je deed het prima met die dame. Je hebt haar niet neergeslagen of zo.'

'De volgende keer misschien.'

Flynn lachte en zei tegen de centrale dat ze oproepen aan hen konden gaan doorgeven. De volgende twee uur nam Pike de verklaring van een snikkend meisje op over een gestolen auto (de auto was van haar broer, die haar zou vermoorden omdat het haar schuld was dat hij was gestolen); ondervroeg hij de eigenares van een dierenwinkel die een klacht inzake openbare dronkenschap had ingediend (een dronkaard was haar winkel binnengekomen, had de honden en katten uit hun kooi gelaten en was weer vertrokken); nam hij een verklaring van de manager van een avondwinkel op over een winkeldiefstal (de dief was al lang weg); nam hij een verklaring van een man op die bij thuiskomst uit zijn werk tot de ontdekking was gekomen dat er bij hem was ingebroken (de inbreker was al lang weg); nam hij een verklaring op over een gestolen fiets (geen verdachten); nam hij een verklaring op over een gestolen motorfiets (ook geen verdachten); en controleerde hij een melding van een vrouw die meende dat haar oude buurvrouw dood in haar flat op de bovenverdieping lag (de oude buurvrouw zat in het vakantiehuisje van haar dochter bij Big Bear Lake).

Bij alle misdrijven waar ze naartoe werden gestuurd, was de verdachte of dader al lang weg, of nooit gezien, hoewel Pike keurig en volgens Flynns aanwijzingen de verklaring van de klager noteerde, het benodigde formulier invulde en alle gesprekken voerde.

Ze reden in oostelijke richting over Beverly Boulevard toen de centrale zei: 'Twee-adam-vierenveertig, echtelijke ruzie op Harell 2721, getuigen melden dat vrouw om hulp roept. Kunt u erheen?'

Pike wilde erheen, maar zei niets. Flynn moest beslissen. Flynn wierp een blik opzij en zag kennelijk dat Pike graag wilde. Hij pakte de microfoon.

'Twee-adam-vierenveertig, we gaan.'

'Oké, hou de lijn open.'

Echtelijke ruzies waren het ergst. Pike had het talloze malen op de academie gehoord en Flynn had het al een keer gezegd in de paar uur dat ze nu samen waren. Als je naar een echtelijke ruzie toe reed, reed je naar het kartelige oog van een emotionele orkaan. Op dat soort momenten werden politiemensen vaak als redders of wrekers gezien, en waren ze altijd de laatste toevlucht.

'Tijdens de avonddienst vieren echtelijke ruzies hoogtij. We krijgen er vanavond waarschijnlijk drie of vier, en op vrijdagen meer. Op vrijdag hebben ze er al de hele week naartoe gewerkt,' zei Flynn.

Pike zei niets. Hij wist alles over huiselijk geweld uit de eerste hand. Zijn vader had nooit tot vrijdag gewacht. Elke avond was geschikt.

'Als we er zijn, doe ik het woord,' zei Flynn. 'Jij kijkt hoe ik ze aanpak. Daar leer je van. Maar let goed op. Je weet nooit wat je te wachten staat als je op dit soort dingen af gaat. Je houdt misschien de man in de gaten en wordt door de vrouw in de rug geschoten. De vrouw is misschien een angstig kijkend hoopje ellende, maar zodra we haar man een beetje tot bedaren hebben gebracht, kan ze zomaar opeens in een monster veranderen. Dat heb ik een keer meegemaakt. We hadden die vent in de boeien geslagen en toen voelde zijn vrouw zich veilig. Ze houwde zijn voet eraf met een hakmes.'

'Oké,' zei Pike.

Pike maakte zich geen zorgen. Het oplossen van een echtelijke ruzie kon naar zijn idee niet veel verschillen van het zuiveren van huizen in een oorlogsgebied: je hield alles in de gaten, je zorgde dat je altijd een muur in de rug had en je ging ervan uit dat iedereen je wilde ombrengen. Dan kon je niet veel gebeuren.

Ze reden naar een klein flatgebouw ten zuiden van Temple in de buurt van het centrum van Rampart. Roerloze palmbomen rezen hoog in de lucht en vingen het flauwe schijnsel van het wegstervende licht op, waardoor het gebouw er fleuriger uitzag dan het was.

De centrale had hen de nodige informatie gegeven: de politie was gebeld door een zekere Mrs. Esther Villalobos, die klaagde dat de buurman en de buurvrouw de hele middag ruzie hadden gemaakt, hetgeen had geculmineerd in wat Mrs. Villalobos beschreef als een luid kabaal, waarop de buurvrouw, volgens zeggen van Mrs. Villalobos een jonge blanke vrouw die luisterde naar de naam Candace Stanik, enkele keren 'Hou op!' gilde en vervolgens om hulp riep. Mrs. Villalobos had verklaard dat een werkloze blanke man, die ze alleen kende als Dave, soms in de flat verbleef. De centrale meldde nog dat er niet eerder wagens naar dit adres waren gestuurd.

Pike en Flynn zouden later meer te weten komen, maar dit waren de enige feiten waarover ze beschikten toen ze ter plaatse arriveerden. Ze parkeerden dubbel en stapten uit de patrouillewagen. Pike nam automatisch de omgeving in zich op toen hij uit de auto stapte – voertuigen, de donkerder wordende schaduwen tussen de gebouwen, de omliggende daken – een brok ruimte en kleur die hij niet zozeer waarnam, maar gewaar werd. Veilig. Goed.

'Ben je zover?' zei Flynn.

'Ja, sir.'

'Dan gaan we maar eens kijken.'

Pike liep achter Flynn aan naar de flat van Candace Stanik.

Mrs. Villalobos woonde in de flat aan de achterkant op de begane grond. Candace woonde in de flat naast haar. Pike en Flynn zouden alleen bij Mrs. Villalobos aanbellen als ze niet in Staniks flat konden komen, of als er niemand thuis was.

Flynn bleef voor de deur van Stanik staan en gebaarde naar Pike dat hij stil moest zijn. De ramen waren verlicht. Pike hoorde geen stemmen, maar wel droge snikken. Flynn keek naar Pike, trok zijn wenkbrauwen op en vroeg met zijn ogen of Pike het hoorde. Pike knikte. Hij vond dat Flynn groen zag in het vreemde avondlicht.

Flynn wees naar de zijkant van de deur en fluisterde: 'Ga daar staan, uit de weg. Als ik naar binnen ga, kom je direct achter me aan, maar je let goed op mij. Misschien hebben ze het bijgelegd en hangen ze daar nu de tortelduifjes uit. Begrepen?'

Pike knikte.

'Je trekt je wapen niet tenzij je ziet dat ik het mijne trek. We willen de situatie niet laten escaleren. We willen de boel tot rust brengen. Begrepen?'

Pike knikte opnieuw.

Flynn klopte drie keer stevig op de deur en maakte zichzelf bekend. 'Politie.'

Hij klopte nogmaals. 'Doet u alstublieft open.'

Het huilen hield op en Pike hoorde iemand lopen. Toen sprak een jonge vrouw aan de andere kant van de deur. 'Het is al goed. Ik heb niets nodig.'

Flynn klopte nogmaals. 'Doe de deur open, miss. We kunnen niet weggaan zolang we u niet hebben gezien.'

Flynn hief zijn hand om te kloppen toen de deur opengìng. Candace Stanik keek door een smal kiertje. Zelfs door het spleetje kon Pike al zien dat haar neus was gebroken. Haar rechteroog was paars en de vlekkerige huid lag strak over een zwellende buil. Het oog zou over een paar minuten dichtzitten. Pike had heel wat van dat soort ogen gehad. De meeste als kind. De meeste door toedoen van zijn vader.

Flynn legde zijn hand op de deur. 'Ga eens opzij, lieverd. Dan kan ik de deur opendoen en even kijken.'

'Hij is weg. Hij is naar zijn vriendin.'

Flynns stem klonk vriendelijk maar gedecideerd. Pike had bewondering voor Flynn omdat hij zoveel gevoel in zijn stem kon leggen.

'Miss Stanik. Heet je zo, Candace Stanik?'

Haar stem was zacht, maar schril en gespannen. Pike luisterde niet naar haar; hij luisterde naar geluiden achter haar, naar eventuele andere bewoners. Uit het appartement kwam de scherpe, medicinale lucht van ether, waaruit hij opmaakte dat iemand had zitten freebasen.

'Ja. Hij is vertrokken...'

'Laat ons binnen, lieverd. We kunnen niet weggaan voor we binnen zijn geweest, dus laat ons erin.'

Flynn duwde zacht tegen de deur tot ze achteruit stapte. Pike liep achter hem aan naar binnen en deed toen snel een stap opzij zodat ze niet te dicht bij elkaar stonden. Samen vormden ze één groot doelwit; apart twee doelwitten, moeilijker te doden. Pike zorgde ervoor dat hij zijn rug naar de muur gedraaid hield.

Het was net of ze een oven binnenstapten. Pike begon te zweten. Ze stonden in een krappe woonkamer. Terwijl Flynn naar het meisje toe liep, zag Pike een diepe kast links en aan de andere kant van de woonkamer een piepklein keukentje met een eethoek. Aan het keukentje grensde een korte gang.

Het appartement zag er schoon en netjes uit, alleen lag de salontafel op zijn kant en zaten er bloedspetters op de vloer. Candace Stanik was in verwachting, zeven of acht maanden, dacht Pike, hoewel hij niet veel over vrouwen en zwangerschappen wist. Op haar T-shirt zaten bloedstrepen die over haar dikke buik liepen en op haar benen en blote voeten zaten ook spetters bloed. Pike zag een theedoek met ijsblokjes liggen die ze waarschijnlijk voor haar oog had gebruikt. Haar lippen waren op twee plaatsen gescheurd en haar neus was gebroken en ze hield haar buik vast alsof ze krampen had.

Flynn sprak zacht over zijn schouder tegen Pike. 'Ambulance en ondersteuning.'

Pike drukte op de knoppen van zijn mobilofoon om een verzoek voor een ambulance en ondersteuning naar de centrale te sturen. Pike zag dat

Flynn zijn hand uitstak om het meisje aan te raken en dat het meisje haar arm wegtrok.

'Ik wil dat jullie hem oppakken! Jullie moeten hem gaan oppakken. Hij is naar die hoer van hem toe...' zei ze met overslaande stem.

Het meisje werd steeds geagiteerder en Flynn deed zijn best haar te kalmeren. Hij dempte zijn stem en probeerde rust uit te stralen.

'We moeten eerst voor die baby zorgen, goed, lieverd? Je baby is het allerbelangrijkste.'

Flynn pakte haar weer bij haar arm. Dit keer liet ze hem begaan, maar haar gezicht vertrok.

'Straks gaat hij ervandoor...'

'Sst. Hij gaat er niet vandoor.'

Flynn was precies wat hij moest zijn: een sterke, troostende vaderfiguur. Zolang je hem vertrouwde, was je veilig. Hij zou voor je zorgen als je hem de kans gaf. Flynn sloeg zijn arm om haar schouders, een arm die haar zou beschermen en alle pijn zou laten verdwijnen, en murmelde: 'Je moet eerst gaan zitten, lieverd. We kunnen beter wat ijs op die neus doen. Ik zal voor je zorgen.'

Flynn gebaarde naar Pike. Ze waren nog geen minuut binnen. 'Ik red het hier wel. Kun jij de achterkant controleren?'

Pike knikte.

'Doe voorzichtig.'

Pike liep verder de flat in zonder zich veel zorgen te maken. Hij wierp een blik in de keuken en stapte de gang in. Door de openstaande deur van de badkamer zag hij een groezelige wastafel met aangekoekte zeepresten, een piepklein bad en een toilet. Pike draaide zich om naar de slaapkamer. De deur stond half open en het licht brandde. Pike herinnerde zich Flynns instructie over het trekken van zijn wapen, maar hij trok het toch voor hij de deur verder openduwde. In de slaapkamer lag een mijnenveld van boodschappentasjes, vuile kleren en dozen. De lakens op het tweepersoonsbed waren grauw en gekreukeld. Aan de andere kant van het bed stond een linnenkast waarvan een deur openhing. Er zaten twee ramen in de muur, maar ze zaten dicht, net als alle andere.

Pike spitste zijn oren, maar het meisje was weer bezig en zei tegen Flynn dat hij die klootzak moest gaan oppakken, dat hij met zijn hoer naar Vegas zou gaan.

Pike wilde terug naar de woonkamer, maar hield zijn ogen op de linnenkast gericht. Hij bewoog zich snel en stil zoals hij als kind in het bos had gedaan wanneer hij zich verstopte voor zijn vader. Stilte was essentieel. Snelheid was leven. Hij liet zich op een knie zakken, trok de verfomfaaide lakens omhoog en gluurde snel onder het bed. Niets. Hij keek weer naar de linnenkast.

Pike dacht niet dat er iemand in de linnenkast zat, maar hij moest het controleren. Het meisje ging steeds harder en geagiteerder praten en Pike wilde Flynn gaan helpen.

De deur van de linnenkast stond ongeveer vijftien centimeter open. In de slaapkamer brandde licht, maar in de kast was het pikdonker. Pike ging zo ver mogelijk opzij van de deur staan en trok hem toen open zodat het licht doordrong in de donkere ruimte. Niets.

Ze waren nog geen twee minuten in de flat.

Op hetzelfde moment dat Pike zag dat de linnenkast leeg was, kwam er een luide bonk uit de woonkamer, direct gevolgd door het gebons van snel lopende mannen en een stem die gromde: 'Maak hem af.'

Pike dook naar de andere kant van het bed en schoot de gang in naar de deuropening. De deur van de diepe kast was opengegooid. Candace Staniks vriend, die later zou worden geïdentificeerd als David Lee Elish, had één arm om Flynns nek geslagen en hield diens rechterarm vast om te voorkomen dat Flynn zijn wapen trok. Een andere man, die later zou worden geïdentificeerd als een zekere Kurt Fabrocini en die eerder die dag voorwaardelijk was vrijgelaten, stak Flynn herhaaldelijk in zijn borst met een Buck-jachtmes. Candace Stanik lag in elkaar gerold op de grond. Later zou blijken dat Elish en Fabrocini allebei genoeg alcohol en crack in hun bloed hadden om een olifant te verdoven.

Elish gromde telkens: 'Maak hem af.'

Zonder te aarzelen hief Pike zijn 9 mm en schoot Fabrocini in het hoofd. Pike zou Elish ook hebben neergeschoten, maar de hoek was slecht. Pike vloog al naar voren voor Fabrocini's lichaam de grond raakte.

Pike beukte hard tegen Flynn op, zodat de twee mannen op de grond vielen. Pike wist precies wat hij moest doen en hoe. Hij schoof snel langs Flynn en sloeg Elish hard in het gezicht met zijn pistool. Elish probeerde overeind te komen en had een wilde, waanzinnige blik in zijn ogen. Pike sloeg hem nog een keer en toen bleef Elish stil liggen. Pike draaide hem om, drukte hem met een knie tegen de grond en draaide zijn armen op zijn rug voor de handboeien.

Pas toen Elish was geboeid en het mes veiliggesteld was, richtte Pike zijn aandacht weer op Flynn, bang dat de man lag dood te bloeden.

'Agent Flynn...'

Flynn keek op. Hij had zijn vingers door de scheuren in zijn overhemd gestoken, zijn ogen waren groot en glinsterden en zijn gezicht was wit.

'Dat klotevest. Dat klotevest heeft het mes tegengehouden.'

Pike dacht dat Flynn lachte, maar toen zag hij de tranen.

Drie uur later kregen ze toestemming te vertrekken. Er was een team Schietincidenten gekomen, evenals de wachtcommandant van de avonddienst, twee commandanten van bureau Rampart en twee onderzoekers Geweldgebruik van het hoofdbureau. Pike en Flynn waren apart van elkaar verhoord, maar nu zaten ze weer in hun auto.

Flynn zat aan het stuur. Hij had de motor gestart, maar de auto nog niet uit de parkeerstand gehaald. Pike wist dat Flynn was geschrokken, maar hij meende dat Flynn zelf moest uitmaken of hij erover wilde praten of niet. Tenslotte was Pike nog maar een rekruut.

Na lange tijd keek Flynn hem aan. Hij bewoog zijn hoofd alsof het duizend kilo woog. 'Gaat het?'

'Ja, sir.'

Flynn viel weer stil, maar hij keek Pike zo nadenkend aan, dat Pike zich niet op zijn gemak voelde.

'Zeg... ik wil het even hebben over wat er daarbinnen is gebeurd. Je hebt mijn leven gered. Dankjewel.'

'U hoeft me niet te bedanken.'

'Dat weet ik, maar toch. Ik wil je toch laten weten dat ik je dankbaar ben voor wat je hebt gedaan. Je zag die twee kerels, je zag het mes, je hebt snel gehandeld. Ik zeg niet dat je iets fout hebt gedaan. Ik wil alleen dat je nadenkt over wat je hebt gedaan. Soms moeten we mensen doden, maar het is niet ons werk mensen te doden.'

'Ja, sir. Dat weet ik.'

'Het was mijn schuld dat het gebeurde. Ik had die kast niet gecontroleerd. Ik had die verdomde deur gezien.'

'We waren de flat aan het controleren toen het gebeurde. Niemands schuld.'

'Jij bent een rekruut. Je eerste werkdag en je hebt me verdomme het leven gered.'

Flynn zat nog steeds haar hem te kijken, maar zijn ogen hadden zich vernauwd alsof hij iets probeerde te onderscheiden dat onduidelijk en ver weg was, en Pike vroeg zich af wat het was.

Opeens legde Flynn een hand op Pikes arm. 'Je bent zo kalm als wat. En ik zit te trillen als een espenblad...'

Pike voelde het in Flynns hand, een licht gezoem alsof er bijen uit een bijenkorf probeerden te ontsnappen.

Bud trok zijn hand snel terug, alsof hij Pikes gedachten had gelezen, en zich geneerde. Schietincidenten waarbij agenten waren betrokken, waren zeldzaam, maar vuurgevechten hadden deel van Pikes leven uitgemaakt sinds hij uit zijn ouderlijk huis was vertrokken, en, de zeldzame keren dat hij eraan dacht, thuis bij zijn ouders was het erger geweest: zijn vaders woede; vuisten en riemen en werkschoenen met stalen neuzen die als regen neer beukten op een merkwaardig pijnloze manier; zijn moeder die gilde; Pike die gilde.

Gevechtshandelingen stelden geen fluit voor. Pike herinnerde zich een soort rationele acceptatie dat hij andere mensen moest doden zodat zij hem niet konden doden. Zoals toen hij eindelijk groot genoeg was om zijn vader bij de keel te grijpen. Zodra zijn vader bang voor hem was, hield zijn vader op hem en zijn moeder te slaan. Simpel. Het enige wat Pike nu belangrijk vond, was of hij de regels van de LAPD had nageleefd. Dat had hij. Hij had terecht geschoten. Bud leefde nog. Pike leefde nog. Simpel.

Pike raakte Buds hand aan. Hij wilde helpen. 'We hebben het gered...'

Bud haalde een hand over zijn gezicht, maar zijn ogen schoten nog altijd nerveus heen en weer en bleven telkens even op Pike rusten. 'Als ik naar jou kijk, is het net of er niets is gebeurd. Je hebt net iemand gedood en er is niets te zien in je ogen.'

Pike voelde zich niet op zijn gemak en trok zijn hand terug.

Flynn scheen zich opeens ook niet op zijn gemak te voelen en zich te schamen, alsof hij zich realiseerde dat hij onzin uit zat te kramen. Hij lachte geforceerd. 'Zullen we gaan? Er ligt een afgrijselijke hoeveelheid papierwerk op ons te wachten. Dat is nog het ergste als je iemand neerschiet, al die rotformulieren die je moet invullen.'

Pike pakte zijn zonnebril en zette hem op om zijn ogen te verbergen.

Flynn lachte nogmaals, harder en nog zenuwachtiger. 'Het is aardedonker. Ga je dat ding 's nachts dragen?'

'Ja,' zei Pike.

'Je doet maar. Zeg, dat jij me agent Flynn noemt en ik jou agent Pike? Dat station zijn we gepasseerd. Ik heet Bud.'

Pike knikte, maar Bud zat nog te trillen en door de geforceerde glimlach zag hij er bedroefd uit.

Pike wilde dat het allemaal niet was gebeurd. Hij wilde dat ze niet op de oproep hadden gereageerd en dat hun dag niet op deze manier was geëindigd. Hij voelde zich beroerd omdat hij dacht dat hij zijn opleidingsinstructeur had teleurgesteld. Hij zwoer dat hij meer zijn best zou doen. Hij wilde een goed en eerlijk mens zijn en hij wilde dienen en beschermen.

TWAALF

Pike reed met hoge snelheid naar de afdeling Forensisch Onderzoek van de LAPD in Glendale toen zijn mobiele telefoon ging. Hij keek even naar het nummer en zag dat het Ronnie was.

'Ja.'

'Ze hebben veertien minuten geleden ingebroken in je winkel. Die gasten zijn bereid op klaarlichte dag te werken. Ze willen je echt hebben, man.'

Larkin, naast hem, zei: 'Wie is dat?'

Pike stak een vinger op om haar duidelijk te maken dat ze even geduld moest hebben.

'Heeft het beveiligingsbedrijf gereageerd?'

'Code drie, zwaailicht en sirene, en ze hebben de politie erbij gehaald. Danny en ik zijn nu onderweg ernaartoe. Je wilde dat ze uitrukten en dat hebben ze gedaan.'

'Ga aangifte doen bij de politie. Als er schade is, laat je een schade-expert van de verzekering langskomen. Als er iets moet worden gerepareerd, haal er dan vandaag nog iemand bij.'

'Ik begrijp het. Je wilt een hoop tamtam.'

'Een hele hoop.'

Pike legde de telefoon neer en Larkin stompte hem op zijn arm.

'Ik heb er een hekel aan als je me negeert. Ik vroeg je iets en jij steekt alleen je vinger naar me op.'

Ze stak een vinger op naar Pike, maar het was niet haar wijsvinger.

'We gaan naar iemand in Glendale en daarna hebben we een afspraak met Elvis op de plaats waar jij die aanrijding hebt gehad,' zei Pike.

'Waarom kunnen we niet gewoon terug naar het huis?'

'Iemand wil je vermoorden.'

'Waarom kunnen we ons niet gewoon verstoppen?'

'Iemand zou je kunnen vinden.'

'Je hebt overal een antwoord op.'

'Ja.'

Ze stompte nogmaals op zijn arm, maar dit keer negeerde Pike haar. Hij wierp even een blik op haar toen ze zich nors onderuit in haar stoel liet zakken.

Pike was blij met de stilte. Ze klommen omhoog door de Sepulveda Pass en daalden daarna af naar de San Fernando Valley. Het was altijd veel heter in het dal en Pike voelde het warmer worden ondanks de airconditioning. Hij keek naar de thermometer voor de buitentemperatuur op het dashboard. Van Cheviot Hills naar Van Nuys was er tien graden bij gekomen.

Larkin was precies negen minuten stil. Toen zei ze: 'Wil je me zien masturberen?'

Pike keek haar niet aan en reageerde niet, hoewel hij zich afvroeg waarom ze zoiets zei. Ze had hem waarschijnlijk willen choqueren. Schokkende opmerkingen werkten waarschijnlijk bij sommige mensen, maar bij Pike niet. Schokkend was relatief.

'Ik zou het hier in de auto kunnen doen. Terwijl jij rijdt. Zou je dat leuk vinden?'

Ze liet haar handen omlaagglijden over haar buik naar waar haar benen elkaar ontmoetten. Toen ze sprak, was haar stem heel zacht. 'Ik zal het aan je vriend vragen. Ik durf te wedden dat hij wel wil kijken.'

Pike keek haar even aan en richtte toen zijn aandacht weer op de weg.

'Op de dag dat ik in Centraal-Afrika kwam, zag ik een vrouw. Haar hele gezin was die ochtend vermoord, net twee uur voor wij arriveerden. Ze sneed de vingers van haar linkerhand af, een voor een, voor haar echtgenoot en haar vier kinderen elk een vinger. Ze begon met haar duim.'

Pike wierp weer een blik in haar richting. 'Dat was haar manier van rouwen.'

Larkin vouwde haar handen in haar schoot. Ze keek hem strak aan en draaide toen haar hoofd naar het raam. De stilte was goed.

Ze reden door de hitte in het dal.

DERTIEN

DE GEHEIME MISSIE VAN JOHN CHEN

Wanhoop maakt vindingrijk en John Chen was een wanhopig mens. Diezelfde wanhoop was ook een goede voedingsbodem voor leugens, bedrog en meesterlijk toneelspel, waarvan John zich virtuoos en overtuigend had bediend want – laten we eerlijk zijn – hij was tenslotte de slimste onderzoeker van de afdeling Forensisch Onderzoek van de LAPD. In de afgelopen paar jaar had John meer doorbraken gehad (noodzakelijk voor promotie [lees: geld]), was hij vaker op tv geweest bij de lokale nieuwszender (onontbeerlijk om meiden te versieren [lees: met een lengte van een meter negentig, een gewicht van zestig kilo en een adamsappel ter grootte van een kropgezwel had hij alle hulp nodig die hij kon krijgen]) en had hij meer bonussen vergaard (onontbeerlijk om een Porsche te kunnen leasen [lees: nee, lieverd, dat is niet de versnellingspook, ik ben gewoon blij je te zien]) dan alle andere klootzakken in het lab. En wat was zijn beloning voor het feit dat hij de afdeling op de kaart had gezet en een beroemd forensisch onderzoeker was geworden?

Meer werk.

Meer zaken.

Minder tijd om te genieten van de vrucht van zijn arbeid.

Te weten: seks.

John Chen dacht alleen maar aan seks. Hij was de eerste om het toe te geven en deed dat ook, vaak, tegen iedereen die wilde luisteren, inclusief de jonge vrouwen uit zijn kennissenkring, wat waarschijnlijk verklaarde waarom hij geen meisje kon krijgen. Als het op seks aankwam, was hij een man met een obsessie, eropuit de achterstand in te lopen die hem zijn hele leven al kwelde, ervan overtuigd als hij was dat iedere vrijgezelle man in Californië vanaf zijn puberteit een schier oneindige hoeveelheid seks had gesmaakt. Behalve hij.

Maar nu ging hij zijn schade inhalen.

John Chen had een meisje aan de haak geslagen. Nou, ja, ze was niet écht zijn meisje. Dat wist hij wel; hij maakte zichzelf niets wijs. Ronda Milbank was een getrouwde secretaresse met twee kinderen uit Highland Park die van een borrel hield. Om de paar weken zei ze tegen haar echtgenoot dat ze met haar vriendinnen naar de film ging, maar in werkelijkheid liep ze een paar bars af in de hoop dat iemand haar op een drankje zou trakteren. John Chen had haar niet teleurgesteld. Hé, schoonheid, wat wil je drinken? Een Gimlet. Ze hield van zoet.

Nou ja, dat had hij niet echt gezegd; hij was te verlegen geweest. Maar hij zat naast haar en na een tijdje sprak Ronda hem aan. Een paar weken later zag hij haar weer in dezelfde bar. Dat was gisteravond. Hij trakteerde haar op een drankje, en nog een, en vroeg – nadat hij zelf een glas of vier achterover had geslagen – of hij misschien, je weet wel, een keertje met haar kon afspreken. En Ronda zei: Tuurlijk, morgen tussen elf en twaalf; dan is mijn man naar zijn werk en zijn mijn kinderen op school.

RAAK!!!

Maar toen kwam het probleem. Zoals Jack Webb zei: Dit is de grote stad, Los Angeles. Honderdtwintigduizend hectare; miljoenen inwoners; onnoemelijk veel criminelen, die allemaal bezig waren misdrijven te plegen; hónderden plaatsen delict, elke dag meer, elk úúr van de dag meer; een eindeloze tsunami van plaatsen delict en bewijsmateriaal dat allemaal moest worden verzameld, gedocumenteerd, vastgelegd, onderzocht en geanalyseerd door de onderbemande, noodlijdende, overbelaste, maar ongeëvenaarde afdeling Forensisch Onderzoek van de LAPD.

Dus John wist het antwoord al zonder het te vragen. Ja, wat wil je? 'Vanzelfsprekend, John. Je moet halverwege de ochtend een sekspauze hebben? Ga je gang.' Dat kon hij natuurlijk wel vergeten.

Ziehier hoe John Chen zijn vertrek organiseerde: die ochtend bemachtigde hij een klein stukje tandglazuur uit een monsterdoos, wachtte tot de koffiepauze op zijn hoogtepunt was en laboranten, wetenschappers en onderzoekers (die allemaal te zwaarbelast waren om het werk even te laten rusten) tussen spermamonsters en bloedvlekken in muffins en chips naar binnen zaten te schrokken. Om precies kwart over tien zorgde John ervoor dat hij langs zijn cheffin liep op het moment dat hij een hap van zijn gemarmerde frambozenmuffin nam en schreeuwde...

'AAAHHH!!!'

Hij deed een sprong opzij, greep zijn kaak beet, begon om zijn as te draaien en bleef dat doen tot hij zag dat iedereen in het lab naar hem keek.

Toen opende hij zijn hand om het glazuur te laten zien en riep: 'ALLEMACHTIG!!! Er is een stuk van mijn kies gebroken! Ik moet naar de tandarts!'

Harriet keek naar het stukje glazuur. 'Het is niet zo groot, zo te zien. Misschien is het maar een schilfertje.'

'Jezus, Harriet! Ik verga van de pijn! De zenuw ligt bloot!'

'Laat eens kijken.'

John legde een hand voor zijn mond en deed een paar stappen achteruit.

'Ik moet ijs hebben! Ik moet een aspirientje hebben! Ik moet naar de tandarts!'

Het was John opgevallen dat Harriet al fronsend op de klok had gekeken. Ze zou hem nog liever dood laten gaan dan verder achterop raken met het werk.

'Kom op, John. Er is bij mij ook wel eens een stuk van een kies gebroken. De pijn trekt wel weg. Over een paar minuten voel je er niets meer van.'

Zie je nou hoe ze was?

'Het is een afgebroken kies, Harriet, hij is kapot, aan barrels! Ik moet naar de tandarts.'

'Waarom bel je niet eerst? Misschien heeft hij nu niet eens tijd voor je.'

'Hij is mijn neef! Moet je luisteren, hoe sneller ik er ben, des te sneller ben ik weer terug. Ik bel hem onderweg wel. Als ik nu ga, ben ik waarschijnlijk om een uur of halftwee terug.'

Keurig op tijd weg voor de echtgenoot en de kinderen thuiskwamen.

Harriet keek nog een keer boos op de klok, maar gaf zich uiteindelijk gewonnen. 'Goed, maar ga maar niet met je eigen auto. Neem een busje. Misschien stuur ik je van de tandarts rechtstreeks naar een plaats delict.'

Dat kun je wel vergeten, dacht Chen.

Hij pakte een bekertje ijs om zijn verhaal kracht bij te zetten, greep zijn sleutels en een onderzoekskoffer en rende naar de uitgang. Hij bleef heel even bij de deur staan om te zien of niemand hem achternakwam en gooide toen het ijs weg. Onder geen beding zou hij in zo'n bakbeest van een bus naar Ronda's huis rijden. Hij had voor hij naar zijn werk ging de Boxster gewassen, zodat die seksmobiel uit het Zwarte Woud glom als een spiegel! Hij was van plan in stijl bij Ronda voor de deur te verschijnen.

Chen was net bij de eerste rij geparkeerde auto's gekomen toen hij zag dat Harriet in de deur naar hem stond te kijken. Wel verdomme...

De busjes stonden naast elkaar geparkeerd in diezelfde rij, dus veranderde John van koers en liep erheen. Hij bleef bij het voorste busje staan, greep naar zijn kaak alsof de pijn onverdraaglijk was en zwaaide naar Harriet. Ze zwaaide niet terug. Hij liep langs de rij busjes en hield haar vanuit zijn ooghoeken in de gaten. Dat kreng wist van geen wijken. Hij kwam bij het busje dat hij meestal gebruikte, ging erachter staan om zich te verstoppen en telde tot honderd. Toen hij om het hoekje gluurde, was Harriet eindelijk weg. John Chen stak triomfantelijk een vuist in de lucht. Al zijn harde werken, opofferingen en interviews op de lokale nieuwszender zouden eindelijk iets opleveren. Eindelijk zou hij bevrijd worden van de last van zijn sulligheid. John Chen – de beroemde forensisch onderzoeker – zou een beurt krijgen.

Chen wilde naar zijn auto hollen toen...

...iemand die er net nog niet was geweest, hem de weg versperde.

Chen schrok zo erg, dat hij het weer uitschreeuwde, dit keer gemeend...

'AAAHHH!!!'

...en wankelend achteruit stapte tot handen als bankschroeven hem vastgrepen en beet hielden.

'Rustig aan, John. Dadelijk doe je jezelf pijn,' zei Joe Pike kalm.

Chen vond het vreselijk als Pike dat deed, uit het niets opduiken alsof die enge psychopaat door een gat in de smog was gestapt. Alleen klootzakken deden dat soort dingen: mensen besluipen en de stuipen op het lijf jagen, en Chen was vanaf het moment dat ze elkaar hadden leren kennen, bang geweest voor Pike. Chen had Pike één keer gezien en toen wist hij al dat Pike zo'n gewelddadige Neanderthaler met twee Y-chromosomen was, zoals in de bierreclame, die het heerlijk vond andere mensen voor gek te zetten. Pike had hem weliswaar de tips gegeven die tot Chens eerste grote succes en de komst van de seksmobiel leidden, maar Pike maakte hem nog steeds nerveus.

'Ik schrik me dood van je. Waar kom jij nou ineens vandaan?' zei Chen.

Pike knikte naar een groene Lexus in de volgende rij.

Chen rechtte onmiddellijk zijn rug. Voorin zat een bloedmooie meid met piekerig zwart haar en de schunnigste lippen die Chen ooit had gezien. Ze zwaaide naar hem en Chen kwam bijna ter plekke klaar. Dat mokkel lustte er wel pap van. Dat zag je zo.

'Die meid is geil, man. Is ze goed?'

'Ik kom om een gunst vragen, John.'

Chen dacht aan Ronda en zijn één uur durende grote kans. Hij begon voorzichtig weg te lopen. 'Tuurlijk, ja, maar ik moet weg. Ik heb een afspraak...'

'Het moet nu.'

Chen bleef stokstijf staan in de overtuiging dat Pike hem dood zou slaan als hij nog één stap deed. Het enige wat hij kon uitbrengen was een gedwee piepje. 'Maar...'

'Belangrijke zaak, John. Misschien kom je weer in de krant,' zei Pike.

Het beeld van Ronda barstte uiteen als een zeepbel en opeens voelde Chen zich niet zo klein meer. De vorige keer was het ook goed gegaan met Pike en zijn partner Cole. Johns auto was er het bewijs van. Nog een zaak die de voorpagina's haalde en hij kon misschien ontslag nemen bij de gemeente. Een baantje bij een particulier laboratorium bemachtigen en het grote geld gaan verdienen. Misschien zelfs de Heilige Graal van iedere wetshandhaver in Los Angeles binnenhalen: een baan als technisch adviseur voor een tv-serie in de wacht slepen. Een stap in de richting van een Carrera.

Hij bekeek het meisje nogmaals. 'Ik weet zeker dat ik die meid al eens ergens heb gezien. Zit ze in de porno?'

Pike pakte Johns kin en draaide zijn gezicht van het meisje af, zodat ze elkaar recht in de ogen keken. Lul.

'Je weet van die twee mannen die in Malibu zijn neergeschoten?'

'Dat is een zaak van de sheriff. Hun lab onderzoekt dat allemaal.'

'De drie mannen die in Eagle Rock zijn gedood?'

Chen vroeg zich af waar Pike heen wilde. 'Ja, zeker. Die hebben wij gekregen, maar hij is niet van mij. Wat wil je?'

'De identiteit van de doden.'

Chen haalde opgelucht adem en dacht vrijwel onmiddellijk weer aan Ronda. Hij was bang geweest dat Pike iets lastigs wilde. 'Geen punt. Ik bel vanmiddag de lijkschouwer. Die weet het wel.'

'Nee, John, die weet het niet. Live Scan heeft niets opgeleverd. Ze zaten geen van vijven in het bestand.'

'Dan hebben de rechercheurs waarschijnlijk wel –'

'Er is geen informatie over de identiteit op de lijken aangetroffen.'

Chen zag zijn miraculeuze doorbraak in rook opgaan. 'Wat kan ik dan doen?'

'Hun wapens natrekken, John. De hulzen.'

Chen begreep wat Pike vroeg en hij was er niet blij mee. De politie en de technici die beide plaatsen delict hadden onderzocht, zouden alle wapens en hulzen die bij de lijken waren aangetroffen, hebben geborgen. Die wapens hadden serienummers en specifieke kenmerken die hen mogelijk bij de eigenaar konden brengen, maar het was vrijwel onmogelijk de wapens na te trekken. De afdeling Forensisch Onderzoek had maar twee vuurwapenspecialisten in dienst en het aantal wapens dat nog moest worden geanalyseerd, liep in de duizenden. Er was zo afgrijselijk veel werk, dat rechtszaken vaak al begonnen voor de resultaten bekend waren. Rechters vaardigden zelfs gerechtelijke bevelen uit waarin werd geëist dat bepaalde wapens op de lijst voorrang kregen.

De opgetogenheid die Chen voelde, ebde weg.

'Ik weet 't niet, hoor, man, ze hebben een vreselijke achterstand.'

'Het is je al eerder gelukt.'

'Ja, maar als je een wapen natrekt, wil dat niet zeggen dat je een naam vindt. Dit soort wapens is meestal gestolen, of op straat gekocht.'

'Nog iets...' Pike noemde een datum. 'Er is die nacht een auto-ongeluk gebeurd. De politie heeft de wagen de volgende dag weggesleept, een zilverkleurige Mercedes van een zekere George King. Ze hebben hem vierentwintig uur gehouden en in die tijd hebben ze hem onderzocht. Ik wil weten wat ze hebben gevonden.'

Chen dacht na, maar kon zich de nacht noch de auto herinneren en hij had ook, voor zover hij wist, niemand over de auto horen praten.

'Is er een misdrijf in die auto gepleegd?'

'Hij was betrokken bij een verkeersongeluk.'

'Hebben ze een paar van onze mensen een áánrijding laten onderzoeken?'

'Ik wil weten wat ze hebben gevonden. Bel Elvis als je wat weet. Ik ben ergens anders.'

Chen keek nog eens naar het meisje en meende precies te weten waar Pike zou zijn.

'Wat schiet ik ermee op?' zei Chen.

'De kogels uit de lijken in Malibu komen overeen met de kogels uit Eagle Rock. Zelfde schutter, John. De politie en de sheriffs hebben het verband nog niet gelegd. De pers ook niet.'

John Chen was met stomheid geslagen. 'Weet je het zeker?'

Pikes mondhoeken trilden.

Chens hart begon te bonzen. John had niet aan de dodelijke schietpartij in Eagle Rock gewerkt, maar hij was in het lab geweest toen het bewijsmateriaal binnenkwam. De medewerker die aan de zaak werkte, had niets gezegd over een verband tussen de twee schietpartijen. Omdat de kogels nu in twee verschillende laboratoria lagen, zou het maanden, zo niet jaren duren voor er een verband tussen de twee incidenten werd gelegd, tenzij de politie daarvoor nog andere bewijzen had. Er zou misschien nooit een verband worden gelegd... tot en tenzij een meesterlijke forensisch onderzoeker een miraculeuze doorbraak bewerkstelligde.

'En het wapen?' zei Chen. 'Is dat een van de wapens die we hebben?'

'Dat zou je ook eens kunnen uitzoeken. Het aantal wapens dat als bewijs staat geregistreerd vergelijken met de wapens die jullie hebben. Kijken of de aantallen kloppen.'

John Chens hart bonsde zo hard, dat zijn oren pijn deden. Pike liet doorschemeren dat er misschien sprake was van een samenzwering en dat er mogelijk van alles in de doofpot werd gestopt. Pech voor die sufferds van de lokale nieuwszender; als Chen het slim aanpakte, kwam hij misschien wel op de landelijke zenders. Misschien zelfs bij *60 Minutes*! Ronda was hij helemaal vergeten.

Pike slenterde weg naar de Lexus. 'Zoek het uit, John. Bel Elvis.'

Pike gleed de auto in alsof hij van warme boter was gemaakt en reed weg. Chen keek hen na. Hij lette vooral op het meisje, want hij was ervan overtuigd dat ze al met die mazzelaar zou zitten vozen voor ze bij de uitgang waren.

Chen keerde met een frons op zijn voorhoofd terug naar het lab. Na al zijn misbaar over zijn afgebroken kies zou Harriet zich afvragen waarom hij niet eens het parkeerterrein af was gereden. Maar toen besefte Chen dat ze hem al een smoes aan de hand had gedaan. Ze had zelf gezegd dat de pijn over zou gaan en hij zou haar vertellen dat dat zo was. Iedereen vond het prettig om gelijk te krijgen, en hij zou ook een goede beurt maken omdat hij zo onzelfzuchtig was en terugging naar het lab zodat ze niet verder achterop zouden raken!

John Chen was niet voor niets de slimste forensisch onderzoeker ter wereld.

John rende terug naar het lab en ging direct aan het werk.

Ronda zou er wel overheen komen.

VEERTIEN

Tijd verliezen was net bloed verliezen en Pike voelde de seconden wegsijpelen. Pike wist dat het meisje bang was naar haar wijk terug te gaan. Daar was haar nachtmerrie begonnen. Het ongeluk. De Kings. Alexander Meesh. Maar dat was precies de reden waarom ze terug moest. Dieren lieten sporen achter en dat gold ook voor mensen. Aangezien de Kings en Meesh op deze plaats waren geweest, hadden ze misschien sporen achtergelaten. De man, of mannen die zijn huis waren binnengedrongen, hadden ook sporen achtergelaten en Pike wist al waar hij die kon vinden.

De rit uit Glendale naar het zuiden was vervelend door de drukke middagspits en lelijk door de elektriciteitskabels en rangeerterreinen langs de rivier. Het was een smerig, grauw stuk van Los Angeles dat nooit schoon leek te zijn, zelfs niet na een regenbui, en toen ze na een tijdje de rivier weer overstaken naar de westoever, was het in de wijk waar Larkin woonde niet veel beter. Ze reden tussen pakhuizen door die met het oog op de aardbevingsnormen moesten worden opgeknapt of gesloopt, en andere gebouwen met opslagruimten en werkplaatsen waar immigranten voor een karig loontje en onder slechte omstandigheden kasten en siervoorwerpen van metaal maakten. Het was een echt industriegebied.

Cole stond te wachten in de straat waar het ongeluk was gebeurd, slechts drie blokken van de woning van het meisje. Zijn gele Corvette had hij aan de overkant geparkeerd, maar zelf stond hij in een nabijgelegen portiek, uit de zon. Toen Larkin hem zag, zei ze: 'Wat doet hij hier?'

'Werken. Hij is eerder gekomen om de situatie ten tijde van het ongeluk in kaart te brengen.'

'Volgens mij is het niet veilig. Stel nou dat ze me opwachten.'

'Dan zou Elvis gebaren dat we moesten doorrijden.'

'Hoe weet hij dat nou?'

Pike nam niet de moeite antwoord te geven. Hij begon de stilte al te missen.

De straat stond vol auto's, maar Pike vond een stukje voorbij het steegje een parkeerplek. Cole wachtte tot een vrachtwagen met oplegger was gepasseerd, stak de straat over en kwam naar hen toe. Hij droeg een olijfgroene, wijde korte broek, een gebloemd overhemd met korte mouwen en een verschoten Dodgers-pet. Pike meende dat hij zich dit keer wat makkelijker bewoog.

Cole grijnsde naar het meisje. 'Leuke buurt. Doet me aan Fallujah denken.'

'Leuke kleren. Doen me aan een jochie van twaalf denken.'

Cole richtte zijn grijns op Pike. 'Hè, heerlijk als ze zo praat.'

Ze stonden precies op de plek waar het meisje tegen de Mercedes aan was gereden. Een smal steegje kwam uit in de straat. Het was een smerige spleet tussen twee haveloze pakhuizen. Tientallen mannen met ontbloot bovenlijf en dikke vrouwen met strohoed liepen bij het steegje rond en haalden frisdrank en flessen water bij een straatverkoper in een bestelbusje dat langs de stoeprand stond. Pike speurde de daken en ramen af en richtte zich toen weer tot Cole. Hij wilde verder, maar hij wilde ook Coles bevindingen horen.

'Vertel,' zei Pike.

'Noppes. Ik ben twee blokken ver in beide richtingen bij elk bedrijf geweest. Alles sluit om zes uur en geen van die lui heeft een nachtwaker behalve een vervoersbedrijf daar.' Cole knikte naar het blok achter hen. 'Zie je dat hek met harmonicadraad? Die hebben een nachtwaker, maar hij heeft niets gezien. Zegt dat hij niet eens wist dat er een ongeluk was gebeurd tot Justitie langskwam.'

Pike fronste zijn wenkbrauwen bij die woorden en Cole knikte.

'Ja. Die lui van Justitie hebben zich uit de naad gewerkt voor deze zaak. Ik heb ook naar bewakingscamera's gevraagd in de hoop dat er misschien net een stuk van de straat werd gefilmd vanaf een van deze parkeerplaatsen, maar nee. Een paar camera's binnen, maar niemand laat een camera draaien waarop je de straat ziet.'

'Ben je gewoon bij ze naar binnen gelopen om dat allemaal te vragen?' vroeg het meisje.

'Tuurlijk. Dat is het werk van een detective.'

'In die kleren?'

'Wonderbaarlijk, hè?'

Pike zei: 'Heb je het rapport over het ongeluk?'

'Ja...'

Cole haalde opgevouwen vellen papier uit zijn korte broek en wees ermee naar de straat.

'Het ongeluk gebeurde hier ter hoogte van het steegje. Miss Barkley reed door de straat onze kant op' – Cole wees in de tegenovergestelde richting – 'op weg naar huis, drie blokken verderop.'

Cole keek Larkin kort aan. 'Leuk pand, trouwens. Mooi opgeknapt.' En vouwde toen de vellen papier open om hun een tekening te laten zien die in de nacht van het ongeluk door de politie was gemaakt. Een rechthoek gaf de plaats van Larkins auto aan en er stonden strepen met maten bij die de relevante remsporen voorstelden. Pike had tijdens zijn eerste jaar als politieman verschillende van dit soort tekeningen gemaakt. Bij één stel remsporen stond ASTON MARTIN. Bij een korter remspoor stond ONBEKEND.

Larkin deed een stap dichterbij om de tekening te bekijken. 'Wat is dat?'

'Ik heb een vriend van me gevraagd een kopie van het rapport over het ongeluk achterover te drukken. Ik wilde zien wat er was gebeurd.'

'Ik heb je verteld wat er is gebeurd.'

'Dat weet ik, maar ik wilde het rapport zien. Bij dit soort ongelukken noteren de agenten de namen van getuigen.'

'Hebben ze iemand?' zei Pike.

'Dat zou veel te makkelijk zijn. Er werd niemand ter plaatse aangetroffen, behalve Miss Barkley.'

Cole draaide zijn rug naar het steegje en ging verder met zijn verslag.

'Het steegje loopt door naar de volgende straat. Het gebouw hier aan de rechterkant staat leeg. Aan de deuren in de voorgevel, achtergevel en zijgevels zit een ketting met een hangslot en je kunt aan het vuil en de roest zien dat ze al jaren niet zijn geopend. In het andere gebouw hier zit een fabriek. Ze maken keramische prulletjes en souvenirs. Aangezien het ene gebouw leeg staat en het andere vol staat met replica's van de Hollywood Bowl, mogen we aannemen dat de Kings hier niet voor een seksfeest waren.'

'Ik heb je toch gezegd dat ze achteruit de steeg uit reden,' zei Larkin.

Cole trok zijn wenkbrauwen op. 'Ja, maar waarom hier en waarom op dat tijdstip? We weten waarom jíj hier was. Je was op weg naar huis. Waarom waren zíj hier?'

'Dat weet ik niet,' zei het meisje.

'Het was een retorische vraag.'

Pike bestudeerde de positie van de auto's op de tekening en stelde zich voor dat de Aston Martin van het meisje dwars op de weg stond. Ze was aan de bestuurderskant achter het achterwiel tegen de Mercedes aan geknald toen deze achteruit de straat in reed. Door de klap was de Mercedes een kwartslag tegen de klok in gedraaid en haar auto was tollend tot stilstand gekomen met zijn neus naar de Mercedes. Eén koplamp was kapot, maar de andere had op de Mercedes geschenen. De politietekening klopte precies met wat het meisje had verteld. Ze was uitgestapt om te helpen en was toen teruggelopen naar haar auto voor haar telefoon. De Kings reden weg. Meesh verliet de plaats van het ongeluk te voet.

'Welke kant ging Meesh op?' vroeg Pike.

Het meisje ging tussen hen in staan alsof er iets op haar wachtte en wees de straat in. 'Die kant op. Hij rende midden over straat. De Mercedes ging de andere kant op.'

Cole liep de weg op om eens goed te kijken. 'Heb je hem af zien slaan?'

'Ik heb er niet op gelet.'

'Zo laat in de nacht zijn al die auto's hier weg en de straat is vrij goed verlicht. Misschien is hij een gebouw in gedoken.'

'Ik zou het niet weten. Ik had de alarmcentrale aan de telefoon. De Mercedes was weg. Ik stond hun kenteken op mijn arm te schrijven en met de telefoniste te praten.'

Cole keek Pike aan en haalde zijn schouders op.

'Er zit hier niets, man. Ik heb acht blokken in beide richtingen gelopen, helemaal naar de bruggen. Twee blokken naar het oosten is de rivier, maar in die straten ben ik ook geweest, en drie blokken naar het westen. De mensen die ik heb gesproken, zeggen dat er in deze wijk op dat uur van de dag niets te beleven is. Er zijn geen benzinestations, ik kon zelfs geen openbare telefoon vinden. Er zijn alleen bedrijven en bouwplaatsen, afgezien van een stuk of vier panden die zijn verbouwd tot appartementen, zoals dat van Larkin. Daar zal ik eens langsgaan.'

Pike bromde instemmend en stond op het punt Cole verder te laten gaan met zijn onderzoek. Hij wilde in beweging blijven, maar iets wat Cole had gezegd, zat hem dwars.

Zo laat in de nacht zijn al die auto's hier weg en de straat is vrij goed verlicht.

Pike keek achterom naar de mensen bij het busje en daarna naar de auto's die aan beide kanten langs de stoeprand stonden geparkeerd. Hij vouwde het verslag van het ongeluk nogmaals open en bekeek de remsporen.

'Reed de Mercedes achteruit toen je hem raakte, of stond hij stil?'

Het meisje schudde haar hoofd. 'Dat weet ik niet.'

Cole keek haar fronsend aan, omdat hij er nu ook over nadacht. 'Je hebt tegen de politie gezegd dat ze achteruit reden.'

'Ik weet niet meer wat ik de politie heb verteld. Ik herinner me niet eens meer dat ik met ze heb gepraat. Maakt het wat uit?'

'Als ze geparkeerd stonden, wat waren ze dan aan het doen? Keken ze naar iets of iemand in het steegje? Waren ze net in de auto gestapt, of wilden ze juist uitstappen? Zie je hoe het ene tot het andere leidt?' zei Cole.

Pike wierp een blik achterom naar de straat en realiseerde zich wat hem dwarszat. Het had niets te maken met de eventuele reden waarom Meesh en de Kings hier waren.

'De straat was verlaten, dus je had vrij zicht. Jij reed tegen hen op, dus bevonden ze zich vóór je. Je had ze moeten zien, dunkt me,' zei hij.

Larkin rechtte haar rug en aan haar schouders was te zien dat Pikes opmerkingen haar nerveus maakten.

'Ik lieg niet.'

De remsporen bevestigden haar versie van het ongeluk, maar Pike vroeg zich af waarom ze de aanrijding niet had kunnen vermijden. Hij vermoedde dat ze dronken of high was geweest, dus bladerde hij naar die bladzijde in het verslag. Mis. De tests hadden uitgewezen dat ze niet onder invloed van drank of drugs was geweest.

'Dat zeg ik ook niet. Ik wil het alleen begrijpen.'

'Het lijkt er anders op dat je me beschuldigt. Ik kan er ook niets aan doen dat ik ze niet heb gezien. Misschien kwamen ze heel snel achteruit dat steegje uit. Misschien keek ik net naar de radio. Blijven we hier nog lang? Ik ben bang en ik vind het niet prettig.'

Pike keek naar Cole en Cole haalde zijn schouders op. 'Ik heb alles wat ik van hier nodig heb om verder te kunnen. Ik kan haar mee terug nemen.'

Larkin keek Cole met samengeknepen ogen aan. Ze was nog steeds gespannen en geïrriteerd. 'Heb ik iets gemist?'

Pike zei: 'Hij brengt je naar het huis. Hij blijft bij je tot ik terug ben.'

Pike ging op weg naar de Lexus, maar het meisje liep achter hem aan. 'En wanneer is dat besloten?'

Pike gaf geen antwoord. Hij zag er de noodzaak niet van in. 'Je kunt niet met mij mee. In het huis is het veiliger voor je.'

'Ik wil niet bij hem blijven. Hij verkracht me zodra je weg bent.'

'Mocht je willen,' zei Cole.

Ze negeerde hem en richtte zich alleen tot Pike. 'Nu moet je eens goed luisteren. Jij... jij wordt betaald om me te beschermen. Je werkt voor mij. Mijn vader zal het niet leuk vinden dat je me bij het B-team dumpt.'

Cole spreidde zijn armen. 'Het B-team?'

Pike stapte in de Lexus, maar Larkin zette haar voet tussen de deur, zodat hij hem niet dicht kon doen. Haar gezicht stond strak als een masker en Pike herinnerde zich opeens hoe ze er in de woestijn uit had gezien toen ze haar vader ervan langs gaf. Alleen scheen ze nu niet echt boos te zijn, maar voelde ze zich verraden.

Pike matigde zijn toon. 'Sorry, ik had het met je moeten bespreken. Ik dacht dat het geen punt zou zijn.'

Ze bleef zwijgend met haar voet tussen de deur staan.

'Je kunt niet met me mee, Larkin. Ik zie je vanavond weer.'

Pike trok aan de deur en duwde haar voorzichtig weg. De klok tikte door. De tijd liep met noppenzolen langs zijn rug en hier stond dat meisje de deur tegen te houden. Pike zei streng: 'Ga weg bij de auto.'

Ze verroerde zich niet.

Zijn stem werd nog strenger. 'Ga achteruit.'

'Zal ik haar neerslaan?' vroeg Cole.

Het meisje stapte achteruit en zei toen Pike het portier dichttrok: 'Klootzak.'

Pike reed weg zonder achterom te kijken en zette koers naar Culver City.

VIJFTIEN

Zodra Pike alleen was, voelde hij zich zoals je je wel eens voelt wanneer je op een windstille dag onder een strakblauwe lucht met de zon warm op je huid in een zwembad drijft. Hij was niet bang voor wat hij zou aantreffen en dacht er niet veel over na. De mannen die zijn alarm in werking hadden gezet, zouden op hem zitten te wachten, of niet, en je moest die dingen nemen zoals ze kwamen.

Vijfentwintig minuten later stopte Pike onder een plataan in een rustige straat zes blokken van zijn appartement. Twee meisjes en een jongen fietsten hard voorbij. Drie huizen verder gooiden twee jongens een honkbal over. Een witte hond sprong tussen hen heen en weer en blafte wanneer de bal over hem heen vloog.

Pike stapte uit de auto, trok het overhemd met lange mouwen uit en liep naar de kofferbak. Hij zocht tussen de spullen die Ronnie erin had gelegd. Hij dronk een half flesje Arrowhead-water en pakte daarna zijn SOG-vechtmes, een verrekijker van het merk Zeiss, de kleine .25 Beretta en een doos kogels met holle punt voor de .45. Meer had hij niet nodig.

Pike stapte weer in zijn auto en reed naar een Mobil-pompstation dat aan de andere kant van de muur bij zijn appartementencomplex lag. Hij parkeerde achter het pompstation naast de muur. Pike tankte hier vaak en kende het personeel, dus hadden ze er geen bezwaar tegen. Voor hij uit zijn auto stapte, bevestigde hij de .25 aan zijn rechterenkel en het SOG-mes aan zijn linker. Hij controleerde of de Kimber was geladen en stak hem achter zijn broekband.

Pike liep naar het kantoortje en zwaaide naar de man bij de kassa. 'Vind je het goed dat ik mijn auto hier even laat staan?'

'Tuurlijk, man. Zolang je maar wilt.'

Pike ging snel te werk. Hij betrad het appartementencomplex achter een gebouw met een plat dak dat uitkeek op een groot gemeenschappelijk zwembad. Een weelderig gordijn van bananenbomen, paradijsvogelbloemen en Indisch bloemriet onttrok een geluidswal aan het oog die het lawaai van de zwembadapparatuur tegenhield, en ging verder rond het zwembad en de wandelpaden. Pike glipte achter de beplanting en zocht zijn weg over het terrein.

Er waren nog mensen buiten, maar Pike bewoog zich licht en legde twee keer bijna tweehonderd meter af om een opening van negen meter breed te omzeilen. Pike vond het niet erg. Hij voelde zich vrij als hij onzichtbaar was.

Pike baande zich een weg van gebouw naar gebouw en om drie parkeerplaatsen heen en kwam ten slotte bij zijn eigen appartement. Hij liep niet naar zijn voordeur en deed geen poging naar binnen te gaan. Hij stelde zich op achter de rijstpapierplanten bij de hoek van het gebouw en ging de wacht houden. Het was een goede plek met vrij uitzicht op de parkeerplaats en de gebouwen tegenover zijn appartement. Als ze hem opwachtten, zouden ze in zijn appartement zitten, of een plekje hebben gezocht waar ze zijn deur konden zien. Hij kon zich niet voorstellen dat ze ergens anders zouden zijn.

Pike bestudeerde de auto's op de parkeerplaats en de gordijnen voor de ramen in de verte, en de muur van planten die precies hetzelfde was als de muur van planten waarin hij verstopt zat. Pike zat doodstil en was zich voor het eerst die dag niet bewust van het verstrijken van de tijd. Hij wás alleen maar, veilig in zijn groene wereld, en keek. Hij keek tot hij de schaduwen tussen de takken kende en wist hoe het zachter wordende licht door de bladeren viel en welke bewoners aan de overkant van de weg thuis waren en welke niet. Twee uur later was Pike er ten slotte van overtuigd dat er nergens iemand verstopt zat, maar nog verroerde hij zich niet. Als ze hem opwachtten, waren ze in zijn appartement.

Pike zag de wereld in goud veranderen, opgloeien tot diep koperrood, paars kleuren en steeds donkerder worden. Auto's reden af en aan. Deuren sloegen en mensen liepen hun hek in en uit, sommigen op teenslippers op weg naar het zwembad. Pike bleef kijken tot het volledig donker was en zijn wereld achter de beplanting zwart was geworden. Toen kwam hij eindelijk in beweging en hij stond op met de snelheid van smeltend ijs. Hij sloop langs de zijgevel van zijn huis, controleerde de ramen en ontdekte dat het tweede raam was geforceerd. Het openschuiven van het raam had Pikes alarm in werking gesteld.

Pike gluurde naar binnen, maar zag alleen schaduwen. Er bewoog niets en er kwamen geen geluiden uit het huis. Hij haalde heel traag de hor weg, schoof het raam langzaam omhoog en hees zichzelf naar binnen.

Het was donker in de kamer, maar de deuropening naar zijn woonkamer was helder verlicht. Pike had de lamp laten branden. Hij trok de Kimber en sloop stil naar de woonkamer. Er zat niemand op zijn bank, en ook niet in de Eames-stoel waar Pike altijd in las. Er murmelde alleen iets in het fonteintje in de hoek, een kom met zacht over stenen kabbelend water. Pike spitste zijn oren om buiten het kabbelen andere signalen op te vangen, maar de enige geluiden waren het water en het zachte geruis van de airconditioner.

Pike trof niemand aan. Ze waren zorgvuldig te werk te gegaan zodat Pike niets zou merken, maar er was een adresboekje verdwenen uit de keuken en de telefoon in zijn slaapkamer stond op een plaats waar Pike hem nooit neerzette. De kleren in zijn kast lagen niet op hun gebruikelijke plek.

Pike liep terug naar de woonkamer. Zijn televisie maakte deel uit van een thuisbioscoop en stond tegenover de fontein in een kast met een cd-speler, een DVR en andere elektronica. Hier bevond zich ook een beveiligingscamera die Pike zelf had geïnstalleerd en had aangesloten op een harde schijf. Pike zette zijn televisie aan en bekeek de opname. Er was elke acht seconden in zijn woonkamer één beeldje opgenomen, zodat de beelden een schokkerige diavoorstelling vormden. Een man met een pistool kwam binnen door de kamer waardoor Pike ook was binnengekomen. Hij droeg geen masker, geen handschoenen en ook geen zwartsel op zijn gezicht; enkel een donker T-shirt, een spijkerbroek en sportschoenen. Zijn haar was vrij lang en steil en donker. Het was een blanke, of een latino. Dat kon Pike niet uitmaken. De beelden lieten zijn pad sprongsgewijs zien: eerst kwam hij binnen, daarna was hij aan de andere kant van de kamer, vervolgens bij de trap. Je kon in acht seconden een grote afstand afleggen. Toen stond de man bij de voordeur en kwam er nog een binnen. Deze was kleiner dan de eerste en droeg een donker overhemd dat over zijn spijkerbroek hing. Zij haar was ook vrij lang en donker, maar zijn huid was donkerder en Pike kwam tot de conclusie dat deze man een latino was.

Op de volgende opname was de eerste man teruggekeerd naar de keuken en zat de tweede op zijn knieën bij de voordeur. Naast hem stond een klein zwart koffertje op de grond en hij leek met beide handen de deurknop vast te houden. De beelden gingen verder en Pike begreep dat hij sleutels maakte. De eerste kwam terug na het huis te hebben doorzocht toen de sleutelmaker de sleutels uitprobeerde.

Pike zette het beeld stil. Het was de beste opname tot dusver van de eerste man. Driekwart van zijn gezicht was in beeld. Pike haalde de foto's die Bud hem had gegeven tevoorschijn en vergeleek ze. De sleutelmaker zat er niet bij, maar de eerste man was een van de drie kerels die Larkins huis waren binnen gedrongen. Het was niet degene die de huishoudster had mishandeld, maar hij was er wel geweest.

Pike spoelde de beelden terug tot hij de beste opname van de sleutelmaker had gevonden en drukte op een knop. In de kast bij de tv begon een laserprinter te zoemen. Pike borg de nieuwe foto's op.

Op de resterende opnamen van de beveiligingscamera was te zien dat de twee mannen door de voordeur vertrokken.

Pike zette de televisie uit. Hij stond in zijn lege huis en luisterde naar de fontein. Het was het goede geluid van een beekje diep in het bos, natuurlijk en rustgevend.

Pike zette zijn mobiele telefoon aan en belde Ronnie.

'Hoi,' zei Ronnie.

'Dennis en jij moeten het huis in de gaten houden. Twee mannen, tussen de twintig en de dertig, donker haar, steil en vrij lang, tussen de één zeventig en één vijfenzeventig. De kleinste is waarschijnlijk een latino.'

'Zijn ze nu bij je thuis?'

'Nee, maar ze komen terug. Ze hebben sleutels gemaakt.'

'Ah. Moeten we ze een lesje leren?'

'Waarschuw me maar gewoon.'

Pike zette het alarm weer aan, schakelde de beveiligingscamera in en liep naar zijn koelkast. Hij maakte twee flesjes Corona open, goot het bier door de gootsteen en zette de lege flesjes op de aanrecht. De aanrecht was leeg geweest toen de mannen er waren, maar nu sprongen de twee flesjes in het oog als hoge scheepsmasten aan de horizon. Ze zouden zichzelf voorhouden dat hij nog wel een keer naar huis zou komen, nu hij één keer thuis was geweest, en misschien gaan wachten.

Pike wilde dat ze wachtten.

ZESTIEN

ELVIS COLE

Larkin Conner Barkley wilde niet met hem praten. Cole vroeg naar de huiseigenaren en huurders in de omgeving van haar loft, maar hij had net zo goed tegen een muur kunnen praten. Ze tuitte nadenkend haar lippen en keek de weg af alsof Pikes auto een glinsterende luchtspiegeling was geweest.

'Dat is toch niet te geloven, dat hij zomaar weggaat? Hij heeft me gewoon laten staan.'

'De brutaliteit. Wat een eikel,' zei Cole.

'Val dood, man.'

'Dat zal ik maar niet doen. Geeft zo'n troep...'

Larkin stak de straat over zonder op hem te wachten en liep rechtstreeks naar Coles auto. Sommige mensen hielden niet van een grapje.

Cole besloot haar even met rust te laten, dus reden ze terug in stilte. Hij kon het haar niet kwalijk nemen dat ze er genoeg van had vragen te beantwoorden en het voortdurend over dezelfde onderwerpen te hebben, en hij wilde niet onaardig tegen haar doen omdat ze liet merken dat het haar allemaal te veel werd. Hij wilde haar nog meer vragen, maar dat kon wel wachten.

Op de weg terug naar Echo Park ging hij langs bij een kleine supermarkt in Thai Town omdat hij ervan uitging dat de kans groter was dat ze in een kleine etnische winkel niet zou worden herkend. Hij verwachtte dat ze met hem in discussie zou gaan toen hij haar vroeg mee naar binnen te komen, maar dat deed ze niet. Ze scheen inmiddels te zijn bedaard. Ze inspecteerde zwijgend de vreemde etiketten en merkwaardige pakjes, terwijl hij twee tasjes vulde met etenswaren, melk, een tekenblok, een plastic liniaal en twee flessen pruimenwijn. Ze zei alleen iets toen ze de wijn zag.

'Ik drink niet.'

'Dan mag je toekijken. Wil je nog iets speciaals? Fruit? Een dessert?'

'Ik wil niets.'

Meer zei ze niet. Haar ogen werden weer mat en Cole kreeg het nog meer met haar te doen. In de auto zocht hij zijn iPod op in het dashboardkastje en gooide die op haar schoot.

'Weet je hoe hij werkt?'
'Die mag ik toch niet hebben van hem.'
'Deze wel.'
Larkin hield het apparaatje vast, maar maakte geen aanstalten het aan te zetten.

Toen ze weer in het huis waren, nam ze een bad. Ze zei niets tegen hem, ook niet dat ze een bad ging nemen; ze liep de badkamer in en even daarna hoorde hij de kraan lopen. Cole ruimde de boodschappen op en ging met het tekenblok en zijn notities aan tafel zitten. Hij had de achterkant van alle bladzijden van het rapport van het ongeluk volgeschreven met gedetailleerde aantekeningen over de gebouwen en bedrijven in de wijk van Larkin Barkley. Cole begon een kaart te tekenen, die hij blok voor blok opbouwde, één blok per vel. Hij verdeelde de zijden van elk blok in rechthoekjes die gebouwen met een adres moesten voorstellen. In elke rechthoek beschreef hij het gebouw en noteerde hij de namen van bedrijven die hij had gezien, evenals hun telefoonnummer en eventuele andere aantekeningen die hij had gemaakt.

Toen hij de laatste hand legde aan de eerste kaart, ging hij zich zorgen maken. De kraan liep niet meer. Hij liep al een hele tijd niet meer, maar Larkin was nog steeds in de badkamer.

Cole liep naar de deur en klopte. 'Alles goed?'

Ze gaf geen antwoord.

Cole wilde de deur openen, maar hij zat op slot. Hij klopte nog een keer. Harder. 'Larkin?'

'Ik lig te weken.'

Ze was tenminste niet bezig zelfmoord te plegen.

Cole liep terug naar de tafel en ging weer aan het werk. Het bad gorgelde toen het leegliep en de kraan ging weer lopen, maar hij liet haar rustig weken. Als ze eruit wilde zien als een gedroogde pruim, moest ze dat zelf weten. Na een tijdje kwam ze met een handdoek om zich heen geslagen de badkamer uit, ging haar slaapkamer in en sloot de deur. Cole maakte de kaart van haar straat af en begon daarna de omliggende straten op papier te zetten. Hij was ervan overtuigd dat Meesh en de Kings niet zomaar in de wijk waren geweest. Ze waren onderweg van of naar een zekere bestemming, en die bestemming was waarschijnlijk een van de gebouwen of bedrijven op zijn kaart. Cole was er ook van overtuigd dat de federale overheid hetzelfde dacht; twaalf van de zestien mensen die Cole had gesproken, waren ook ondervraagd door agenten van het ministerie van Justitie. Pitman, Blanchette en minstens twee andere agenten hadden hun vragen gesteld over het ongeluk, de Kings en Meesh.

Cole zocht er verder niets achter tot hij zijn aantekeningen doornam om een tijdlijn van de gebeurtenissen op te stellen. Toen ontdekte hij een tegenstrijdigheid.

Cole werkte bijna een uur gestaag door voor Larkin de slaapkamer uit kwam. Ze stapte met de iPod in haar hand de woonkamer in, gekleed in een spijkerbroek van vijfhonderd dollar en een strak, zwart T-shirt van de Ramones. Ze zag er fris en schoon uit zonder make-up en sieraden en ze liep op blote voeten. Ze ging languit op de bank liggen met haar benen over de leuning en sloot haar ogen, luisterde naar muziek op de iPod en bewoog haar rechtervoet mee op de maat.

'Zeg,' zei Cole.

Haar ogen gingen open en ze keek hem aan.

'Justitie wist niet dat Meesh Meesh was tot jij hem identificeerde?'

'Nee.'

'Dat zeiden ze tegen je?'

'Ja. Ze werden helemaal opgewonden toen we uiteindelijk wisten hoe hij heette.'

Cole keerde terug naar zijn tijdlijn, maar deed daarna niet echt veel meer. De twaalf mensen die door agenten van de federale overheid waren ondervraagd, waren allemaal de dag na het ongeluk verhoord. De volgende dag al. Alle twaalf verklaarden dat de agenten van Justitie foto's van twee mannen hadden laten zien en ze hadden alle twaalf dezelfde twee foto's beschreven. Het was net of Pitman voor hij het meisje ontmoette al wist of vermoedde dat Meesh de ontbrekende man was en had gelogen over wat hij wist.

Twintig minuten later zag Cole iets bewegen en hij keek op. Larkin kwam van de bank af, liep naar het raam en keek naar buiten. De avond viel en ze zouden zo de gordijnen dicht moeten doen.

'Als je honger begint te krijgen, ga ik koken. Ik wil dit alleen even afmaken,' zei Cole.

Ze hoorde hem niet. Ze keek de straat in en veranderde toen van plaats om de andere kant op te kijken.

Cole frommelde een vel papier in elkaar en gooide het tegen haar rug. Toen ze zich omdraaide, raakte Cole zijn oor aan om haar duidelijk te maken dat ze de koptelefoon moest afzetten.

'Zei je iets?' vroeg ze.

'Als je honger hebt, ga ik koken.'

'Moeten we niet op hem wachten?'

Hem.

'Hij is misschien pas laat terug.'

'Ik heb nog geen honger.'

Ze ging terug naar de bank en nam dezelfde houding weer aan, alleen bewoog haar voet nu niet. Cole ging verder met zijn werk.

'Is hij echt in Afrika geweest?'

Cole keek op. Ze lag nog altijd languit op de bank met haar benen over de leuning, maar ze keek nu naar hem. Het verbaasde Cole dat Pike haar over Afrika had verteld. Pike had het nooit over die tijd en had er zelfs in de periode dat hij die tochten maakte, zelden over gesproken. Het ging altijd heel anders. Pike zei zoiets van: ik ben een tijdje weg, waarop Cole zei: oké, en een paar dagen later was Pike dan verdwenen. Na enkele weken belde Pike, zei zoiets als: alles goed? Cole antwoordde: tuurlijk, het gaat prima hier, en dan zei Pike: ik ben er weer als je me nodig hebt.

Larkin interpreteerde Coles zwijgen verkeerd en lachte cynisch. 'Dat dacht ik wel. Ik wist dat hij zat te liegen.'

Cole legde de vellen papier op een stapel en leunde naar achteren. Hij had hard aan de kaart gewerkt en had nu meer vragen dan antwoorden.

'Wat heeft hij je verteld?'

'Dat hij had gezien dat een vrouw haar eigen vingers afsneed. Wie zegt er nu zoiets walgelijks? En dan zou ik daarvan onder de indruk moeten raken. Wat een walgelijke, afschuwelijke manier om me bang te maken.'

'Ben je al van gedachten veranderd over het eten? Ik ben hier wel klaar mee.'

'Nee.'

Ze sloeg haar armen over elkaar en staarde naar het plafond.

'Is hij getrouwd?'

'Nee.'

'Geweest?'

'Ben je verliefd aan het worden op Joe? Volgens mij is Larkin verliefd aan het worden op Joe.'

'Ik heb het hem gevraagd, maar hij gaf geen antwoord. Dat doet hij wel vaker. Ik zeg iets en ik weet dat hij me hoort, maar hij negeert me. Ik hou er niet van als iemand me negeert. Dat is onbeschoft.'

'Ja, dat is waar.'

'Waarom doet hij het dan?'

'Dat heb ik hem een keer gevraagd, maar hij negeerde me.'

Larkin vond het niet grappig. 'Dus hij is de man die niet wil praten en jij bent de man die overal een grapje van maakt.'

'Misschien geeft Joe je geen antwoord omdat hij vindt dat het antwoord je niet aangaat.'

'Maar hij zou toch zo beleefd kunnen zijn om een normaal gesprek te voeren? Nu zit ik opgescheept met een man die niet wil praten. Hij lacht nooit. Hij glimlacht nooit. Zijn gezicht staat altijd even strak.'

'Jee, als hij bij mij is, maakt hij altijd de grootste pret. Ik kan hem nooit stil krijgen.'

'Je bent niet grappig. Je bent zo iemand die denkt dat hij leuk is, maar het niet is. Ik verveel me en dan regelt hij dit huis voor ons zonder televisie.'

'Ja. Zonder televisie zitten is verschrikkelijk.'

'Was te verwachten dat je zoiets zou zeggen. Je bent zijn vriend.'

Cole lachte. 'Je bent waarschijnlijk gewend aan mensen die indruk op je willen maken; ze proberen grappig te zijn, of je aandacht te trekken, of bij je in een goed blaadje te komen. Dat moet je niet verwarren met interessant zijn. Want dat is het niet. Pike is een van de interessantste mensen die je ooit zult ontmoeten. Hij heeft alleen geen zin je te vermaken, dus doet hij dat niet.'

'Het blijft vervelend.'

'Ga lezen. Mooie rijke meiden kunnen toch wel lezen, hè?'

Haar mondhoeken krulden. 'Jij praat veel. Wil dat zeggen dat je me probeert te vermaken?'

'Dat wil zeggen dat ik mezelf probeer te vermaken. Jij bent nogal saai.'

Larkin stond op van de bank en liep weer naar het raam. 'Had hij al niet terug moeten zijn?'

'Het is nog vroeg.'

Ze keerde terug naar de bank, maar nu trok ze haar benen op en ging in kleermakerszit zitten. Cole zag aan haar dat ze het niet wilde laten rusten. Ze zat hem met gefronst voorhoofd aan te kijken alsof hij iets voor haar achterhield.

'Is het nou waar? Is hij in Afrika geweest?'

'Hij is heel vaak in Afrika geweest. Hij is over de hele wereld geweest.'

'Waarom doet hij zoiets?'

'Joe heeft haar vingers niet afgesneden.'

'Ik bedoel huursoldaat worden. Dat je opgeroepen wordt voor militaire dienst, dat snap ik, maar ik vind het ziek dat je je laat betalen om soldaatje te spelen.'

'Voor Joe was het geen spelletje. Het was zijn beroep.'

'Ik vind het walgelijk. Iemand die dat soort dingen leuk vindt, is gek.'

'Dat hangt volgens mij af van wat je doet en waarom je het doet.'

'Je zit hem alleen maar te verontschuldigen. Je bent waarschijnlijk net zo ziek als hij.'

Cole vond haar stelligheid zo roerend, dat hij moest lachen.

'Dat verhaal dat hij over die vrouw heeft verteld, heeft hij ook gezegd waarom hij daar was?'

'Natuurlijk niet.'

'Wil je dat nog horen?'

Ze keek hem aan alsof het een strikvraag was, maar toen ze eindelijk knikte, vertelde hij het haar. Hij vertelde haar dat ene verhaal. Hij had er meer kunnen vertellen.

'Een groepering die zichzelf het Verzetsleger van de Heer noemde, was actief in Centraal Afrika, met name in Oeganda. Ze ontvoerden meisjes. Ze overvielen afgelegen dorpen, schoten alles overhoop met machinegeweren, plunderden de huizen en namen de jonge meisjes mee. Niet een of twee, maar allemaal. Ze hebben honderden meisjes ontvoerd. Ze maakten slavinnen van ze, verkrachtten ze, noem maar op. Het is de Derde Wereld, Larkin. Het is daar niet zoals hier. Het is op het grootste deel van de planeet niet zoals hier. Snap je?'

Ze knikte wel, maar Cole zag dat ze het niet begreep, en niet kon begrijpen. Ze hadden geen politie; ze hadden krijgsheren. Ze hadden geen Republikeinen en Democraten; ze hadden stammen. In Rwanda richtte een stam zich tegen een andere en slachtte in minder dan drie maanden een miljoen mensen af. Hoe kon een Amerikaan zoiets nou begrijpen?

'De mensen in die dorpen zijn boeren en hebben misschien een paar stuks vee, maar soms maken die dorpen afspraken en leggen hun geld bij elkaar. Ze bedachten dat ze professionele mensen nodig hadden om een einde te maken aan de overvallen, dus ging Joe erheen. Joe en zijn mannen – volgens mij had hij die keer vijf man bij zich – kwamen 's middags aan. De ochtend van de dag dat ze arriveerden, had het Verzetsleger net weer een dorp kapotgeschoten en meisjes meegenomen. De echtgenoot van die vrouw en haar zonen waren die ochtend vermoord. Dat was het eerste wat Joe zag toen ze die dag het dorp in kwamen rijden, die arme vrouw die zichzelf verminkte.'

Larkin keek hem aan alsof ze meer verwachtte, maar toen Cole alleen maar terugkeek, bevochtigde ze haar lippen. 'Wat heeft hij toen gedaan?'

Cole wist het, maar hij hield het simpel. 'Joe deed zijn werk. Er kwam een einde aan de overvallen.'

Larkin keek even naar de ramen aan de voorkant, maar het was nu donker en door het licht in de kamer kon je niet naar buiten kijken.

'Ik heb honger. Wil je al eten?' zei Cole.

Cole wilde naar de keuken. Hij wilde een glas wijn drinken en koken, maar het meisje staarde naar de ramen en likte langs haar lippen.

'Heeft hij dat vaak gedaan?'

'Hij is over de hele wereld geweest.'

'Waarom?'

'Waarom hij zichzelf verhuurde?'

Ze knikte.

'Hij is een idealist.'

Eindelijk keek ze hem weer aan. 'Ik vind het nog steeds eng. Hij zou dat soort dingen niet doen als hij er niet van genoot.'

'Nee, waarschijnlijk niet. Maar hij geniet er waarschijnlijk niet zo van als jij bedoelt. Kom, dan gaan we koken.'

Ze draaide haar hoofd weer naar de ramen. 'Ik wacht.'

Cole ging naar de keuken, maar hij begon nog niet aan het eten. Hij dacht na over Pitman. Pitman had Larkin en haar vader een versie van de gebeurtenissen verteld die niet meer met de feiten overeenkwam en waarschijnlijk nooit met de feiten was overeengekomen. Cole had Pitman op een leugen betrapt en nu vroeg hij zich af of Pitman ook over andere dingen had gelogen.

ZEVENTIEN

JOHN CHEN

De afdeling Vuurwapenanalyse werd de wapenkamer genoemd. Als je er binnenging, zag je alleen maar wapens. Rondom stonden kasten tot aan het plafond met honderden wapens. Pistolen sproten uit de binnenwanden van de kasten als fruit aan een gevaarlijke boom; rijen pistolen die met hun loop op staafjes waren gespietst, het ene vuurwapen naast het andere, op die manier opgeborgen omdat de achterstand zo groot was dat de analisten geen ruimte hadden om ze op een andere manier op te bergen; elk wapen met aan de trekker een kaartje waar de makelij, het model en het nummer van de zaak op stonden; elk wapen in beslag genomen, gebruikt of vermoedelijk gebruikt bij een misdrijf. Het was een oogst van bitter fruit.

John Chen keek naar de gang bij de wapenkamer en vervloekte zijn eeuwige pech, terwijl hij zich ervan overtuigde dat er niemand aan kwam. Chen had er een hekel aan om zo laat op de dag nog rond te hangen, maar de vuurwapenanalisten waren zo druk bezet en hadden zo'n grote, alsmaar groeiende achterstand, dat dat kreng van een slavendrijver Harriet Munson hen voortdurend achter de broek zat en daarom steeds in de wapenkamer was, zodat Chen moest wachten tot Harriet naar huis was en Harriet ging later weg dan de rest van de dagploeg omdat zij het ook te druk had en achterliep met haar werk. En om het allemaal nog erger te maken – en het werd altijd erger voor John, want dat scheen zijn onontkoombare lot in het leven te zijn – zat Pike zich waarschijnlijk op ditzelfde moment pisnijdig te maken omdat hij niets van Chen had gehoord over de wapens. Chens maag kromp ineen toen hij het zich voorstelde. Pike was een monster, een koelbloedige moordenaar en zou waarschijnlijk Chens nek als een potlood in tweeën breken...

...wat ook de schuld van Harriet Munson zou zijn. Dat kreng.

Chen was er de dag ervoor zeker van geweest dat hij snel de hand zou kunnen leggen op wat Pike nodig had en algauw op weg zou zijn naar een snellere, mooiere seksmobiel, maar nee. Zodra Pike weg was, was Chen het lab weer in gestoven met zijn verhaal over zijn heroïsche terugkeer naar het werk. Hij was van plan geweest een van de vuurwapenanalisten net zolang aan het hoofd te zeuren tot hij voorrang zou geven aan de bewijsstukken uit Eagle Rock, maar John kreeg de kans niet. Vertelde hij over zijn moedige herstel van de gebroken kies, en wat deed dat kreng Harriet? Ze stuurde hem naar een plaats delict, terstond, direct en ogenblikkelijk; ga niet langs *Start* en zelfs niet even naar het toilet. Een huiselijke steekpartij met een dodelijk slachtoffer in Pacoima, nota bene. En alsof dat nog niet genoeg was, stuurde ze hem daarna door naar een lijk in Atwater, een van die daklozen die op een eiland in de rivier woonden, aangetroffen met zijn schedel ingeslagen als een honingmeloen, vrijwel zeker op zijn kop geramd door een andere dakloze vanwege een vrouw, dope of grondgebied. Was dát nu de manier om een man te belonen die ondanks een afgebroken kies terugging naar zijn werk? Tenslotte wist Harriet niet dat John de boel had beduveld! Hij was pas tegen zessen terug op het lab en toen had Harriet bij de wapenkamer rondgewaard als de Geest van Toekomstig Kerstmis. Pike vond het vast en zeker veel te lang duren en zou ongetwijfeld alleen maar steeds kwader worden... op John.

Chen had zich de hele tijd lopen opvreten van de zenuwen, tot Harriet naar huis ging en zijn kans de vuurwapenanalist in een hoek te drijven was gekomen. Nu moest hij haar er alleen nog van overtuigen dat ze hem het bewijsmateriaal uit Eagle Rock moest geven en dan was hij eindelijk van Pike af.

Chen had zich goed voorbereid.

De dienstdoende analist was een lange, magere vrouw met dicht bij elkaar staande ogen en gele tanden. Ze heette Christine LaMolla en Chen was ervan overtuigd dat ze lesbisch was.

John sloop de gang door, overtuigde zich ervan dat er niemand aankwam en drukte op de bel. Vanwege alle wapens was de wapenkamer altijd op slot. Hij hoorde de klik van het slot, duwde de deur open en stapte naar binnen.

LaMolla zat aan haar computer en keek achterom. Ze wierp een blik op de koffie, maar glimlachte niet. Lesbiennes lachten nooit.

Chen hield haar de beker voor. Hij was naar de dichtstbijzijnde Starbucks gerend en had de grootste mokka gekocht. Zelfs lesbiennes hielden van chocola.

Chen schonk haar zijn breedste glimlach. 'Voor jou.'

'Daar heb ik niet om gevraagd.'

Chen wilde haar gunstig stemmen door met nog meer overtuiging te glimlachen. 'Ik weet dat jullie altijd lang doorwerken. Ik dacht dat je het wel kon gebruiken.'

LaMolla keek nogmaals naar de beker alsof ze dacht dat er zoutzuur in zat. John had haar een keer mee uit gevraagd en ze had botweg nee gezegd. Lesbienne.

Nu keek ze Chen achterdochtig aan. Ze had de koffie nog niet aangeraakt. 'Wat wil je, John?'

'De schietpartijen die we in Eagle Rock hebben gehad, je weet wel. Ik moet de wapens zien.'

Nonchalant. Alsof het de gewoonste zaak van de wereld was.

Haar ogen vernauwden zich nog meer. 'Jij hebt niet aan die zaak gewerkt.'

'Nee, maar ik stuitte op iets in een van mijn oude Inglewood-zaken. Ik denk dat er een verband is.'

LaMolla keek hem nog doordringender aan en pakte de koffie. Ze rook eraan, maar dronk er niet van en liep naar de deur. Ze draaide de deur op slot, ging er met haar rug tegenaan staan en versperde de doorgang.

John kreeg opeens de hoopvolle gedachte dat ze misschien toch geen lesbienne was; dat het hem eindelijk eens zou meezitten en hij glimlachte met nog meer overtuiging...

...maar toen gooide ze de mokka in een prullenbak.

'Wat is er aan de hand?' zei ze.

Chen wist niet wat hij moest zeggen. Hij wist niet eens zeker wat ze bedoelde.

'Wat bedoel je?'

'Met Eagle Rock.'

Door haar dicht bij elkaar staande kraaloogjes leek ze net een roofvogel. Chen was beduusd en probeerde dat te verbergen door, tja, door beduusd te kijken.

'O, Eagle Rock. Ik moet de wapens zien, Chris. Niks bijzonders.'

Ze nam hem aandachtig op en Chen kreeg het warm. Als ze nog even zo doorging, zou zijn zenuwtrek in alle hevigheid losbarsten. Hij haalde zijn schouders op. Hij schudde zijn hoofd en deed zijn best onschuldig te kijken.

'Hé, ik wil alleen de wapens zien. Wat is er aan de hand?'

'Dat wil ik nu juist weten.'

'Wat bedoel je nou, dat je dat wilt weten? Jeetje, laat je me die wapens nog zien of niet?'

Ze schudde langzaam haar hoofd. 'Justitie heeft ze meegenomen.'

Chen knipperde met zijn ogen. 'Justitie?'

'Mm. De drie semiautomatische en de cilinderrevolver aangetroffen in Eagle Rock. Weet je wat nou zo raar is? Ze hebben de cilinderrevolver, een Colt Python .357, gisteravond meegenomen. Maar vanmiddag zijn ze terug geweest voor de semiautomatische.'

Chen zag zijn kansen op een Carrera in rook opgaan. Beelden van zijn gemiste afspraakje met Ronda flitsten als bliksemschichten door zijn achterhoofd. Maar hij zag vooral Joe Pike voor zich, die hem op zijn donder gaf. Pike was geen man die je teleurstelde. Pike zou wraak nemen.

'Maar dat was bewijsmateriaal van de LAPD. Justitie mag niet zomaar onze spullen meenemen. Het zijn ónze spullen!' barstte Chen uit.

'Dat mogen ze wel als Parker Center tegen ons zegt dat we ze aan ze moeten geven.'

'Heeft het hoofdbureau ze toestemming gegeven?'

LaMolla knikte langzaam en hield hem nog steeds met kleine oogjes in de gaten. 'Ik weet alleen dat ze Harriet hebben gebeld en meer wilde ze me niet vertellen. Ze zei dat de zesde verdieping had gezegd dat we ze alles moesten geven waar ze om vroegen' – de zesde verdieping van het hoofdbureau was het centrum van de macht, het rijk van de hulpcommissarissen – 'en dat hebben we dus gedaan. Ze hebben de wapens meegenomen.'

John raakte over zijn toeren. Hij dacht koortsachtig na over een mogelijke verklaring waarmee hij Joe Pike te vriend kon houden toen hij een wanhopig idee kreeg. 'En de hulzen? Hebben ze de hulzen meegenomen?'

Op de plaats van de schietpartij zouden ook hulzen zijn verzameld en die konden, net als de wapens, vergeleken en geanalyseerd worden.

Maar Christine schudde haar hoofd en haar blik boorde zich nu in hem alsof ze hem peilde. 'Ze hebben alles meegenomen. Ook de hulzen.'

Chen vroeg zich af waarom ze zo naar hem stond te kijken en toen voelde hij nog een laatste, zwak sprankje hoop. 'Zeg, Chris... je heb niet toevallig, je weet wel, een van de hulzen achtergehouden, hè?'

Ze slaakte een diepe zucht. 'Ik had er twee achtergehouden, maar toen namen ze de lijst met bewijsmateriaal door. Ze controleerden elk item dat we hadden geborgen, dus toen moest ik ze wel afgeven. Maar weet je wat nou zo raar was?'

Chen schudde zijn hoofd.

'Ze wilden geen ontvangstbewijs tekenen.'

Wanneer afdelingen of bureaus bewijsmateriaal aan elkaar overdroegen, moest er een overdrachts- en ontvangstbewijs worden ondertekend. Dat was de standaardprocedure die ervoor zorgde dat de bewijsketen intact bleef. Zo werd voorkomen dat er met bewijsmateriaal werd geknoeid. Zo werd voorkomen dat bewijsmateriaal zoekraakte. Of gestolen werd.

'Maar dat zijn ze verplicht,' zei Chen.

LaMolla keek hem alleen maar aan. 'Maar ze hebben het niet gedaan. En nu kom jij om dezelfde wapens vragen. En om de hulzen. Wat is er aan de hand?'

'Dat weet ik niet.'

LaMolla, die hem duidelijk niet geloofde, zei: 'Mm.'

Pike had op een soort samenzwering gezinspeeld, maar Chen was ervan uitgegaan dat hij een paar corrupte politiemensen bedoelde. Nu ging het erop lijken dat Justitie en het hoofdbureau erbij betrokken waren, en niemand scheen te weten waarom, of waar ze mee bezig waren, ook al deden ze dingen die geen enkele wettige politiemacht ooit zou doen. De bewijsketen was heilig en nu was het bewijs verdwenen.

John Chen werd bang, zo bang, dat zijn eerdere overspannen, overdreven melodramatische angst daarbij vergeleken in het niets viel.

Geen enkele Carrera was dit waard. Geen enkele baan bij de tv als technisch adviseur en zelfs de bloedgeile meiden die daardoor zouden worden aangetrokken niet.

John Chen had opeens het gevoel dat hij in de val zat; gevangen in een claustrofobische nachtmerrie tussen een moordzuchtige maniak (Pike), de federale overheid (met legio bekende huurmoordenaars) en de duistere machten in Parker Center (die nog steeds de waarheid over de Black Dahlia-moordenaar achterhielden) die geen van allen te vertrouwen waren en stuk voor stuk zonder aarzelen een einde aan zijn leven en carrière zouden maken. De tic onder zijn linkeroog sputterde als een fel oplaaiend vuur toen hij zijn toekomst voor zich zag: LaMolla die aan Harriet vertelde dat hij naar de wapens had gevraagd; Harriet die het doorbriefde aan Parker Center; Chen opeens het middelpunt van een onderzoek. Op zijn minst.

Chen wilde iets zeggen, maar zijn mond was te droog. Hij verzamelde een beetje speeksel. 'Je gaat toch... zeg, Chris, je gaat toch niet vertellen... ik bedoel maar, Harriet hoeft niet te weten...'

LaMolla, die hem nog steeds aankeek met haar kalme, roofvogelachtige ogen, spreidde langzaam haar armen uit als Mozes die de wateren scheidt. 'Dit is de wapenkamer. Dit is mijn kamer. Deze wapens zijn van mij. De bewijzen hier? Dat zijn mijn bewijzen. Ik vind het vervelend als iemand ze meeneemt. Ik vind het vervelend als jíj er iets over weet wat ik niet weet.'

Ze liet haar armen zakken en stapte bij de deur vandaan. 'Maak dat je wegkomt, John. En kom niet terug voor je me iets te vertellen hebt.'

Chen stapte snel langs haar heen en vluchtte de gang door. Hij rende rechtstreeks naar zijn auto, sprong erin en vergrendelde de portieren. Hij startte de auto, maar bleef met zijn handen in elkaar geklemd op zijn schoot bevend en doodsbang zitten. Overal loerde gevaar, net als toen hij de lange sullige knul was die door de andere kinderen gepest werd. De totale vernietiging kon overal vandaan komen. Net als toen hij nog op school zat, gewoon liep te wandelen; op weg was naar zijn locker misschien of het parkeerterrein overstak, en iemand een kluit modder tegen zijn hoofd gooide. Hem zomaar, opeens, *beng*, recht op zijn kop raakte zonder dat hij het zag aankomen. Maar het gebeurde altijd. Altijd.

Chen viste zijn mobiele telefoon uit zijn zak. Met trillende handen was het lastig door de nummers te bladeren, maar Pike had tegen hem gezegd dat hij Elvis Cole moest bellen als hij iets wist. Pike zou het Chen vrijwel zeker kwalijk nemen dat de wapens weg waren. Misschien zou hij zelfs denken dat Chen het allemaal verzon en een moordzuchtige woedeaanval krijgen, maar Cole was Pikes vriend. Chen koesterde de vage hoop dat Cole Pike ervan kon overtuigen dat hij hem niet moest vermoorden. Het was Chens enige kans. Zijn laatste en enige hoop. Iedereen wist dat Joe Pike een monster was.

ACHTTIEN

Er lag een paarsblauwe gloed uit Dodger Stadium op de bergruggen toen Pike in de stilte van de late avond rustig naar het huis in Echo Park reed. Het was warmer dan de avond ervoor, maar dezelfde vijf mannen stonden toch weer bij elkaar bij de auto onder de straatlantaarn en bewoners zaten op hun veranda en luisterden naar Vin Scully die verslag deed van een sportwedstrijd waar veel van hen een paar jaar geleden nog niets vanaf wisten. Coles Sting Ray stond er niet, maar Cole had hem waarschijnlijk in een zijstraat neergezet. Het huis was een vaag silhouet tegen de donkere avondlucht, slechts verlicht door de straatlantaarn en de okerkleurige rechthoeken van de ramen.

Pike parkeerde op het garagepad en liep door de tuin naar de veranda. De vijf mannen keken even zijn kant op, maar niet dreigend.

De overdekte veranda, die niet door de straatlantaarn werd verlicht, was een donker hol. Cole opende de deur zodra Pike het trapje op kwam en stapte naar buiten. Op het moment dat de deur openging, rook Pike mint en kerrie en hij vroeg zich af waarom Cole naar buiten was gekomen.

Cole sprak zacht om te voorkomen dat de mannen zijn stem zouden horen. 'Hoe ging het?'

Pike beschreef de twee mannen die zijn huis hadden doorzocht en haalde hun foto's voor de dag. Cole zette de deur heel even op een kier om licht op de foto's te laten schijnen en trok hem weer dicht. Toen de deur openging, ving Pike een glimp van het meisje op. Ze stond in de keuken achter in het huis met een iPod op. Pike had haar in de woestijn gedwongen afstand te doen van haar iPod.

'Hoe komt ze aan die iPod?' zei Pike.

'Die is van mij. Ik heb Thais gemaakt, als je iets wilt eten. Wij hebben al gegeten.'

Pike stopte de foto's weg. Hij had wel trek in Thais. Maar toen liep Cole verder bij de deur vandaan en liet zijn stem nog meer dalen.

'Ik ben vanavond gebeld door John Chen. Heb je hem gesproken?'

'Vanochtend.'

Cole wierp een blik op de deur, alsof hij vreesde dat het meisje er met haar oor tegenaan stond. 'Justitie heeft alles uit Eagle Rock in beslag genomen. De wapens, de hulzen, alles.'

'Pitman?'

'Chen wist alleen dat het Justitie was.'

'Heeft John de wapens nagetrokken voor ze werden meegenomen?'

'Ze waren er te snel bij. Weet je wat nou zo raar is? Ze hebben alles meegenomen zonder papieren. Hij zei dat het hoofdbureau had gebeld en opdracht had gegeven alles mee te geven, zomaar.'

Pike trok zijn wenkbrauwen op.

'Zomaar.'

'Die rechercheurs van Speciale Moordzaken laten zoiets heus niet gebeuren alleen omdat Pitman van Justitie is, niet met vijf ongeïdentificeerde lijken op tafel. Iemand moet hun een pistool tegen het hoofd hebben gezet, en dat bedoel ik letterlijk.'

Pike was het met hem eens. Pitman had het bewijsmateriaal met veel machtsvertoon opgeëist, hoewel het misschien niets zou opleveren. Het was verstandiger geweest de LAPD de wapens te laten natrekken. Als dat niets had opgeleverd, waren de wapens niet belangrijk. Als de LAPD iets had gevonden, had Pitman het kunnen gebruiken. Door de wapens in beslag te nemen had Pitman alleen maar de aandacht van de LAPD gevestigd op een onderzoek dat hij geheim wilde houden.

'Hij is bang,' zei Pike.

'Ja. De enige reden om die wapens mee te nemen, is dat hij de LAPD uit de buurt wil houden. Of hij houdt meer achter dan die zaak tegen de Kings waar hij mee bezig is.'

'Wat dan?'

'Dat weet ik niet. Maar ik weet wel dat hij een leugenaar is.'

Pike probeerde Coles gezicht te doorgronden. Zelfs in het donker met de diepe schaduwen kon hij zien dat Cole zich zorgen maakte.

'Grappig dat Pitman mijn wapen heeft teruggegeven.'

'Hij wilde je omkopen. Bovendien kan jouw wapen hem geen schade berokkenen. Jouw wapen kan alleen jou schade berokkenen. Hij heeft je wapen waarschijnlijk laten afvuren zodat hij kan aantonen dat de kogels in die lijken uit jouw wapen afkomstig zijn, voor het geval dat hij druk moet uitoefenen.'

'Druk moet uitoefenen? Waarvoor?'

Cole wierp opnieuw een blik op de deur en deed nog een stap dichterbij. 'Hij is niet eerlijk geweest tegen het meisje en haar familie. Weet je nog wat ze haar hadden verteld? Dat ze niet wisten dat Meesh de ontbrekende man was totdat zij hem identificeerde?'

Pike knikte. Zo had zowel Bud als het meisje het verteld.

'De dag dat ze haar voor het eerst ontmoetten, die ochtend, voor ze haar spraken, hadden ze in haar straat al een buurtonderzoek gedaan en daarbij vroegen ze niet alleen naar de Kings. Ze stelden ook vragen over Meesh. Ze gebruikten zijn naam niet, maar ze wisten of vermoedden al dat Meesh in de auto zat,' zei Cole.

Pike keek even naar de mannen onder de straatlantaarn. Hij luisterde naar hun ernstige stemmen en begreep dat Cole naar buiten was gekomen zodat ze hierover konden praten zonder dat het meisje het hoorde.

'Hoe weet je dat?'

'Ik heb het vandaag van een stuk of vijf mensen gehoord. Agenten van het ministerie van Justitie, zeiden ze. Een zwarte en een blanke, met foto's van twee mannen. Ik heb ze de foto's laten beschrijven en ik ben er vrij zeker van dat de ene King was en de andere Meesh.'

'Dat hebben Pitman en Blanchette gedaan vóór ze haar spraken?'

'Ja, daarvoor al. Ik was niet zeker van de tijdlijn, tot ik vanavond mijn aantekeningen doornam. Nu weet ik het zeker. Ze wisten dat Meesh bij King was en ze wisten wie hij was vóór zij hem identificeerde.'

Pike vroeg zich af waarom Pitman en Blanchette het meisje hadden misleid. Ze was duidelijk belangrijk voor hen, maar als Pitman en Blanchette al wisten dat Meesh bij King in de auto zat, was zij misschien niet hun enige getuige geweest. Misschien was hun andere getuige gedood. Het beviel Pike niets, maar het was allemaal niet van invloed op zijn missie. Meesh opsporen. De dreiging wegnemen. Het meisje beschermen. Hij kon zich altijd nog druk maken over Pitman en Blanchette.

Pike knikte met zijn hoofd naar de deur. 'Weet zij het?'

'Ik denk dat ze al bang genoeg is zonder ook nog eens bang te zijn voor de politie. Ik wil eerst weten waarom Pitman heeft gelogen.'

'Goed. We gaan morgen terug naar haar wijk. Ik had eigenlijk gehoopt dat we Meesh op het spoor zouden komen, maar misschien moeten we eerst achter Pitman aan.'

'Ze zal het niet leuk vinden. Ze was niet blij toen je wegging.'

Pike keerde zich om naar het huis en vroeg zich af of het meisje nog in de keuken was. Hij vroeg zich af naar welke muziek ze luisterde op Coles iPod.

'Je hebt haar over Afrika verteld,' zei Cole.

Pike keek achterom naar Cole en nu stond Cole te glimlachen.

'Als je iemand iets over Afrika vertelt, zeg dan iets over zebra's en leeuwen. Ga niet zitten praten over vrouwen die hun vingers afsnijden.'

Pike wilde niet over het aanbod van het meisje om te masturberen beginnen. Niet omdat het hem in verlegenheid zou brengen, maar omdat hij het vervelend vond voor het meisje.

'Dat eten ruikt lekker. Kerrieschotel?' zei Pike.

Coles glimlach werd nog breder en ze gingen het huis in. Het meisje lag languit op de bank met de koptelefoon in haar oren. Ze had haar ogen dicht, maar ze keek op toen ze binnenkwamen.

'Hoe gaat het?' zei Pike.

Ze ging niet rechtop zitten en ze sprak niet tegen hem. Ze stak een hand op bij wijze van begroeting, deed haar ogen weer dicht en richtte haar aandacht op de muziek. Haar voet bewoog mee op de maat. Pike concludeerde dat ze nog boos was.

Cole vertrok een paar minuten later en Pike ging naar de keuken. Cole had een kerrieschotel van groenten en rijst gemaakt. Pike at hem staande uit de pan zonder hem op te warmen. Toen hij klaar was, schonk hij een plastic bekertje vol pruimenwijn en dronk het leeg. Daarna dronk hij een flesje water. Hij stond het water te drinken toen het meisje bij de deur kwam staan.

'Ik ga naar bed,' zei ze.

Pike knikte. Hij wilde iets zeggen, maar hij vroeg zich nog altijd af waarom Pitman het meisje in deze positie had gebracht. Meesh was een moordenaar, maar zijn vervolging was een zaak voor het hof van de staat Colorado. Voor Pitman was Meesh enkel een manier om de Kings te pakken. Hij zat achter de Kings aan, maar hij zocht hen vanwege het witwassen van geld. Papier. Hij had het leven van het meisje in gevaar gebracht voor papier en hij had mensen bij de LAPD op de een of andere manier zover gekregen, dat ze meewerkten. Pitman had veel invloed voor een federale agent uit het middenkader die bezig was met een financiële zaak. Pike vroeg zich af of Bud dat wist.

Het meisje draaide zich om zonder nog iets te zeggen, ging haar slaapkamer in en sloot de deur.

Pike dronk het water op en liep naar de badkamer. Hij schoor zich, poetste zijn tanden en floste daarna zeer zorgvuldig. Na het flossen stapte hij onder de douche. Hij nam de kleren die hij die dag had gedragen mee onder de douche en waste ze met handzeep onder het stromende water. Hij wrong ze zo goed mogelijk uit, hing ze op en trok schone kleren aan. Hij spoelde zijn zonnebril af, zette hem op en bekeek zichzelf in de spiegel. Zijn haar werd lang. Bijna tweeënhalve centimeter bovenop en aan de zijkant raakte het zijn oren. Pike droeg het liever kort. Hij zou het binnenkort moeten knippen.

Het was stil in het huis en de stilte leek de leegte te benadrukken. Pike controleerde de ramen en deuren, deed de lampen uit en ging in de stoel zitten. Na een tijdje verhuisde hij naar de bank.

Pike legde zijn pistool op de grond onder handbereik, strekte zich uit en sloot zijn ogen. De bank was nog warm van haar en de indruk die haar lichaam had achtergelaten, was zacht.

LARKIN BARKLEY

Jethro Tull maakte haar wakker. Ze ontwaakte uit haar droom toen de leeuw in het droge gras verdween. Ze trok de koptelefoon uit haar oren en bedacht dat het geen wonder was dat iedereen in de jaren zestig voortdurend stoned was met al die bands die over ziekte zongen. Maar toen ving ze, nog half slapend, opnieuw een glimp van de leeuw op. Hij duwde met zijn kop vol littekens en zijn bebloede snuit het droge gras opzij en de dikke spieren in zijn schouders bolden op in de laatste mistige momenten van haar droom voor hij in het niets oploste.

Larkin lag in het donker, werd langzaam wakker en helemaal wakker toen ze zich realiseerde dat ze naar de wc moest.

Het was donker in het huis en ze nam aan dat hij sliep of gewoon ergens stond op die enge manier van hem, dus ging ze rechtstreeks naar de badkamer. Ze sloot de deur voor ze het licht aandeed. Zijn kleren hingen aan de stang van het douchegordijn, maar daar dacht ze verder niet over na. Ze plaste, dronk water uit het kommetje van haar handen. Toen ze klaar was, deed ze het licht uit, trok de deur open en op dat moment hoorde ze hem.

Uit de woonkamer kwamen rare geluiden: een zacht, uitzinnig gegrom en een schokkerig schuren van stof over stof. Ze aarzelde en bleef staan luisteren terwijl haar ogen aan het donker wenden en sloop toen naar de woonkamer.

Hij lag te slapen op de bank. Zijn lichaam was gespannen en zijn armen lagen stijf langs zijn zij, terwijl hij schokte en trilde. Zelfs in het zwakke licht zag ze het zweet op zijn gezicht terwijl zijn hoofd wild heen en weer sloeg en het gegrom langs zijn tanden siste.

Hij droomde, dacht ze. O, hemel. Hij had een nachtmerrie.

Ze vroeg zich af of ze hem wakker moest maken. Ze wist niet meer of je iemand die een nachtmerrie had, moest wekken of juist niet. Misschien zou het verkeerd zijn hem wakker te maken.

Larkin deed een paar stappen dichterbij en probeerde tot een besluit te komen. Zijn benen schokten alsof hij aan het hardlopen was, maar onbeheerst zoals wanneer je in een droom gevangen zit. Zijn handen kromden zich als klauwen en gingen trillen en wapperen en zijn ogen bewogen wild heen en weer onder de oogleden. Het moest wel een vreselijke nachtmerrie zijn, dacht Larkin. Hij zag eruit alsof hij vocht voor zijn leven.

Toen zei hij iets. Ze kon het niet verstaan, maar tussen het grommen en kreunen door had hij iets gezegd. Dat wist ze zeker.

Va...

Het leek op va. Nee, op da.

Ze leunde naar voren om te verstaan wat hij zei, maar ze hoorde alleen gemompel en gebrabbel.

Toen werd hij beetje bij beetje rustiger. Het schokken werd minder. Zijn handen ontspanden zich. Zijn hoofd sloeg niet meer heen en weer.

Larkin stond heel dicht bij hem, over hem heen gebogen, toen hij weer mompelde.

Va...da...

Het leek op vader.

Larkin wachtte. Ze wilde het nog een keer horen, maar hij viel stil en ze nam aan dat ze zich had vergist. Mensen mompelden onzin als ze droomden. Een man als hij kon nachtmerries hebben, maar niet over zijn vader. Het was bijna onvoorstelbaar dat een man als hij ooit kind was geweest.

Ze sloeg hem gade. Hij was inmiddels kalm en zijn ademhaling was regelmatig, maar zijn gezicht stond bedroefd. Nee, dacht ze, niet bedroefd. Hij was bang. Hij had een nachtmerrie gehad. Zelfs mannen als hij waren bang in hun nachtmerries.

Ze wilde hem aanraken. Ze wilde haar hand uitsteken, zoals je in een dierentuin altijd je hand door de tralies wilt steken om de grote dieren aan te raken.

Larkin bleef nog even bij hem staan en sloop toen terug naar haar kamer.

DAG DRIE
WAPENGELD

NEGENTIEN

De volgende ochtend zat Pike aan de eettafel zijn pistool schoon te maken toen het meisje haar kamer uit kwam. Pike was al drie uur op. Het was tien minuten over acht.

Het meisje zag er opgeblazen en bleek uit zoals elke ochtend, maar ze was dit keer niet naakt. Ze droeg een groot T-shirt dat tot op haar dijen viel. Ze trok haar neus op.

'Jakkes. Ik ruik dat spul helemaal in mijn kamer. Word je daar high van als je dat inademt?'

Pike had het pistool volledig uit elkaar gehaald. De loop, de sluitveer en de sluitveergeleidestang, het sledehuis, de sledevangpal, het greepstuk en de patroonhouder lagen uitgespreid op een papieren zak die Cole uit de Thaise winkel had meegenomen. Pike maakte de loop schoon met een oplosmiddel voor kruit, dat sterk rook naar overrijpe perziken. Het meisje vond het niet lekker ruiken. De eerste avond dat ze samen waren, zeurde ze erover toen Pike zijn wapen schoonmaakte, en sindsdien had ze er telkens over gezeurd. Pike maakte elke dag zijn wapens schoon.

'Er is koffie,' zei hij.

Pikes telefoon lag op de tafel. Hij zat op Cole te wachten, zodat ze elkaar bij de loft van het meisje konden treffen. Pike wilde ook Bud bellen. Hij ging Bud inlichten over Pitman en dacht dat Bud misschien zou kunnen uitzoeken wat Pitman met de wapens had gedaan. Bud had nog connecties in het korps. Zelfs op het hoofdbureau.

'Je lag te dromen vannacht,' zei het meisje. 'Je had een nachtmerrie.'

'Weet ik niks meer van.'

'Het leek een nare droom. Ik wist niet of ik je wakker moest maken.'

'Dat geeft niet.'

Pike kon zich zijn dromen nooit herinneren. Als hij eruit ontwaakte, kon hij daarna de slaap niet meer vatten.

'Ik wil even controleren of ik iets goed heb. We gaan even terug naar het begin...'

Ze sloeg haar ogen ten hemel en deed haar armen over elkaar.

'Niet weer. Ik haat het begin. Het midden en waar we nu zijn, zijn ook niet zo geweldig.'

'Hoeveel dagen na het ongeluk kwamen Pitman en Blanchette bij je langs?'

'Drie dagen erna.'

'Niet de volgende dag, niet de tweede dag?'

'Hebben we het hier al niet over gehad?'

'We moeten alles goed op een rijtje hebben.'

'Weet je hoe moeilijk het is een gaatje in mijn vaders agenda te vinden? En in die van zijn advocaat? Mensen kunnen niet zomaar bij ons op de stoep staan. Je komt niet zomaar bij ons langs. Je moet een afspraak maken. Het was de derde dag.'

Pike legde de loop even neer en pakte het greepstuk. Het oplosmiddel in de loop zou achtergebleven materiaal losweken, terwijl Pike zich met de andere onderdelen bezighield.

'Hm. Dus ze kwamen langs en vroegen naar Kings passagier?'

'Ja. Naar het ongeluk en wat er was gebeurd en zo. Ze wilden weten wie er bij de Kings in de auto zat. Voor hun onderzoek.'

'Ze wisten niet dat het Meesh was?'

'Ze wisten alleen wat er in het rapport over het ongeluk stond. Ze wilden de identiteit van de andere man weten. Jeetje, ik heb nog niet eens koffie op.'

'Ik ga terug naar jouw wijk om met een paar mensen te praten die Elvis heeft gevonden. Daarna ga ik bij Bud langs.'

Het meisje zei niets. Ze bleef een ogenblik zwijgend staan, alsof ze nadacht, en liep toen naar de keuken.

Pike was klaar met het greepstuk. Hij doopte een wattenstaafje in het oplosmiddel en ging aan de slag met het sledehuis. Hij wreef het oplosmiddel in elke groef en gleuf in het metaal en bracht het gul aan op de slagpin.

Het meisje kwam terug met een kop koffie. Ze ging tegenover hem aan tafel zitten zonder iets te zeggen. Toen Pike opkeek, zag hij dat ze hem zat op te nemen. Ze keek ernstig.

'Wil je helpen?' vroeg Pike.

'Ik heb een hekel aan wapens.'

Pike veegde het overtollige oplosmiddel van de slede en ging weer verder met de loop. Hij duwde een borstel van koperdraad via de mond door de loop naar de kamer en daarna via de kamer door de mond van de loop naar buiten. Vervolgens deed hij dit met een schoon wattenstaafje dat hij in het oplosmiddel had gedoopt.

'We moeten praten,' zei het meisje.

'Oké.'

'Ik vond het niet leuk zoals je me gisteren alleen liet. Als je me had verteld wat je ging doen, zou ik er geen problemen mee hebben gehad, maar je had niets gezegd. Je praat niet eens met me. Goed, ik weet dat je geen prater bent. Dat begrijp ik. Elvis zegt dat je nauwelijks tegen hem praat. Oké. Maar ik ben een volwassen vrouw. Die mensen willen míj vermoorden. Ik heb geen babysitter nodig en ik hou er niet van als een klein kind behandeld te worden. Dit is een vertrouwenskwestie. Wij hebben een vertrouwenskwestie, dat bedoel ik, en daar moeten we wat mee. We zitten nu in dit waardeloze huisje en het is hier veilig of niet. Als je denkt dat het niet veilig is, dan kunnen we ergens anders heen gaan. Ik heb Parijs voorgesteld, maar nee, jij wilde in Echo Park blijven. Prima. We zitten hier nu twee dagen en ze hebben me niet gevonden, dus het zal wel veilig zijn. Oké, goed, dank je. Maar ik vind het hier niet leuk en ik vind het ook niet leuk om de hele dag in de auto te zitten, enkel en alleen omdat jij denkt dat ik stom ben. Dat neem ik je kwalijk. Ik weet niet hoe het kwam dat die mensen me telkens opspoorden, maar het was niet mijn schuld. Ik wil niet naar Bud en ik wil niet in de auto zitten als Elvis en jij met mensen gaan praten. Het is saai en ik ben het zat. Ik zou liever hier blijven en ik kan hier best alleen blijven.'

Pike legde de loop neer. Hij keek haar aan. 'Ja.'

'Ja, mag ik hier blijven?'

'Ik zei dat ík naar Bud toe ging. Ik zei geen "wij". Het spijt me van gisteren. Ik had meer rekening met je moeten houden.'

De mond van het meisje ging open, maar ze zei niets. Ze dronk wat koffie en hield het bekertje met beide handen vast.

Pike stak de loop in de slede, liet de sluitveergeleidestang op zijn plaats onder de loop vallen en schoof daarna de sluitveer op de geleidestang. Hij zette het wapen in een paar seconden weer in elkaar. Pike kon het wapen geblinddoekt, in het donker, tollend op zijn benen van de slaap in elkaar zetten, terwijl de kogels aan alle kanten om hem heen floten. Het wapen in elkaar zetten was makkelijk. Met het meisje praten was moeilijk.

Eindelijk zei het meisje iets. 'Oké. Bedankt. Dat is fijn.'

'Fijn,' zei Pike.

Zijn telefoon trilde en tolde luid zoemend op de tafel rond. Pike keek op het schermpje. Hij dacht dat het Cole zou zijn, maar die was het niet.

Pike bracht de telefoon naar zijn oor.

'Je hebt gezelschap,' zei Ronnie.

Het meisje sloeg hem gade, maar Pike liet niets merken. Ze waren hard naar hem op zoek, zoals hij naar hen op zoek was. En zoals hij naar het huis van het meisje zou gaan om het spoor op te pakken, konden zij niets anders doen dan teruggaan naar zijn appartement. Je ging naar de plaats waar de dieren leefden.

'Hoeveel?' zei Pike.

'Eén vent deze keer. Ik weet niet of het die vent is over wie je me hebt verteld, maar dat zou kunnen. Nog geen één meter tachtig, zou ik zeggen; vrij lang en donker haar.'

'Waar is hij?'

'Binnen. Hij heeft zichzelf net binnengelaten; liep zo de deur in alsof het zijn huis was. Zal ik mezelf gaan voorstellen?'

Pike zag dat het meisje hem in de gaten hield. Als ze wist wat hij van plan was, zou ze bang worden en vragen gaan stellen en Pike was door zijn spraakwater heen.

'Nee, ik ga wel even met hem praten. Ik kom eraan. Mocht hij vertrekken, je hebt mijn telefoonnummer.'

'Jep.'

Pike legde de telefoon neer, duwde de patroonhouder in het wapen, klikte het sledehuis vast en zette de veiligheidspal om. Als Pike ooit vreugde zou kunnen voelen, dan was het nu, maar hij liet niets merken. Hij had ze te pakken. Hij had een aanknopingspunt, iemand die hem misschien bij Meesh zou kunnen brengen en dan zou hij de hele boel ruimen. Al die klootzakken die dit meisje wilden doden, dit ene meisje, met zijn allen tegen haar, en hij zou de hele boel ruimen, maar niet uit naam van de gerechtigheid. Het zou een straf zijn. Straf was gerechtigheid.

'En wat ga je doen als ik weg ben?' zei hij.

'Wie was dat?'

'Ronnie. Hij heeft iemand gevonden die misschien kan helpen, dus daar ga ik even mee praten. Red je het wel alleen?'

'Hm-mm.'

Pike stond op, liet de telefoon in zijn zak glijden, stak de Kimber in de holster en hing die aan zijn broekband. Hij trok het overhemd met lange mouwen aan om zijn tatoeages en het wapen te verbergen.

'Moet ik nog iets voor je meenemen?'

'Wat fruit misschien.'

'Wat voor fruit?'

'Aardbeien. Bananen misschien.'

'Ik ben wel even weg. Weet je zeker dat je het redt in je eentje?'

Ze zat nog altijd te staren. Pike hoopte dat ze zich zou bedenken en mee zou gaan.

'Hoe lang blijf je weg?' zei ze.

'Bijna de hele dag, denk ik. Ik kan vragen of Elvis komt.'

'Nee, dat hoeft niet.'

'Zeker weten?'

'Ja.'

'Goed. Dan zie ik je straks.'

Pike was teleurgesteld, maar hij liet niets merken. Hij vond het niet prettig haar alleen achter te laten, maar hij had zichzelf ervan overtuigd dat haar beschermen meer inhield dan haar alleen maar in leven houden. Hij wilde niet dat ze zich weer in de steek gelaten voelde. Als ze het gevoel moest hebben dat hij haar vertrouwde, dan zou hij haar vertrouwen.

Het was een beslissing waar hij spijt van zou krijgen.

TWINTIG

Pike baande zich door het trage ochtendverkeer in zuidelijke richting naar de Santa Monica Freeway. Hij haastte zich niet. Als de man in zijn appartement wegging, zou Ronnie hem volgen. Pike bracht Cole op de hoogte vanuit de auto. Cole vroeg of Pike hulp wilde, maar Pike sloeg het aanbod af en zei dat Cole zijn tijd beter aan Pitman kon besteden, zoals ze hadden afgesproken. Pike wilde nog met Bud praten, maar alles zou in de komende paar uur kunnen veranderen, dus besloot Pike te wachten. Hij vertelde Cole over het meisje.

'Wil je dat ik een oogje op haar hou?' zei Cole.

'Geen oogje op haar houden, maar ik zou het fijn vinden als je langsging.'

'Ze zou het niet merken dat ik een oogje op haar hield.'

'Weet ik, maar toch maar niet. Dat wil ze niet. Misschien zou je langs kunnen gaan. Ik weet niet hoe lang ik hiermee bezig ben. Ga gewoon even langs. Niet blijven.'

'Doe ik straks wel even. Ik breng wel wat te eten langs.'

'Aardbeien.'

'Hè?'

'Ze wil aardbeien. Bananen misschien.'

'Best. Je zegt het maar.'

'Kijk of het goed met haar gaat en laat het me weten.'

'Zeg, Joe. Maak je je zorgen?'

'Ik doe gewoon mijn werk.'

'Juist, ja.'

'Als ze wil dat je blijft, mag je blijven.'

Cole lachte en Pike hing op.

Pike had geen nieuwe berichten van Ronnie gekregen tegen de tijd dat hij de snelweg af reed, dus belde hij.

'Ik zit op vijf minuten. Is hij nog steeds binnen?' zei Pike.

'Nee. Hij is maar een paar minuten binnen geweest. Nu zit hij verstopt tussen de struiken. Ik durf te wedden dat die klootzak naar binnen is gegaan om te poepen.'

'Maar één vent?'

'Ja.'

'Waar?'

'Weet je de twee afvalcontainers achter bij de parkeerplaats? Hij zit onder de struiken achter de afvalcontainers en kan tussen die dingen door je voordeur zien. Hij zit daar nu al twintig minuten.'

'Waar rijdt hij in?'

'Geen idee. Hij kwam te voet over de hoofdlaan, dus hij staat waarschijnlijk bij de hoofdingang geparkeerd, maar dat weet ik niet zeker. Hij kan net zo goed door iemand zijn afgezet.'

Pike dacht erover na toen hij afsloeg naar zijn appartementencomplex. Omdat de man zich bij Pikes appartement had opgesteld, kon Pike door de hoofdingang naar binnen rijden en op het terrein parkeren. Zo zou Pike makkelijk bij zijn auto kunnen en dat zou belangrijk kunnen zijn.

'Wat heeft hij aan?' vroeg Pike.

'Een groen overhemd met korte mouwen over zijn broek heen. Een overhemd met van die kleine streepjes. En een spijkerbroek.'

'Kun je je positie verlaten zonder gezien te worden?'

'Geen punt.'

'Ik bel je als ik er ben.'

Pike reed het terrein op via de hoofdingang, maar sloeg niet af naar zijn appartement. Hij ging de andere kant op naar een parkeerplaats achter een stel gebouwen. Hij stapte uit de Lexus en begon te lopen. Hij nam niet de moeite zich te verbergen. Pike wist precies waar de man was en wat hij kon zien, dus maakte hij zich niet druk. Toen hij bij het achterste gebouw kwam, dook hij achter een grote jasmijn en bevond zich opnieuw in een groene wereld. Pike bewoog zich langs de muur naar het eind van het gebouw en sloeg de hoek om. Het parkeerterrein waar hij normaal gesproken parkeerde en de afvalcontainers bevonden zich recht voor hem. Hij bestudeerde de dikke muur van oleanderstruiken achter de containers. De man zou een smal gezichtsveld hebben tussen de containers door, maar hij had een goede plek uitgekozen om zich te verstoppen. Pike kon hem niet zien door het dichte kantwerk van bladeren. Pike veranderde twee keer van plaats voor hij een plek had gevonden die hem beviel. Hij zag de man nog steeds niet, maar meende dat dat vanuit deze positie wel zou lukken. Pike hield de oleanders bijna twintig minuten in de gaten en toen bewoog er een streep licht achter de bladeren.

Pike belde Ronnie.

'Ik heb hem. Bedank Dennis voor me. Jij ook,' zei hij achter zijn hand in de telefoon.

'Gaan we hem pakken?'

Ronnie was dol op voor dit soort dingen, maar Pike wilde hem er verder niet bij hebben. Als Pike hem nodig had gehad, zou Pike hem hebben gevraagd, maar het was beter voor Ronnie als hij wegging.

'Dag, Ron.'

Pike stopte zijn telefoon weg. Hij zag Ronnie niet vertrekken, maar dat verwachtte hij ook niet. Pike zat roerloos op de harde grond en bestudeerde het licht- en kleurenspel in de wiegende muur van oleanders die niet uit één vlak, maar uit vele lagen bestond: de buitenste bladeren een bleke grijsgroene lappendeken gebleekt door de zon; de naden in de lapjes waardoor donkerdere bladeren te zien waren, terwijl achter nog kleinere sneetjes en kuiltjes de lineaire vorm van takken te ontwaren was; licht over donker over donkerder, het binnenste duister ten slotte gevlekt door speldenprikjes licht; tot er uiteindelijk, terwijl Pike zat te kijken, een schaduw tussen de schaduwen bewoog en er een groene glimp zichtbaar werd die niet bij het groen eromheen paste; eerst een stukje schaduw en toen een andere tint groen, tot Pike een patroon in het patroon zag en de man in de bladeren. Er zwaaide een tak heen en weer en daaruit kon Pike opmaken dat de man ongedurig was en zich verveelde. Even later trilde er een andere tak. De man was waarschijnlijk gepikeerd dat hij in de struiken moest zitten en had geen zin in één houding te blijven en kramp te krijgen. Pike interpreteerde dit gebrek aan discipline als zwakte. Pike kon hem nu doden, of te grazen nemen, maar er woonden onschuldige mensen in deze huizen, dus wachtte Pike.

Veertig minuten voor de man zijn schuilplaats verliet, wist Pike dat het zou gaan gebeuren. De man werd steeds onrustiger en ging steeds vaker verzitten, zodat de struiken bewogen. Hij had ontstellend weinig discipline.

Drie uur en twaalf minuten nadat Pike zijn positie had ingenomen, ging de man op zijn hurken zitten. Hij gluurde tussen de takken door om te zien of de kust veilig was, liep in elkaar gedoken achter de afvalcontainers uit, veegde zijn kleren schoon, stak de parkeerplaats over en zette koers naar de hoofdingang. Onder het lopen haalde hij een mobiele telefoon uit zijn zak, maar Pike kon niet uitmaken of hij iemand belde, of gebeld werd. Misschien had hij er niet de brui aan gegeven; misschien had iemand hem opdracht gegeven weg te gaan.

Pike glipte uit zijn schuilplaats en haastte zich terug naar zijn auto. Hij reed snel door de poort aan de achterkant en scheurde zo snel mogelijk om het terrein heen naar het hek aan de voorkant. Hij stopte op twee blokken van de hoofdingang langs de stoeprand, op het moment dat de man in het groene overhemd door een voetgangerspoortje in de muur stapte. Je had een sleutel nodig om binnen te komen, maar je had niets nodig als je wegging.

De man had nu een zonnebril op, maar Pike kon toch zien dat het niet een van de mannen was die hij eerder had gezien. Hij was donker en had vierkante schouders en een mager gezicht. Het was vrijwel zeker een latino. Als hij zich bewoog, trok zijn overhemd op een bepaalde manier en daaraan zag je dat er een wapen achter zijn broekband zat. Hij bleef staan bij een stoffige bruine Toyota Corolla. Even later reed de Corolla weg.

Pike meende dat de Corolla een model uit het begin van de jaren negentig was. Hij was donkerbruin van kleur en had lelijke wieldoppen en roestige putjes op de achterklep. Pike schreef het kenteken op. Hij bleef er zo'n drie auto's achter rijden en maakte de afstand alleen kleiner toen de Corolla voor hem uit een kruispunt over schoot en het verkeer begon af te remmen.

Ze gingen bij Centinela de I-10 op en namen de afrit bij Fairfax. De Corolla stopte om te tanken en koerste daarna met hetzelfde rustige gangetje verder in noordelijke richting. Toen ze bij de Santa Monica Boulevard kwamen, sloeg de Corolla af naar het westen, reed onder West Hollywood en Hollywood langs en dook een smerige wijk met pornowinkels, kleine winkelcentra en gratis klinieken in. De Corolla draaide de parkeerplaats op van het Tropical Shores Motor Hotel, een twee verdiepingen tellend motel. Aan het dak ontsproot een reclamebord in de vorm van een palmboom, met pijlen die langs de stam omlaagwezen naar het bordje KAMERS VRIJ. De palmboom en de pijlen waren uitgevoerd in neonlicht, maar de buizen waren kapot en verkleurd en dat was waarschijnlijk al jaren zo. Op een klein bordje in het raam van de receptie stond UURTARIEVEN OP AANVRAAG.

Pike schoot een parkeerhaven in en wandelde terug naar de inrit. Het motel was gebouwd in de vorm van een L en op de plek waar de lijnen van de L bij elkaar kwamen, was een open trappenhuis. Afgezien van de Corolla, twee andere auto's en een groene Schwinn-fiets die met een ketting aan een paal stond, was de parkeerplaats leeg. Airconditioners staken als tumoren uit de kamers, maar de meeste maakten geen geluid.

Pike arriveerde bij de receptie op het moment dat de man in het groene overhemd uit de Corolla stapte. Pike wilde zien of er iemand in het kantoortje was, maar het raam was te vuil om doorheen te kijken. De deur kwam uit op de parkeerplaats, maar hij zat dicht en er stond een airconditioner hard te zoemen.

De man in het groene overhemd nam niet de moeite zijn auto op slot te doen. Hij liep naar een frisdrankautomaat die tegen de muur stond, kocht een blikje limonade en wandelde naar een kamer op de benedenverdieping. Hij bleef bij de deur staan met zijn rug naar de parkeerplaats toen hij zijn sleutel zocht.

Pike naderde de man van achteren. Hij bewoog zich net ver genoeg naar links en naar rechts om in de dode hoek van de man te blijven en ging heel snel te werk. Het ene moment stond hij nog voor de receptie en het volgende moment was hij de parkeerplaats al over, terwijl hij de sleutel in het slot zag gaan, de deur open zag gaan...

Pike stak zijn linkerarm onder de kin van de man en trok hem omhoog. Hij legde zijn arm op de keel van de man en drukte zo hard als hij kon, terwijl hij de man als een schild voor zich uit de kamer in duwde en de Kimber trok.

Pike verwachtte meer mannen, maar de kamer was leeg. Een eenvoudige kamer met een badkamer.

Pike duwde de deur met zijn voet dicht zonder de man los te laten. De gordijnen waren open, zodat Pike kon zien dat er niemand op de parkeerplaats was en niemand uit de receptie was gekomen.

De man schopte en sloeg, maar Pike hield hem omhoog en haalde hem uit evenwicht met een knie. De man haalde uit naar achteren, klauwde naar Pikes arm en maakte een gorgelend geluid. Het was een sterke man in zeer goede conditie. Zijn nagels drongen in Pikes huid.

Pike liet zijn vrije arm langs de achterkant van de nek van de man glijden en duwde diens keel in de holte van zijn elleboog. Pike voerde de druk op en hield hem vast.

Het slaan werd minder.

De man hield op met schoppen.

Zijn lichaam werd slap.

EENENTWINTIG

De wurggreep sneed de bloedtoevoer naar de hersenen van de man af, zodat hij in de slaapstand kwam, als een laptop met een bijna lege accu. Het was een effectieve manier om een persoon te overmeesteren, hoewel die persoon soms niet meer wakker werd. Pike ging op de rand van het bed zitten wachten tot de man bijkwam.

De man was niet lang buiten westen. Zijn oogleden trilden en zijn hoofd kwam omhoog. Hij had de vage blik van een bokser met een lichte hersenschudding, maar hij verstijfde toen hij merkte dat hij zich niet kon bewegen. Pike had de man met isolatietape aan een stoel vastgebonden. Zijn enkels, bovenbenen, romp en armen zaten vast.

Pike stond recht voor de man, op slechts een paar centimeter afstand. Hij had een oude Browning 9 mm in zijn hand. Hij had de Browning op de man gevonden, evenals een mobiele telefoon, sleutels van de auto en de kamer, twaalf dollar zestig, een pakje Marlboro, een gasaansteker en een Seiko-horloge. De man had geen portefeuille en creditcards en geen enkel identiteitsbewijs bij zich gehad.

Pike keek naar de ogen van de man, die bezorgd, maar zelfverzekerd stonden. Hij had een breed, hoekig gezicht met kleine littekens in zijn wenkbrauwen en over zijn neusbrug.

'Je weet wie ik ben?' zei Pike.

De man wierp een blik op de deur. Misschien dacht hij dat iemand hem zou komen redden.

Pike vroeg weer: 'Je weet wie ik ben?'

De man gaf antwoord in het Spaans. 'Val dood.'

De Browning flitste naar voren en liet zijn hoofd heen weer schudden. Pike handelde zo snel, dat de man niet wist wat hem overkwam tot zijn wang openspleet en het bloed op zijn overhemd droop. Pike had hem niet bewusteloos willen slaan.

Toen de ogen van de man weer scherp konden stellen, stak Pike zijn linkerhand uit. Hij bewoog zich nu langzaam, alsof hij de wang van de man wilde aaien. Hij duwde zijn duim in de zenuw waar de kaak scharnierde met de jukbeenboog. De man wilde zich wegdraaien, maar hij zat vastgebonden aan de stoel. Pike bleef lang druk uitoefenen.

Toen Pike losliet, snakte de man naar adem alsof hij onder water had gezeten. Hij bewoog zijn kaak heen en weer en keek Pike met een dodelijke haat in zijn ogen aan.

Pike vertrok geen spier.

'Dat ga ik straks weer doen,' zei Pike.

Pike stak de Browning in zijn zak en liep naar het raam. De kamer was klein en smerig. Er stonden twee tweepersoonsbedden tegenover een bureau dat ook dienstdeed als kaptafel, en een gehavende clubfauteuil bij het raam. Pike had de gordijnen dichtgetrokken, maar ze waren van een dunne stof gemaakt waar je doorheen kon kijken. Voor de receptie stond een man met een bierbuik te roken en de deur naar de receptie stond open, waarschijnlijk omdat hij de telefoon wilde kunnen horen. Pike had de Corolla al doorzocht en nu doorzocht hij de kamer.

De kaptafel en bureaulades waren leeg, maar Pike vond vier opgestapelde reistassen in de kast: twee canvas plunjezakken, een blauwe nylon sporttas met het Nike-logo en een zwarte rugtas. In alle tassen zaten mannenkleren, sigaretten en toiletspullen. In de rugzak trof Pike een envelop met zesentwintighonderd dollar aan. Naast de envelop vond hij een vel papier uit een spiraalblok met handgeschreven aantekeningen en nummers en een foto van Larkin Conner Barkley. De foto was niet uit een tijdschrift geknipt, maar echt, een opname van haar gezicht, waarop ze glimlachte.

In elke tas zaten een Amerikaanse paspoort en een retourticket van Quito in Ecuador naar Los Angeles verstopt tussen de kleren. De paspoorten waren van vier mannen, van wie er één in de stoel zat. Zijn naam in het paspoort was Rulón Martínez, maar Pike betwijfelde het of die echt was.

Pike herkende twee van de mannen in de andere paspoorten, maar de derde niet. De twee hadden deel uitgemaakt van de ploeg die het huis van de Barkleys was binnengedrongen. De ene was de man met het litteken op zijn lip die de huishoudster van de Barkleys had mishandeld. Volgens zijn paspoort heette hij Jésus Leone. De andere heette Walter Bloch. Dat vond Pike merkwaardig. Een Duitse naam. De laatste man, de man die Pike nog nooit had gezien, was Ramón Alteiri. Volgens de paspoorten waren alle vier de mannen inwoners van Los Angeles en Amerikaanse staatsburgers. Pike bestudeerde de paspoorten. Als ze vals waren, dan waren het goede vervalsingen. De zwarte rugtas met de foto van Larkin was van de man met het litteken.

Pike schudde de kleren en toiletspullen uit de rugzak en stopte de paspoorten, de tickets, de Browning en de andere dingen die hij wilde houden erin, maar de foto van Larkin niet.

Pike liep terug naar het bed met de foto en hield hem zo dat de man hem kon zien. Pike zei niets; hij dwong de man alleen om te kijken. Toen stopte hij hem weg.

'Ik spreek Spaans, maar Engels zou beter zijn. Is dat oké?'

De man trok een valse grijns, alsof het hem allemaal niet uitmaakte. 'Ik zou er maar vandoor gaan, klootzak. Je weet niet half waar je mee bezig bent.'

Pike drukte zijn wijsvinger in het zachte weefsel onder het sleutelbeen van de man waar zesentwintig zenuwen samenkwamen in de brachiale zenuwvlecht. De supraclaviculaire zenuw, die informatie doorgaf aan het ruggenmerg, liep op dat punt dicht onder de huid langs een groef in het bot. Toen Pike de zenuwbundel hard in het bot drukte, vuurde de hele brachiale zenuwvlecht een pijnsignaal af, vergelijkbaar met een wortelkanaalbehandeling zonder verdoving.

De man begon hoog zoemend te kreunen. Hij probeerde zich te bevrijden van het isolatietape en de stoel om te gooien, maar Pike drukte met een teen zijn voet tegen de grond. Aderen zwollen op in de nek van de man als kronkelende slangen. De tranen liepen over zijn gezicht en trokken strepen door het bloed op zijn wang. Hij viel terug op het Spaans en smeekte Pike op te houden, maar Pike hield niet op.

Toen Pike eindelijk de druk ophief, wist hij dat de pijn fel zou doorbranden als mierenzuur en daarom raakte hij een andere plek aan, eentje in de nek van de man, waardoor de pijn verminderde. De man zakte in elkaar en zijn gezicht verbleekte tot de kleur van vlees dat in het water heeft gelegen.

'Dit is *dim mak*. Dat is Chinees. Het betekent dodelijke aanraking,' zei Pike.

Dim mak was de duistere kant van acupunctuur; bij de ene methode worden drukpunten gebruikt om te genezen; bij de andere om schade toe te brengen.

'Ik wil Alex Meesh,' zei Pike.

'Ken ik niet.'

Pike hief zijn vinger. De man schoot zo hard achteruit, dat de stoel helde, maar Pike hield hem op zijn plaats met zijn teen.

'Ik weet niet wat je wilt!'

'Alex Meesh.'

'Ken ik niet!'

'Ken je Alex Meesh niet?'

De man schudde zijn hoofd zo heftig, dat er bloed van zijn wang vloog. 'Nee, nee, nee. Ken ik niet!'

Zo te zien was de man te bang om te liegen, maar Pike wilde het zeker weten. Hij hield het paspoort van de man omhoog. 'Wat is je echte naam?'

De man antwoordde zonder aarzelen. 'Jorge Petrada.'

'Waarom hield je de wacht bij mijn huis?'

'Voor het meisje.'

Hij knipperde niet eens met zijn ogen toen hij het zei. Pike concludeerde dat hij de waarheid sprak. Jorge kende Alex Meesh niet.

'Heeft Meesh je gezegd dat je haar moest zoeken?'

'Ik ken die Meesh niet, geen idee.'

'Van wie moest je haar dan zoeken?'

'Van Luis. Luis zegt dat.'

'Wie is Luis?'

Jorge keek naar de paspoorten en Pike hield die van de man met het litteken op zijn lip omhoog. De man met de foto.

'*Si.* Luis.'

'Is Luis je baas?'

'*Si.*'

Luis zag er niet uit als een baas. Bazen deden geen poging tot ontvoering in Beverly Hills en raakten niet betrokken bij schietpartijen. Bazen lieten anderen alle risico's nemen.

Pike keek op zijn horloge en ging weer naar het raam. De klok tikte door en de andere mannen zouden waarschijnlijk spoedig terugkomen. De manager had zijn sigaret nog niet opgerookt, maar hij stond nu ook aan de telefoon en lachte ergens om. Pike liep terug naar het bed.

'Hoe wist je waar het meisje was?'

'Van Luis. Hij zegt jouw adres.'

'Hoe wist je onze locatie in Eagle Rock en Malibu?'

'Ik ken die Eagle Rock niet. Ken ik niet.'

'Je hebt haar in Eagle Rock en Malibu proberen te doden. Je hebt het in het noorden in de Bay geprobeerd. Wie heeft je verteld waar ze was?'

'Nee, nee, nee. Ik ben hier net, man. Ik ben hier twee dagen. Ik weet daar niets van.'

Pike pakte de vliegtickets uit de rugtas en controleerde de vluchtgegevens. Jorge sprak alweer de waarheid. Hij was pas twee dagen geleden met Alteiri aangekomen. Bloch was twaalf dagen geleden gearriveerd. Luis was er al zestien dagen. Luis moest de man met de informatie zijn.

Pike stopte de tickets weer in de tas toen zijn mobiele telefoon trilde. Het was Cole. Pike staarde naar Jorge toen hij het gesprek aannam.

'Ja?'

'Ik ben net bij haar geweest. Het gaat prima met haar,' zei Cole.

'Mooi.'

'Ik heb iets te eten en wat tijdschriften langs gebracht, dat soort dingen. Ik heb haar ook een koffiezetapparaat gegeven, zodat ze dat spul van jou niet hoeft te drinken.'

'Ze wilde aardbeien. Aardbeien en bananen.'

'Ja.'

'Oké.'

'Wat is er? Is alles goed daar bij jou?'

'Ja, prima.'

'Oké. Bel me als je iets nodig hebt.'

Pike klapte zijn telefoon dicht. Hij staarde naar Jorge en Jorge was bang.

'Wie is Donald Pitman?'

'Ken ik niet.'

'Heb je die naam wel eens gehoord?'

'Nee. Ik weet niet wie dat is.

'Bud Flynn?'

'Nee.'

'Voor wie werkt Luis?'

De man was verbaasd dat Pike dat niet wist en ging rechtop zitten. Hij scheen voor het eerst sinds hij het in zijn broek had gedaan, moed te scheppen.

'Esteban Barone. We werken allemaal voor Barone. Daarom heb jij een fout gemaakt, vriend. Jij zult weten wat angst is, als je Barone kent.'

'Wat is hij? Een gangster? Een zakenman? Snap je de vraag?'

'Ken je het woord "kartel"?'

'Ja.'

Over het gezicht van de man trok een brede grijns, alsof hij er prat op ging dat hij bij zo'n organisatie hoorde. 'Barone, hij heeft veel soldaten. Hoeveel heb jij er?'

Pike haalde de foto's van de vijf dode mannen uit zijn zak. Hij hield ze een voor een omhoog en zag het gezicht van de man betrekken.

'Ik breng de boel in evenwicht,' zei Pike.

De man mompelde iets in het Spaans, maar Pike verstond het niet.

Pike liep weer naar het raam. De manager was weg, maar de deur van de receptie stond nog open. Pike wilde die deur dicht hebben. Hij was van plan met Jorge in de Corolla weg te rijden, maar voorlopig ging hij terug naar het bed.

'Met z'n hoevelen zijn jullie nu nog?'

De man spuwde.

Dit keer bewoog Pike zich niet langzaam. Hij drukte zijn duim in een dim-makpunt tussen de ribben van de man onder zijn borstspier.

'*Siete!*'

Pike liet los.

'Vier van jullie slapen hier. Waar slapen de andere drie?'

'Ik weet niet.'

Pike drukte zijn vinger opnieuw in het dim-makpunt en dit keer gaf de man een gil. Pike duwde nog harder en bleef dat doen tot de man het uitsnikte. Toen liet hij los.

'Waar slapen ze?'

'Ik weet niet waar. Carlos, hij heeft ons van de vliegveld hier gebracht. Hij zegt niet waar ze zijn. Hij brengt ons naar die Luis en Luis zegt dat we hier blijven. Ik heb ze zelfs niet gezien.'

Pike leunde naar achteren. Carlos. Een nieuwe speler was ten tonele verschenen.

'Wie is Carlos?'

'Noord-Amerikaan. Hij haalt ons van de vliegveld. Hij brengt ons hier en zorgt voor ons.'

'Hoe heet hij verder?'

De man keek weer even naar het raam en dit keer keek Pike met hem mee. Door de dunne, luchtige gordijnen was de daklijn te zien en het zonlicht dat op de auto's schitterde, maar verder niets.

'Ik weet alleen Carlos. Hij geeft ons spullen. De telefoons, de wapens.'

'Goed. Waar zijn de anderen nu?'

'Ik weet niet. Ik heb mijn werk, zij hun werk.'

De man likte langs zijn lippen. Hij werd steeds zenuwachtiger en keek alweer naar het raam. Pike vroeg zich af of hij iets had gezien.

'Komen ze nu terug, Jorge?'

'Nee, nee, ze komen niet terug.'

Pike trok zijn pistool en hield het raam in de gaten.

'Vanavond komen ze. Ze komen vanavond,' zei Jorge.

Er gleed een schaduw over het gordijn en drie snelle knallen verbrijzelden het glas. De gordijnen woeien naar binnen als een zeil dat wind vangt, maar Pike lag al op de grond; de deur vloog open; Luis met een wapen, schietend terwijl Pike terugvuurde; Luis werd door de schoten tegen de muur gekwakt. Toen was het stil in de kamer. Luis gleed omlaag langs de muur en liet een rode veeg achter.

Pike bleef op de grond liggen, maar er verschenen geen andere mannen. Hij keek naar Jorge, maar Jorges hoofd hing omlaag en zijn voorhoofd ontbrak grotendeels. Pike liep naar de deur, kwaad dat hij het niet in de gaten had gehad. Luis had Jorge waarschijnlijk horen gillen, of hij had iets gezien door de dunne gordijnen. Hoe dan ook, de man die waarschijnlijk zijn beste bron van informatie was, was dood. Inmiddels was de corpulente man de receptie uit gekomen en was er aan de andere kant van het motel een schoonmaakster opgedoken. Pike trok Luis opzij en duwde de gehavende deur dicht.

Pike stak zijn wapen in de holster en doorzocht de zakken van Luis. Hij vond een mobiele telefoon, sleutels, vierentwintig dollar en een afgescheurd hoekje van een krant met een telefoonnummer erop. Pike stopte alles in de rugzak en liep naar de gordijnen. De corpulente man was naar binnen gegaan. Hij belde de politie natuurlijk. De schoonmaakster stond ook in het kantoortje en gluurde door de open deur naar buiten.

Pike haastte zich naar de badkamer. Het was een krappe ruimte, zo uit de jaren vijftig, met goedkope tegeltjes, kruimelig voegwerk en een klein, ondoorzichtig raam boven het bad. De schoonmaakster had twee in plastic verpakte glazen op de wastafel gezet. Pike nam ze mee naar de lijken. Hij haalde een glas uit het plastic, vouwde Jorges vingers om het glas en stopte het glas weer terug in het plastic. Hij deed hetzelfde bij Luis en op dat moment zag hij het horloge. Luis had een platina Patek Philippe om die net zomin bij deze man hoorde als een diamant op een mesthoop. Pike deed het horloge af en draaide het om. Op de achterkant van het horloge stond een inscriptie: *Voor mijn lieve George.*

Pike stopte het horloge en de glazen in de rugzak, veegde alles wat hij had aangeraakt schoon en draafde naar de badkamer toen hij de sirenes hoorde naderen. Pike sloeg het raampje in de badkamer kapot met zijn pistool, hees zichzelf erdoorheen en kwam terecht in een steegje. Hij hing de rugzak aan zijn schouder en rende langs de zijgevel van het gebouw. Hij vertraagde zijn pas toen hij bij de straat kwam en wandelde net langs de receptie van het motel toen er een surveillancewagen arriveerde. Aan beide kanten van de straat zaten mensen weggekropen achter auto's en in portieken alsof ze het gevaar liepen neergeschoten te worden, en anderen waren winkels in gerend. Pike bleef net zoals iedereen even staan kijken en liep toen door naar zijn auto. Hij reed weg toen er nog een politieauto arriveerde.

Het kwam bij hem op, zoals het in het verleden bij hem was opgekomen, dat politiemensen personen waren die het gevaar tegemoet renden. Alle anderen renden weg.

TWEEËNTWINTIG

Pike reed vlak bij Griffith Park het terrein van een winkelcentrum op. Hij had een hoge piep in zijn oren van de geweerschoten en zijn schouders deden pijn. Die avond, wanneer het meisje sliep, zou hij zichzelf in een vredig groen bos brengen. Jorge en Luis zouden als geesten tussen de bomen vervagen, maar nu stond de schietpartij hem nog helder voor de geest en was hij op zijn qui-vive. Dat was goed. Daardoor kon hij de swing erin houden.

De manager van het motel zou hem beschrijven als een man met een zonnebril, een bruin overhemd en een spijkerbroek. Anoniem. Hij had ervoor gezorgd dat hij geen sporen naliet. Er was op de lijken en de plaats delict niets te vinden wat in de richting van Eagle Rock, Malibu of hemzelf wees, totdat – en als – de kogels werden vergeleken en dat zou weken duren. De politie zou geen reden hebben het verband te leggen en Pitman zou geen reden hebben zich met de zaak te bemoeien. Jorge en Luis zouden twee van de vele ongeïdentificeerde lijken in de Stad der Engelen zijn; een open moordzaak met vragen maar geen antwoorden, waarschijnlijk een afrekening in de drugswereld.

Pike herlaadde zijn pistool en pakte de spullen die hij had meegenomen. Hij bekeek eerst de papieren en kaarten om te zien of er iets op stond waar hij direct iets aan zou hebben, zoals Meesh' naam of de naam van een hotel, maar hij vond niets. Hij zou deze papieren nog een keer samen met Cole doornemen, dus borg hij ze voorlopig op.

Hij wierp een vluchtige blik op het horloge en de wapens, maar aarzelde bij de foto van het meisje. Hij stelde zich voor hoe Luis hem aan de anderen liet zien en zei: Dit is haar. Hij zag hoe Meesh de foto aan Luis gaf met de woorden: We gaan haar vermoorden. Pike staarde naar de foto en dacht: Nee, dat gaan jullie niet.

Pike besteedde niet veel aandacht aan de andere dingen, omdat hij de telefoons wilde bekijken. Door de telefoons zou hij misschien direct en rechtstreeks met Alexander Meesh in contact kunnen komen.

Het waren twee identieke mobiele telefoons die sterk leken op het toestel dat Pike nu zelf gebruikte: anoniem aangeschaft en contant betaald, met een prepaid beltegoed. Pike bestudeerde eerst Jorges telefoon en toverde met behulp van het menu Jorges nummergeheugen en gespreksgeschiedenis tevoorschijn. Jorge had maar drie keer gebeld, telkens naar hetzelfde nummer. Pike vermoedde dat het Luis' nummer was; de nieuwe jongens kwamen in de stad aan, Luis gaf hun zijn nummer en zei: Hier kun je me bereiken. Pike drukte op de beltoets van Jorges telefoon om het nummer te bellen. De telefoon van Luis ging over. Pike zette Jorges telefoon uit en stopte hem weer in de rugzak.

Luis had veel telefoontjes gepleegd. Pike bladerde door een lange lijst waar minstens tien telefoontjes naar Ecuador in stonden. Van elk telefoontje waren het nummer dat was gebeld, de datum en de duur van het gesprek opgeslagen. Cole en hij zouden een keer de nummers overschrijven, maar nu was Pike meer geïnteresseerd in de recente gesprekken.

Luis had zijn laatste telefoontje slechts vier minuten voor zijn dood gepleegd. Luis moest op dat moment bij het motel zijn geweest en had waarschijnlijk gebeld om hulp in te roepen of de anderen op de hoogte te brengen. Pike nam de gespreksgeschiedenis door en zag dat Luis datzelfde nummer elke dag zo'n vijf keer had gebeld. Geen enkel ander nummer was zo vaak gebeld.

Pike vroeg zich af of het Meesh was.

Misschien had Luis hem met Jorge gehoord en Meesh gebeld om te vragen hoe hij de situatie moest aanpakken.

Pike drukte op de beltoets om het nummer opnieuw te bellen. De telefoon aan de andere kant ging vier keer over. De persoon aan die kant zou het nummer zien en denken dat Luis belde. Terugbelde om verslag uit te brengen van wat er in de kamer was gebeurd.

Nadat de telefoon vijf keer was overgegaan, werd er opgenomen door een man.

'Heb je die klootzak te pakken?'

De man had een diepe, welluidende stem, maar klonk niet als een gangster uit Denver of Ecuador. Zijn stem klonk beschaafd en had een heel licht, naar Pikes idee Frans accent.

'Hallo? Ben je er nog? Hoor je me?'

'Alex Meesh,' zei Pike.

'Verkeerd verbonden.'

De man hing op.

Pike drukte opnieuw op de beltoets.

Dit keer nam de man direct op. 'Luis?'

'Luis en Jorge zijn dood.'

Het was stil op de lijn. Toen de man weer begon te praten, klonk zijn stem argwanend: 'Met wie spreek ik?'

'Met de klootzak.'

De man aarzelde opnieuw. 'Wat wil je?'

'Jou.'

Pike zette de telefoon uit.

DRIEËNTWINTIG

JOHN CHEN

John Chen was doodsbang nadat Pike had gebeld. Hij was zo bang, dat hij dacht dat hij over zijn nek zou gaan; Pike aan de telefoon, wachtte niet eens op een antwoord, gromde alleen dreigend: 'Zorg dat je over een uur buiten staat.'

Ja. Natuurlijk.

Chen rende meteen naar de wc. Hij was ervan overtuigd dat Pike hem zou gaan vermoorden. Pike nam hem waarschijnlijk kwalijk dat de wapens weg waren en zou hem waarschijnlijk voor het oog van iedereen doodslaan.

Chen beende een uur heen en weer in het toilet. Hij zweette peentjes, moest om de haverklap naar de wc en probeerde te bedenken wat hij moest doen. Hij overwoog de beveiligingsmensen te vragen met hem mee te lopen naar zijn auto, maar vond uiteindelijk dat hij zich hier alleen uit zou kunnen kletsen als hij deed alsof alles in orde was. De schijn wekken dat hij de wapens kon terugkrijgen. Een geloofwaardige leugen verzinnen.

Chen sloop de toiletruimte uit, liep naar de hal en tuurde door de glazen deuren naar de parkeerplaats. Hij zag zijn seksmobiel zo staan, maar Pike, Pikes rode Cherokee en de groene Lexus die Pike gebruikte om die mooie meid te pakken, zag hij niet. Chen stapte naar buiten, keek achterom naar de wachtruimte en speurde nogmaals het parkeerterrein af.

Nog steeds geen Pike.

Chen wist niet wat hij moest doen. Misschien was Pike al geweest en weer vertrokken. Misschien was Pike nog niet gearriveerd en kon Chen nog wegkomen!

Chen sprintte naar de seksmobiel. Hij was niet van plán geweest te vluchten; hij vlúchtte gewoon. Hij rende de benen uit zijn lijf en liep na nog geen vijftig meter al te hijgen en te puffen, maar de adrenaline dreef hem voort. Chen drukte op zijn afstandsbediening omdat hij er was – hij had het verdomme gehaald!! – en trok dat mooie portier van Duitse makelij open toen...

...Pike achter hem zei: 'John.'

'Aah!'

Chen sprong opzij, maar Pike ving hem op en hield het portier open.

'Stap in.'

Pike had een zwarte rugzak bij zich. Chen was ervan overtuigd dat er een wapen in zat.

Chen klauwde zich vast aan het portier als een kat aan een bank; de zenuwtrek onder zijn oog trilde.

'Maak me alsjeblieft niet dood,' zei Chen.

Pike wees naar binnen. 'Doe niet zo stom. Stap in.'

Pike duwde hem naar binnen en liep zelf naar de andere kant van de auto. Chen kon zijn ogen niet van de rugzak houden.

'Ik weet hoe dit werkt. Je neemt me mee naar een stille plek. Je schiet me voor mijn raap...'

'Haal eens adem,' zei Pike.

Chen kon niet ophouden met praten. De woorden tuimelden uit zijn mond. Hij dacht er net zo weinig bij na als bij zijn besluit te vluchten.

'Justitie heeft de wapens meegenomen. Ik zou ze hebben nagetrokken, echt waar. Ik had er niets mee te maken...'

Het ene moment zat Chen te praten; het volgende lag Pikes hand als een bankschroef op zijn mond geklemd.

'Je bent mijn vriend, John. Je hoeft niet bang te zijn. Kan ik je nu loslaten?' zei Pike.

Chen knikte. Zijn vriend?

Pike liet los. Hij maakte de rugzak open en hield hem voor Chens neus. Chen was bang dat het een truc was die kerels als Pike uithaalden met kerels als hij: je kijkt in de tas en er springt een slang uit.

Langzaam boog Chen zich over de rugzak heen, klaar om te vluchten, maar er zat geen slang in.

'Wat is dat?'

'Wapens waar Justitie niets vanaf weet en twee paar vingerafdrukken.'

Chen tuurde in de rugzak, maar raakte niets aan. Hij zag twee kleine glazen in plastic hoesjes en twee wapens, zo te zien 9mm-pistolen, allebei pokdalig van de roest en gebutst. Uit hun sjofele conditie maakte hij op dat het wapens van de straat waren; wapens die al heel wat jaren geleden waren gestolen, toen waren geruild voor drugs of verkocht, en nog eens waren geruild of verkocht, en van de ene schooier naar de andere waren gegaan. Hij zag ook drie kogelhulzen.

'Hoe kom je hieraan?'

'Die federale agenten die de wapens in beslag hebben genomen, weet je hoe ze heten?'

Pike had zijn vraag genegeerd.

'Pitman. Pitman en nog iemand.'

'Blanchette?'

'Dat weet ik niet. Harriet kon het zich niet herinneren.'

Chen keek nogmaals naar de kogelhulzen. Hun eens zo glanzende koper was geschroeid en de rugzak rook naar verbrand kruit. Chen begon weer bang te worden, maar niet bang dat Pike hem zou doodslaan, bang voor iets onbepaalds. Chen merkte dat Pike hem zat op te nemen. John zag zichzelf weerspiegeld in Pikes donkere brillenglazen alsof het spiegelende plassen waren. Op een merkwaardig manier, waar hij zich later nog over zou verbazen, werd Chen rustig. Daar zat Pike, heel kalm, en zijn kalmte straalde af op Chen.

John leunde naar achteren.'Zijn er weer lijken die bij deze wapens horen?'

'Twee.'

'Houden ze verband met Eagle Rock en Malibu?'

'Ja. De politie is nu ter plaatse. Er is geschoten, dus ze weten straks dat er wapens weg zijn, maar ze weten niet wie ze heeft. Er zullen kogels worden gevonden en die kogels horen bij een van deze wapens, bij de Taurus, niet bij die andere.'

Chen knikte en liet het tot zich doordringen. Als zijn dienst er niet op had gezeten, was hij misschien naar het misdrijf gestuurd.

'Als Justitie wist dat wij deze wapens hadden, zouden ze ze dan in beslag nemen?'

'Ja, maar ze komen het niet te weten. Alleen jij en ik weten het, John. Je zult een keuze moeten maken.'

Chen begreep het niet. 'Een keuze, hoezo?'

'Er zijn zeven doden. Het ministerie van Justitie bemoeit zich met de zaak. Hier zitten wij met deze wapens. Je kunt op zijn minst beschuldigd worden van het hinderen van een federaal onderzoek. In het ergste geval van medeplichtigheid aan doodslag.'

Chen begreep het nog niet. 'Wat bedoel je nou?'

'Zeg dat je niet mee wilt doen en ik ga weg.'

Chen was stomverbaasd. Hij was verbijsterd. 'Wacht. Wacht eens even. Je geeft me de keus?'

'Natuurlijk. Dat bepaal jij toch? Wat dacht je dan?'

Chen staarde Pike aan en vroeg zich af hoe hij zo kalm bleef. Zijn effen gezicht; zijn neutrale stem. Hij bestudeerde Pike, zag zichzelf opnieuw in Pikes glazen, twee gezichten in één, en moest opeens denken aan een meditatievijver die hij een keer bij een boeddhistisch klooster had gezien, met een volmaakt glad en egaal wateroppervlak. Chen was toen zes jaar. Zijn oom had hem meegenomen naar het klooster en Chen was gefascineerd geweest door de vijver. Het spiegelende wateroppervlak was volkomen glad; geen blaadje, geen stofje of insect ontsierde het; geen zuchtje wind verstoorde het. De vijver leek zo sterk op een spiegel, dat Chen niet onder het oppervlak kon kijken en dacht dat het water maar een paar centimeter diep was. Toen zijn oom even niet oplette, besloot Chen erin te springen. Het was een warme dag in de San Gabriel Valley en Chen was pas zes. Hij wilde in het koele water rond spetteren en naar de overkant rennen. Maar een centimeter of vijf diep. Chen maakte zich op om te springen, maar op dat moment begon het water te golven en probeerde een monster in een glinsterend geschubd harnas hem te grijpen. Het kwam met zijn rode, zwarte en oranje platen, glimmend en afschuwelijk met een angstaanjagende snelheid boven water en verdween weer. Een koikarper, zei zijn oom later tegen hem, toen Chen niet meer huilde. Maar Chen had wel iets geleerd, ook al was hij pas zes. Onder een kalm oppervlak kan grote beroering schuilgaan.

'Wat is er aan de hand?' zei Chen.

'Daar wil ik achter zien te komen. Ik denk dat Justitie jullie bewijsmateriaal in beslag heeft genomen omdat ze iets te verbergen hebben. Als ze van deze wapens af wisten, zouden ze ze ook confisqueren.'

'Heeft dit met Eagle Rock en Malibu te maken?'

'Ja.'

Chen keek nogmaals omlaag naar de wapens. 'De vuurwapenanalisten zijn specialisten, man. Wat die doen, dat is niet enkel wetenschap, het is een kunst. Ze is al naar huis.'

'Morgen, als eerste.'

'Ik kan niet zomaar naar binnen lopen met: hier heb je twee wapens. Ik moet een nummer van een zaak hebben.'

'Gebruik het nummer van Eagle Rock.'

'Ze weet dat de agenten van Justitie die wapens hebben meegenomen. Ik heb het van haar gehoord.'

'Zeg dan dat je ze terug hebt gekregen. Verzin iets, John. Het is belangrijk.'

Chen wist dat het belangrijk was. Alles wat hij van Pike en Cole had gekregen, was belangrijk geweest.

Hij keek nogmaals in de rugzak. 'Wat wil je met die glazen? Vingerafdrukken? Of wil je dat ik die van de wapens haal?'

'De mannen die deze wapens hebben gebruikt, zullen bij de lijkschouwer terechtkomen, maar de lijkschouwer zal ze niet kunnen identificeren. Jij wel.'

Chen schudde zijn hoofd. 'Ik kan de vingerafdrukken eraf halen en ze natrekken, maar we gebruiken allemaal dezelfde database. Live Scan is Live Scan. Als de lijkschouwer niets kan vinden, zal mij dat ook niet lukken.'

'Deze mensen zitten niet in de database. Ze kwamen uit Ecuador.'

Chen wierp nog een blik op de glazen. Een standaard zoekopdracht in NCIC/Live Scan was geen wereldwijde zoekopdracht. Voor een internationale zoekopdracht moest een speciaal verzoek worden ingediend, en zelfs dan moest je vrijwel voor elk land een apart verzoek indienen. Er bestond geen wereldwijde database, dus als je niet wist waar je zoeken moest, had je pech.

'Kun je dat, John?'

'Dit is een grote zaak, hè?'

'Ja. En hij wordt steeds groter.'

Chen beet op zijn bovenlip terwijl hij erover nadacht wat hij zou moeten doen voor zowel de wapens als de vingerafdrukken. Hij was er vrij zeker van dat hij LaMolla zou kunnen overhalen de wapens na te trekken. Ze was nog pisnijdig op de agenten van Justitie omdat ze haar speeltjes hadden meegenomen, en helemaal kwaad omdat Harriet en het hoofdbureau haar niet wilden vertellen waarom. LaMolla zou de wapens natrekken alleen al om hen dwars te zitten.

'Ja, dat kan ik wel. Ik zorg wel dat het gebeurt,' zei Chen.

Pike stapte uit en liep weg.

Chen keek hem na. Pike was zo slecht nog niet als je hem beter leerde kennen, dacht hij. Niet zo eng, ook al was hij, nou ja, je weet wel, eng.

Je bent mijn vriend, John.

Chen tilde de glazen uit de rugtas. Hij hield ze een voor een omhoog en zag de duidelijke, scherpe vingerafdrukken zelfs door het plastic heen. Chen glimlachte. De lijkschouwer had vijf onbekende lijken en nu kreeg hij er nog twee bij. Iedereen zou zich op de kop krabben en zich afvragen wie die kerels in godsnaam waren, maar ze zouden het niet weten...

...tot John Chen het hun vertelde.

Chens grijns werd nog breder.

De wapens konden wel tot morgen wachten, maar nu was het beste moment voor de glazen. De laboratoriumploeg was gehalveerd, Harriet was naar huis en niemand zou vragen waar hij mee bezig was. Chen stopte de wapens onder zijn stoel, sloot zijn auto af en haastte zich naar binnen met de glazen.

Chen wilde de identiteit van deze kerels achterhalen, niet alleen voor zichzelf, om er zijn voordeel mee te doen, maar voor Pike. Hij wilde zijn vriend Joe Pike niet teleurstellen.

VIERENTWINTIG

Pike haalde onderweg iets te eten bij een Indiaas restaurant in Silver Lake, ook al had Cole al boodschappen gedaan. Hij nam een gerecht van spinazie en kaas dat saag paneer heette, vegetarische jalfrezi en knoflooknaan, omdat hij dacht dat het meisje dat lekker zou vinden, en een liter lassi, een zoete yoghurtdrank. De lassi was machtig als een milkshake en op smaak gebracht met mango. Pike vond de scherpe kruiden heerlijk ruiken; de knoflook en garam masala; de koriander en kardemom. Ze deden hem denken aan de bergdorpen en valleien in de jungle waar hij die dingen voor het eerst had gegeten. Pike had trek. Hij was bijna misselijk van de honger geworden toen de spanning uit zijn lijf was weggeëbd.

De zon was al lang onder tegen de tijd dat Pike bij hun huis aankwam en het garagepad op reed. Alles zag er goed uit. De deur zat dicht en door de gordijnen zag hij licht branden. In de abrupte stilte toen hij de motor uitzette, piepten zijn oren nog, maar al minder dan eerst. Pike wilde het meisje niet over Luis en Jorge vertellen, maar hij zou haar zeggen dat hij vooruitgang had geboekt, en dacht dat zij zich dan beter zou voelen.

Pike sloot de auto af, liep naar de deur en stak de sleutel in het slot. Hij dacht eraan dat ze schrok als hij opeens uit het niets opdook, dus kondigde hij zichzelf dit keer aan. Hij klopte twee keer en maakte de deur open.

'Ik ben het.'

Pike voelde de stilte toen hij naar binnen stapte. Coles iPod lag op de salontafel naast een open flesje water. Haar tijdschriften lagen op de vloer. Overal in het huis brandde licht, maar Pike hoorde niets. Hij concentreerde zich en probeerde boven de piep uit iets te horen. Hij dacht dat ze misschien een spelletje met hem speelde omdat ze er zo'n hekel aan had dat hij haar altijd verraste, maar hij wist dat het niet zo was. De stilte van een leeg huis lijkt op geen enkele andere stilte.

Pike zette het tasje met eten voorzichtig op de grond. Hij trok de Kimber en hield hem met de loop omlaag langs zijn been.

'Larkin?'

Met een paar grote stappen stond hij bij haar slaapkamer. Hij nam weer een paar stappen en controleerde de andere slaapkamer, de badkamer en de keuken. Larkin was niet in het huis. De kamers en hun spullen waren keurig in orde en er waren geen sporen van een worsteling. De ramen waren niet kapot. De achterdeur zat op slot, maar hij deed hem open om de achtertuin te controleren en liep daarna terug door het huis. De deuren waren niet geforceerd of opengebroken.

Pike zocht naar een briefje. Geen briefje.

Haar handtas en andere tassen lagen nog op haar slaapkamer. Als ze was weggelopen, had ze ze niet meegenomen.

Pike stapte de voordeur uit en ging in het donker op de kleine veranda staan. Hij luisterde en probeerde een indruk van de omgeving te krijgen; de straatlantaarn boven zijn zilvergrijze poel, de open huizen met goudkleurige ramen, de bewegingen van de buren op hun veranda's en in hun huizen. Het leven verliep normaal. Er waren geen mannen met vuurwapens geweest. Niemand had een tegenstribbelend meisje uit het huis naar een auto gedragen, of een vrouw horen schreeuwen. Larkin was waarschijnlijk rustig te voet vertrokken.

Pike stapte de veranda af en liep naar de straat. Hij probeerde te bepalen welke kant ze op zou gaan en waarom. Ze had creditcards en wat kleingeld, maar geen telefoon waarmee ze haar vrienden of iemand met een auto kon bellen. Pike kwam tot de conclusie dat ze waarschijnlijk naar Sunset Boulevard was gelopen om daar een telefoon te zoeken, maar toen lachte er een vrouw op de veranda aan de overkant van de straat. Het was een ouder stel en ze hadden elke avond op hun veranda gezeten en naar de Dodgers geluisterd. Er kwam muziek uit hun radio, maar Pike kon hun stemmen duidelijk horen.

Hij stapte tussen de auto's en door de poel zilverkleurig licht.

'Mag ik even storen?' zei hij.

Hun veranda werd alleen verlicht door een lamp in hun huis. De rode puntjes van hun sigaretten dansten als vuurvliegjes in het donker.

De man nam een trekje van zijn sigaret en de askegel gloeide op. Hij zette de radio zachter. 'Goedenavond,' zei hij.

Hij sprak op formele toon met een Russisch accent.

Pike zei: 'Ik ben van de overkant.'

De vrouw zwaaide met haar sigaret. 'Dat weten we. We hebben u en de jongedame gezien.'

'Hebt u de jongedame vandaag gezien?'

Ze gaven geen van beiden antwoord. Ze zaten in goedkope aluminium tuinstoelen, vaag zichtbaar in het halfdonker. De oude man nam opnieuw een trekje van zijn sigaret.

'Ik denk dat ze is gaan wandelen,' zei Pike. 'Hebt u gezien welke kant ze op is gegaan?'

De oude man bromde iets onverstaanbaars, maar op zo'n toon dat het veelzeggend klonk.

'Wat?' zei Pike.

De vrouw zei: 'Is dat uw vrouw?'

Pike begreep de ernst van haar vraag en veegde het idee van seks meteen van tafel. 'Mijn zus.'

'Ah,' zei de oude man.

Er gleed iets over het gezicht van de vrouw waaruit je zou kunnen opmaken dat ze hem niet geloofde en ze scheen te overwegen wat ze tegen hem zou zeggen. Ten slotte nam ze een besluit en gebaarde met haar sigaret naar de straat. 'Ze is met de jongens mee.'

'De Armeniërs,' zei de oude man.

De vrouw knikte, alsof daar alles mee was gezegd.

'Ze praatte met hen, zoals ze daar altijd staan, zij en hun auto, en ze is met ze mee.'

'Wanneer was dat?' zei Pike.

'Nog niet zo lang geleden. We waren juist naar buiten gekomen met de thee.'

Een uur geleden. Hoogstens een uur.

'De Armeniërs. Waar wonen die?' zei Pike.

De vrouw wees met haar sigaret opzij. 'Hiernaast. Het zijn allemaal neven van elkaar, zeggen ze, neven en broers. Armeniërs zeggen allemaal dat ze neven van elkaar zijn, maar je weet het maar nooit.'

'Armeniërs,' zei de oude man.

Het huis waar de oude vrouw naar wees, was donker en de BMW stond niet in de straat. Ze scheen Pikes gedachten te lezen. 'Er is niemand thuis. Ze zijn allemaal weggereden.'

'Hebt u ze horen zeggen waar ze naartoe gingen?'

De vrouw helde haar stoel naar achteren en rekte zich uit naar het open raam. 'Rolo! Rolo, kom eens!'

Een jongen in een Lakers-shirt duwde de hordeur open. Hij was lang en mager en Pike schatte hem op een jaar of vijftien.

'Ja, oma?'

'De Armeniërs, waar gaan die altijd naartoe?'

'Dat weet ik niet.'

De oude man ergerde zich kennelijk en maakte een afwerend gebaar met zijn handen om aan te geven dat de jongen hen niet in de maling moest nemen. 'De Armeniërs. Die club waar je nooit naartoe moet gaan.'

De oude vrouw trok haar wenkbrauwen op naar Pike. 'Hij weet het wel. Hij praat regelmatig met die Armeense jongens. Met de jongste. Ze hebben zo'n club.'

Rolo keek beschaamd, maar beschreef iets wat leek op een dancing niet ver weg in Los Feliz. Rolo kon zich de naam niet meer herinneren, maar hij beschreef hem vrij duidelijk: een oud gebouw ten noorden van Sunset, dat pas was gewit en één woord op de zijgevel had. Rolo wist het woord niet meer, maar dacht dat het iets met een 'Y' was.

Pike vond het gebouw twintig minuten later, net ten noorden van Sunset waar het tussen een Armeense boekwinkel en een Vietnamees-Franse bakker in zat geklemd. Op een bord boven op het gebouw stond CLUB YEREVAN. Daaronder bevond zich een roodleren deur die openstond. Drie zware mannen stonden buiten op de stoep te praten en te roken, twee in een overhemd met korte mouwen en een in een glimmend leren jasje. Op een kleiner bordje boven deur stond PARKEREN AAN DE ACHTERKANT.

Pike sloeg af bij de hoek. Een smal straatje achter de winkels leidde naar een parkeerplaats, waar een parkeerwachter in een piepklein hokje de ingang bewaakte. Het was nog vroeg, maar de parkeerplaats was al aardig vol. Een groepje mensen stond bij de achterdeur van de club.

Pike verspilde geen tijd aan de parkeerplaats en deed geen poging de BMW te vinden. Ze was hier of ze was hier niet, en als ze hier niet was, zou hij snel zijn zoektocht vervolgen. Pike stopte achter de Vietnamese bakker en stapte uit zijn auto. De parkeerwachter zag hem en kwam met wapperende handen snel aangelopen door het straatje.

'Daar kunt u niet parkeren. Dat is verboden.'

Pike negeerde hem en drong tussen de mensen door. De piep in zijn oren was terug en harder dan ooit, maar Pike lette er niet op. Hij schoof langs jonge vrouwen met bruine sigaretten en lachende mannen wier ogen de vrouwen geen moment loslieten. Hij stapte een lange smalle gang in waar nog meer mensen aan weerszijden tegen de muur aan stonden en tegen elkaar schreeuwden boven een dreunende hiphop dancemix uit die de piep nog niet helemaal overstemde. Hij duwde de deur van het herentoilet open, keek rond en duwde daarna de deur van het damestoilet open. De mensen om hem heen lachten en keken naar hem, maar Pike liep door zonder er aandacht aan te schenken.

Hij sloeg een hoek om, en nog een. Het werd drukker naarmate Pike het einde van de gang naderde en de muziek werd harder met een bonkend basritme, alleen werd het ritme nu benadrukt door de aanwezigen. De mensen schreeuwden met hun armen boven hun hoofd en duwden ritmisch op de maat van de muziek hun handen omhoog, terwijl ze riepen: '*GO baby, Go baby, Go baby, GO...!*'

Pike wurmde zich tussen de zwetende lijven door die de zaal in stroomden en zag haar. Larkin stond in haar bh boven op de bar en bespeelde het publiek als een stripper terwijl ze op de maat van het geschreeuw met haar heupen wiegde. Ze draaide zich langzaam om en liet haar handen van haar haar naar haar kruis glijden terwijl ze op de bar hurkte en het smerige glimlachje trok, en het enige wat Pike zag, was de dolfijn die frank en vrij boven haar heupen dartelde en om erkenning schreeuwde.

Het meisje zag hem toen hij bij de bar kwam en hield plotseling op met dansen alsof ze een kind was dat werd betrapt op iets stouts. Ze ging rechtop staan en keek met een schuldbewuste en bange blik op hem neer. Pike stond stil aan haar voeten en op dat moment waren ze de enige twee mensen die niet met hun armen in de lucht stonden te dansen.

Pike schreeuwde boven de bonkende bas uit. 'Kom eraf!'

Ze verroerde zich niet. Er stond een verdriet op haar gezicht te lezen dat hem verwarde. Hij zei het niet nog een keer tegen haar. Hij wist niet zeker of ze hem had gehoord.

Larkin verzette zich niet toe hij haar van de bar trok.

Pike draaide zich om met het meisje en de mensen wisten niet wat ze ervan moesten denken; sommigen lachten, anderen jouwden. Maar toen kwamen de twee oudste neven en een forse man met een dikke buik naar hem toe. De oudste neef ging vlak voor hem staan om Pike de weg te versperren en de dikke man greep Pikes arm vast. Pike had de duim van de man al te pakken op het moment dat hij zijn arm aanraakte, trok de hand weg, draaide hem om zoals water over een steen kolkt en kwakte de man voorover op de grond als een golf die op de kust slaat.

De mensen om hen heen weken achteruit.

Pike had zijn ogen niet van de oudste neef gehaald en keek nu ook niet weg.

De menigte schoof verder achteruit. Niemand verroerde zich. Toen Pike ten slotte het idee had dat ze het begrepen, leidde hij het meisje de club uit.

VIJFENTWINTIG

De mensen die in de gang en bij de achterdeur stonden, hadden haar niet zien dansen en wisten niet wat er bij de bar was gebeurd, maar Pike trok haar direct mee naar de auto. Ze stapte in zonder een woord. Hij reed snel achteruit het straatje uit, scheurde vol gas naar Sunset en bedacht onderwijl wat hij met de neven aan moest en of ze wel of niet terug moesten gaan naar het huis. Pike was boos, maar boosheid zou alleen maar in de weg zitten. Het was zijn taak haar in leven te houden. Hij zei niets tot ze twee straten verder waren.

'Heb je ze verteld wie je bent?'

'Nee.'

'Wat heb je ze verteld?'

'Mona.'

'Hè?'

'Mijn naam. Ze moesten iets tegen me zeggen. Ik heb gezegd dat ik Mona heette.'

Pike hield de achteruitkijkspiegel in het oog om te zien of ze gevolgd werden. 'Heeft iemand je herkend?'

'Dat weet ik niet. Hoe kan ik dat nou weten?'

'Door de manier waarop iemand naar je keek. Misschien heeft iemand iets gezegd.'

'Nee.'

'Door de vragen die ze stelden. Een opmerking.'

'Alleen dansen. Ze vroegen of ik danste. Ze vroegen van wat voor films ik hield. Dat soort dingen.'

Ze waren vier straten verder toen Pike de auto voor een drankwinkel aan de kant zette. Hij nam haar kin in zijn hand en draaide haar gezicht naar de tegemoetkomende koplampen. 'Ben je dronken?'

'Ik heb toch gezegd dat ik niet drink. Ik sta al een jaar droog.'

'High?'

'Al een jaar niet meer.'

Hij bestudeerde het spel van het licht in haar ogen en concludeerde dat ze de waarheid sprak. Hij liet haar kin los, maar ze pakte zijn hand en drukte hem tegen haar gezicht. Hij wilde hem wegtrekken, maar ze hield hem stevig vast en hij wilde haar geen pijn doen.

'Zet die stomme bril af,' zei ze. 'Weet je wel hoe eng dat is, jij met die bril op? Niemand draagt 's nachts een zonnebril. Laat me kijken. Jij hebt naar mijn ogen gekeken, nu wil ik die van jou zien.'

'Het zijn gewoon ogen,' zei Pike.

Hij boog haar vingers open en trok zijn hand terug. Voorzichtig om haar geen pijn te doen. Niet zoals bij de man in de bar.

'Wat je hebt gedaan, zou ons allebei het leven kunnen kosten. Wil je dood? Ben je daar op uit?'

'Wat een dom –'

'Zeg maar wat je wilt. Wil je naar huis, dan breng ik je thuis. Wil je blijven leven, dan maak ik hier een einde aan.'

'Ik was niet –'

Pike klemde allebei haar handen in de zijne. 'Ik zal mijn huid duur verkopen, maar niet voor een zelfmoord. Ik ga mijn leven niet vergooien.'

Ze keek even voor zich uit alsof ze in de war was.

'Ik wil niet dat –'

Pike greep haar handen steviger beet en snoerde haar opnieuw de mond. 'Als je naar huis wilt, laten we dan gaan. Als je dood wilt, ga dan naar huis en ga dáár dood, want ik laat het niet gebeuren.'

Misschien kneep hij te hard. Zijn handen waren eeltig, een en al kraakbeen en bot en hij was sterk. Haar kin trilde en haar ogen schoten vol tranen.

'Ik reed alleen maar in mijn auto!'

Pike gaf een klap op het stuur. 'Dit stuur, dat maalt er niet om. De lucht die we inademen, die maalt er niet om. Zet je eroverheen...'

'Klootzak!'

'Wil je blijven leven of gaan dansen? Je kunt over twintig minuten thuis zijn.'

'Je weet niet wat het is om mij te zijn!'

'Je weet niet wat het is om míj te zijn.'

Koplampen en achterlichten gleden over haar heen en bewogen zoals licht in water speelt; gele en groene en blauwe lampen op de winkels en reclameborden dompelden haar in een warboel van verschietende kleuren. Ze zei niets. Ze was kennelijk niet in staat iets te zeggen.

Pike liet zijn stem dalen. 'Zeg me dat je wilt blijven leven.'

'Ik wil blijven leven.'

'Zeg het nog eens.'

'Ik wil blijven léven!'

Pike liet haar handen los, maar ze bleef toch doodstil zitten. Hij rechtte zijn rug. 'We verschillen niet zo veel van elkaar.'

Het meisje barstte in lachen uit. 'Lieve hemel! Godsamme, kérel! Ben jíj niet high?'

Pike zette de auto in de versnelling, maar hield zijn voet op de rem. Hun overeenkomsten leken zonneklaar.

'Jij wilt gezien worden; ik wil onzichtbaar zijn. Het komt allemaal op hetzelfde neer.'

Het meisje staarde hem aan en rechtte toen haar rug zoals hij ook had gedaan.

'Een idealist,' zei ze.

Pike begreep niet wat ze zei en schudde zijn hoofd.

'Je vriend. Elvis. Hij zei dat je een idealist bent.'

Pike trok op en voegde zich bij het andere verkeer. 'Hij vindt zichzelf grappig.'

Ze wilde iets zeggen, maar viel stil zoals mensen stilvallen wanneer ze nadenken. Ze reden terug naar het huis in die stilte, maar er was een moment dat ze haar hand op zijn arm legde en hem een kneepje gaf, en er was een moment dat hij haar een klopje op haar hand gaf.

ZESENTWINTIG

Toen het ritme van haar ademhaling aangaf dat het meisje op de bank in slaap was gevallen, deed Pike de laatste lamp uit en werd het donker in de kamer en het huis. Hij zou straks nog weggaan en hij wilde geen licht wanneer hij de deur opendeed.

Pike sloeg haar stil gade. Ze hadden van de Indiase gerechten gegeten, maar niet veel; een beetje gepraat, zij vooral, grapjes gemaakt over de muziek op Coles iPod en nu was ze met de koptelefoon nog in haar oren in slaap gevallen.

Het meisje leek nog jonger als ze sliep, en kleiner, alsof een stukje van haar in de bank was verdwenen. Nu ze sliep, meende Pike dat hij haar 'oorspronkelijke mens' zag. Pike geloofde dat ieder mens zichzelf creëerde; je bouwde jezelf van binnenuit op, waarbij de spankracht en de wil van de innerlijke mens de uiterlijke mens bij elkaar hielden. De uiterlijke mens was het gezicht dat je de wereld toonde; het was je masker, je camouflage, je boodschap en wellicht je middel. Het bestond slechts zolang de innerlijke mens het bij elkaar hield en als de innerlijke mens het masker niet langer bij elkaar kon houden, loste de uiterlijke mens op en zag je de oorspronkelijke mens. Pike had gezien dat slapen de greep soms losser kon maken. Drank, drugs en extreme emoties konden de greep ook allemaal losser maken; hoe zwakker de greep, des te makkelijker verslapte hij. Dan zag je de mens in de mens. Pike dacht vaak na over deze dingen. Het was de truc om op een punt te komen dat de innerlijke en de uiterlijke mens dezelfde waren. Hoe dichter iemand bij dit punt kwam, des te sterker werd hij. Pike was van mening dat Cole zo'n mens was, iemand bij wie het innerlijk en het uiterlijk heel dicht bij elkaar lagen. Hij had daar bewondering voor. Hij dacht er ook over na of Cole dat bewust had nagestreefd en er moeite voor had gedaan, of dat hij één met zichzelf was omdat hij dat van nature was. Pike beschouwde het hoe dan ook als een prestatie van bijzonder groot belang en bestudeerde Cole om van hem te leren. Pikes innerlijke mens had een fort gebouwd. Het fort had zijn nut bewezen, maar Pike hoopte op meer. Een fort was een eenzame plaats om in te wonen.

Pike kwam tot de conclusie dat Larkins oorspronkelijke mens een kind was, en dat zou goed maar ook slecht kunnen zijn. Een kind beschikte over minder spankracht. Door de inspanning om de uiterlijke mens bij elkaar te houden, zou het kind verzwakken en dan zou er iets kapotgaan. Het kind zou verpletterd worden en uit elkaar gescheurd tot iets anders, en dat zou goed kunnen zijn of niet, maar de oorspronkelijke mens zou hoe dan ook veranderen. Volgens sommige theorieën was verandering goed, maar daar was Pike niet zo zeker van. Die overtuiging kwam naar zijn idee voort uit eigenbelang; verandering leek soms onvermijdelijk en als het onvermijdelijk was, kon er maar beter een goede draai aan worden gegeven.

Na een paar minuten ging Pike naar de eettafel. Hij haalde zijn pistool uit elkaar, precies zoals hij die ochtend had gedaan, en ging het voor de tweede keer die dag schoonmaken. Hij was niet van plan te gaan slapen. Hij moest nog beslissen of ze het huis zouden aanhouden of niet en dat hing voor een groot deel af van de Armeniërs. Pike zat op hen te wachten.

Pike had er geen moeite mee in het donker te werken. Hij poetste de onderdelen schoon met het oplosmiddel voor kruit, maar lette erop dat hij niet te veel gebruikte, want hij wilde niet dat ze wakker werd van de lucht. Hij wilde dat het meisje sliep als de neven thuiskwamen.

Pike zat de loop te borstelen toen hij hen hoorde. Hij liep naar het raam aan de voorkant en zag de vijf neven uit hun BMW stappen.

Pike glipte de voordeur uit en de veranda af. De oudste neef kwam achter het stuur vandaan. Ze zagen hem niet tot hij bij het trottoir kwam. Toen zei de jongste, die aan de andere kant van de auto stond, iets en draaiden ze zich om op het moment dat Pike de weg op stapte.

Het was stil, zo laat, in die rustige buurt. De veranda's waren leeg. De oude mensen en de gezinnen sliepen. Auto's stonden geparkeerd en de straten waren verlaten op Pike en de vijf neven na, daar in de kegel blauw licht.

Pike bleef een paar meter bij hen vandaan staan en keek hen om beurten aan tot hij zijn ogen liet rusten op de oudste, de man die in de bar voor hem was gaan staan.

'Ik neem aan dat ze jullie niet heeft verteld dat we getrouwd zijn,' zei Pike. 'Ik neem aan dat jullie dat niet wisten en dat jullie haar daarom mee uit hebben genomen. Ik neem aan dat we dat probleem niet meer zullen hebben, nu jullie dat weten.'

De oudste neef hief zijn handen om te laten zien dat hij het misverstand betreurde. 'Geen punt, kerel. Ze zei dat jullie alleen maar daar woonden samen, meer niet. Huisgenoten. Ze zei dat jullie huisgenoten waren.'

De jongste knikte instemmend. 'Yo, man, we waren gewoon een beetje aan het chillen. Ze kwam naar buiten en begon met ons te kletsen.'

De jongste was zo veramerikaniseerd, dat hij straattaal sprak met een Armeens accent.

Pike knikte. 'Ik begrijp het. Dus er zijn geen problemen tussen ons.'

'Nee, man, alles is cool.'

Pike lette op hun gezicht en lichaamstaal, niet om te zien of alles cool was, maar om te zien of ze haar hadden herkend. Als zij, of iemand die ze kenden in de club, haar hadden herkend, zouden ze het daar de rest van de avond over hebben gehad. Pike besloot dat ze het niet wisten, en ook niet vermoedden. Larkin was wat deze kerels betrof gewoon een van de vele dwaze meiden, een van de vele meiden die losgeslagen waren. Hij kwam tot de conclusie dat ze geen gevaar vormden.

'Mona heeft zoiets al eerder gedaan en dat heeft problemen opgeleverd,' zei Pike. 'Een of andere vent is haar gaan stalken. Daarom zijn we verhuisd, maar we weten dat hij haar probeert te vinden. Als jullie iemand zien, laten jullie me dat dan weten?'

'Uiteraard, man. Geen punt,' zei de oudste.

Pike stak zijn hand uit en de oudste drukte hem.

De op één na oudste, die met een soort ontzag had staan toekijken, nam nu het woord.

'Wat was dat trouwens wat jij in de club deed? Hoe heet dat?'

De jongste lachte. 'Hij liet iemand een poepie ruiken, droplul!'

Twee van de neven lachten, maar de oudste niet. Hij zei tegen hen dat het al laat was en dat ze naar binnen moesten gaan.

De oudste neef wachtte tot de anderen weg waren en keek Pike toen aan met een blik vol medeleven.

'Het spijt me dat je dit moet meemaken, kerel. Je moet wel veel van haar houden,' zei hij.

Pike liet de oudste neef daar achter in het blauwe licht en keerde terug naar het huis. Larkin sliep nog. Hij haalde het dekbed uit haar slaapkamer, legde dat over haar heen en ging naar de keuken om een flesje water te pakken. Hij dronk het leeg. Hij haalde het bakje met overgebleven jalfrezi uit de koelkast, maar at er niet veel van. Pike ging verder met het schoonmaken van zijn pistool. Hij genoot van de zekerheid van het staal in zijn handen, van de harde en duidelijke vormen, de voorspelbare manier waarop het in elkaar gezette wapen zou functioneren, de troost van de eenvoud ervan. Hij hoefde niet na te denken als hij met zijn handen werkte.

Pike keek naar het slapende meisje en wachtte op de volgende dag.

DAG VIER

NAAR DE ZON KIJKEN

ZEVENENTWINTIG

Pike sliep die nacht maar een paar minuten. Tussen de overpeinzingen door deed hij een paar keer een lusteloos dutje, waaruit hij eerder gespannen dan uitgerust wakker werd. Er kwam vaart in de jacht en nu wilde Pike doordrukken. Naarmate hij de snelheid opvoerde, zou Meesh vlugger moeten reageren en zou hij steeds hogere eisen aan zijn mensen stellen. Zijn mensen zouden er de pest in krijgen en Meesh zou boos worden en dan zou Pike de snelheid nog verder opvoeren. Dit heette de vijand onder druk zetten en als Meesh maar genoeg druk voelde, zou hij zich realiseren dat hij niet langer de jager was. Hij zou accepteren dat hij de prooi was. Dat heette de vijand breken. Dan zou Meesh een fout maken.

Bij zonsopgang ging Pike naar de badkamer zodat hij het meisje niet zou storen. Hij belde Cole en vertelde hem over het motel. Pike hoorde aan zijn stem dat Cole geïrriteerd was.

'Ben je gezien op de plaats van de schietpartij?'

'Nee.'

'Weet je het zéker?'

Pike gaf geen antwoord en uiteindelijk slaakte Cole een zucht.

'Goed, misschien niet. De politie heeft mijn deur nog niet ingetrapt. Ik neem even een douche, dan kom ik naar je toe.'

Toen Pike de badkamer uit kwam, was het meisje wakker. Ze was nog nooit zo vroeg op geweest zolang als hij haar kende. Ze keek van hem weg alsof ze zich schaamde voor de afgelopen nacht.

'Heb je koffie gezet?' vroeg ze.

'Ik wilde je niet wakker maken.'

'Ik doe het wel.'

Ze wilde naar de keuken lopen, maar hij hield haar tegen.

'Ik heb een paar dingen hier. Kom even kijken.'

Hij had haar nog niet over het motel verteld, maar nu nam hij haar mee naar de tafel waar hij de paspoorten en papieren had klaargelegd voor Cole. Hij hield het paspoort van Luis omhoog, opengeslagen bij de foto. Ze keer er even naar en schudde haar hoofd.

'Jésus Leone. Wie is dat?'

'Een van de mannen die je huis zijn binnengedrongen. De man die jullie huishoudster heeft mishandeld. Zijn echte naam was Luis. Zijn achternaam weet ik niet.'

Pike liet haar een voor een de andere paspoorten zien, maar ze herkende geen van de mannen. Ze keek nauwelijks naar hun foto's.

'Hoe kom je aan die dingen?'

Pike ging niet op de vraag in. 'Zegt de naam Barone je iets?'

'Nee.'

'En ken je iemand die Carlos heet?'

Ze schudde haar hoofd en pakte Luis' paspoort op. Ze bestudeerde de foto, maar Pike wist dat ze niet over Luis nadacht.

'Heb je daar last van, je weet wel, als je...'

'Nee.'

'Echt niet?'

'Nee.'

Ze gooide het paspoort bij de andere. 'Mooi.'

Toen Cole kwam, had hij een kleine televisie bij zich. Pike had er niet om gevraagd en het meisje ook niet, maar Cole kwam aanzetten met een Sony van 49 cm.

'Hij stond stof te verzamelen in de logeerkamer. Ik weet niet eens zeker of hij het doet,' zei hij.

Naar Pikes idee zou Cole nooit zo veel moeite hebben gedaan en het ding niet naar zijn auto zeulen zonder eerst te controleren of hij het deed, maar hij zei niets. Ze hadden geen kabel, maar er zat een kleine sprietantenne bij. Ze zetten hem op een tafeltje in de woonkamer, deden hem aan en de kleine tv bleek prima te werken. Ze konden de kabelkanalen niet ontvangen, maar het beeld van de lokale zenders was duidelijk en scherp.

Larkin bedankte Cole voor de televisie, maar zonder veel enthousiasme. Ze was de hele ochtend al stil; niet afwezig, alleen rustig. Ze had verlegen naar Cole geglimlacht toen hij binnenkwam en stil toegekeken hoe ze de tv aansloten, en toen hij het eenmaal deed, ging ze met een kop koffie op de bank zitten. Ze staarde naar een van de praatprogramma's op de lokale zender, maar wanneer Pike in haar richting keek, leek ze er met haar hoofd niet bij te zijn. Alsof ze aan andere dingen dacht.

Toen het meisje voor de tv was geïnstalleerd, liet Pike Cole de paspoorten zien. Cole hield ze schuin in het licht.

'Dit zijn goede vervalsingen. Uitstekende vervalsingen. En er zijn een stuk of twaalf van die kerels gekomen?'

'Dat zei die man. Nu zijn er nog vijf.'

Cole legde de paspoorten neer.

'Tenzij ze versterking inroepen.'

Pike liet Cole de kaarten en de vliegtickets zien en het vel uit een spiraalblok dat hij uit Luis' tas had gehaald. Het smoezelige vel papier was tientallen keren platgestreken en weer opgevouwen en waarschijnlijk nog veel meer keren in Luis' zak gepropt. Op de voor- en achterkant waren schots en scheef allerlei onleesbare notities geschreven, zonder één zin die langer was dan een paar woorden. Voor het meisje wakker werd, had Pike bijna twintig minuten lang pogingen gedaan ze te lezen, maar het was hem niet gelukt. Luis had waarschijnlijk aantekeningen zitten maken in de auto, met een telefoon onder zijn oor geklemd en één hand op het stuur wellicht. Pike vermoedde dat het namen en routebeschrijvingen waren. De nummers waren duidelijk telefoonnummers.

Cole trok een lelijk gezicht naar het vel papier. 'Ze geven kennelijk geen les in schoonschrijven op de boevenschool.'

Cole wierp een blik op de vliegtickets en de kaarten, legde ze met het vel uit het spiraalblok op een stapeltje en bekeek toen het horloge. Zijn wenkbrauwen gingen omhoog toen hij de inscriptie las.

'George, zoals in George King?'

'Het is een horloge van zestigduizend dollar.'

'Ik kan de serienummers natrekken.'

Cole legde het horloge op de kaarten en richtte zijn aandacht op de telefoons. Pike had van elke telefoon een lijst met de nummers van de uitgaande en inkomende gesprekken opgesteld. Hij had de telefoons JORGE en LUIS gedoopt. Jorge had slechts zes telefoontjes gepleegd, allemaal met Luis. Luis had zevenenveertig keer gebeld naar negentien verschillende num mers. Cole wierp een blik op Pikes lijst en daarna op de twee telefoons.

'Wie is wie?'

Pike raakte de ene telefoon aan en daarna de andere. 'Jorge. Luis.'

Cole zette de telefoons aan en bestudeerde de toetsen. 'Jammer dat we de wachtwoorden niet weten. Dan zouden we de berichten kunnen afluisteren. Als iemand iets had ingesproken.'

'Laat ze aan staan. Misschien belt er iemand.'

'Misschien was het niet zo'n slim idee van je die vent te bellen. Waarschijnlijk flikkert hij de telefoon in een vuilnisbak en koopt hij een andere. Hij heeft hem misschien al weggegooid.'

'Ze zouden toch hebben geweten dat we de telefoons hadden als ze Luis en Jorge hadden gevonden. Ik wilde hem onder druk zetten.'

Cole wierp een blik op het meisje om er zeker van te zijn dat ze niet meeluisterde en liet zijn stem dalen. 'Je hebt zeven van zijn mensen gedood. Hij vreet Rennies.'

'Nu is het persoonlijk. Dat is beter.'

'En als hij nu vindt dat het zo persoonlijk is, dat hij teruggaat naar Colombia?'

'Dan ga ik achter hem aan.'

Cole wierp opnieuw een blik op haar. 'Maar volgens jou was de vent die je aan de lijn kreeg, niet Meesh?'

'Hij had een accent. Heel licht, maar wel te horen. Frans misschien. Of Frans met Spaans. Gisteren dacht ik dat het Meesh niet kon zijn, maar nu ben ik daar niet meer zo zeker van.'

'Hoezo?'

'Wat voor accent heeft een crimineel uit Denver? Er staat in zijn dossier niets over een accent, maar er wordt veel weggelaten uit die overzichten.'

Cole keek de nummers nog eens door.

'Goed. Zelfs als ze hun telefoon weggooien, kan ik hier misschien nog wel iets mee. Die negentien nummers betekenen dat hij negentien telefoons heeft gebeld en die telefoons hebben andere telefoons gebeld. Niet al die telefoons zullen in de vuilnisbak belanden. Ik ga wel even met mijn vriendin bij de telefoonmaatschappij praten. Misschien kan zij de gespreksgeschiedenis van andere maatschappijen opvragen. Zo stuiten we op echte telefoons die horen bij mensen met echte namen.'

Pike zag dat het meisje naar hem keek. De gastheren van het praatprogramma spraken over een of andere filmster, maar ze had niet zitten luisteren.

'Hoe gaat het?' zei Pike.

'Heel goed.'

Ze richtte haar ogen weer op de televisie.

Cole had de vliegtickets gepakt en zat aantekeningen te maken. De kaarten, de tickets en de kleine stukjes papier bevatten geen van alle een cruciale aanwijzing die rechtstreeks naar Meesh leidde, zoals een hotelrekening met zijn handtekening, maar dat had Pike had ook niet verwacht. Cole zou de nummers moeten natrekken net zoals Chen de wapens natrok. Ze zouden vast ergens op stuiten en dan zou Pike dichter bij Meesh zijn. Pike had geduld. Je moest bij het jagen gewoon één stap inlopen. En daarna liep je er weer een in. Algauw had je de vent in je vizier. Telkens één stap inlopen, dat was het hele eiereten.

Pike liep bij Cole weg om de ramen aan de voorkant te controleren. De BMW van de neven stond op zijn plaats en er was niets bijzonders te zien in de straat en aan de huizen. Er waren geen nieuwe auto's verschenen en er zaten geen onbekenden verstopt in de struiken. Alles leek in orde.

Hoewel het nog vroeg was, voelde Pike de temperatuur stijgen en zag hij wat de dag zou brengen. Er hing een lichte nevel en de lucht was bleek. Tegen twaalven zou de lucht vol koolwaterstof en ozon zitten en die stoffen zouden als onzichtbare insecten in hun huid prikken.

Hij draaide zich van het raam af. Het meisje keek naar de televisie, maar had alweer naar hem zitten kijken. Hij betrapte haar erop dat ze haar ogen snel naar het scherm draaide.

'We zetten vandaag de airconditioner aan,' zei hij.

'Dat is fijn. Bedankt.'

'Alles goed?'

'Ja. Prima.'

Pike vroeg zich af waarom ze hem nog steeds niet aankeek. Het was niets voor haar. Hij had niet de indruk dat ze boos was en ze deed ook niet neerbuigend tegen hem. Ze wilde hem alleen niet aankijken als hij naar haar keek. Pike controleerde of Cole nog aan het werk was en liep naar het meisje toe. Hij ging zo dicht bij haar staan, dat ze wel naar hem op moest kijken.

'Wat?' zei ze.

'Zit er maar niet over in.'

'Waarover?'

'Gisteravond. Vergeet het. Het zit goed tussen jou en mij.'

'Dat weet ik.'

Ze leek zich nog slechter op haar gemak te voelen, maar glimlachte toen Cole opeens riep: 'Ik heb iets gevonden.'

Cole leunde naar achteren met zijn stoel op twee poten en hield het vel papier uit het spiraalblok omhoog.

'Kun je lezen wat hij heeft geschreven?' zei Pike.

'De woorden niet, maar ik heb het merendeel van de nummers. Moet je kijken...'

Pike liep naar hem toe en dit keer ging het meisje met hem mee. Cole legde het papier op tafel en wees een van de nummers aan. 18185.

'Alsof hij bezig was een telefoonnummer op te schrijven, maar er halverwege mee is opgehouden,' zei Pike.

818 was het netnummer voor de San Fernando Valley.

'Dit is geen telefoonnummer. Het ziet eruit alsof hij het begin van een telefoonnummer heeft opgeschreven, maar het is een adres...' zei Cole.

Hij legde een van zijn zelfgemaakte kaarten over het vel papier uit het spiraalblok en keek naar Larkin.

'Dit is jouw straat. Het nummer viel me op omdat ik mijn aantekeningen heb ingedeeld naar adres.'

'Ik woon op 17922,' zei Larkin.

'Jij woont drie blokken naar het noorden in het blok 17900. De nummering loopt op naar het zuiden. Hier had je het ongeluk' – Cole raakte een plekje in de straat aan waar hij een kleine X had gezet om de plaats van het ongeluk te markeren en tikte toen op het gebouw ernaast – 'en dit is 18185, precies in de steeg waar ze uit kwamen rijden toen jij op ze knalde.'

Cole had het adres van alle gebouwen met kleine cijfers op de kaart aangegeven. 18185 was het leegstaande pakhuis aan het begin van het steegje.

'Wanneer is Luis het land in gekomen?' zei Pike.

Cole keek naar de datum op het vliegticket. 'Pas vier dagen na het ongeluk. De agenten van Justitie waren al overal in de wijk geweest. Larkin was bij haar vader in Beverly Hills en het ongeluk was oud nieuws. Als ze achter Larkin aan zaten, moesten ze haar loft en haar huis in Beverley Hills hebben, maar waarom zouden ze willen weten waar het ongeluk was gebeurd?'

Pike wist dat Cole gelijk had. Luis en zijn huurmoordenaars zouden niets te zoeken hebben op de plaats van het ongeluk.

'Dus misschien werd hij niet naar de plaats van het ongeluk gestuurd. Misschien ging hij naar het gebouw.'

'We moeten er nog een keer gaan kijken.'

Pike ging een overhemd met lange mouwen pakken, terwijl Cole zijn aantekeningen bij elkaar zocht. Toen Pike het overhemd dichtknoopte, merkte hij dat het meisje weer naar hem zat te kijken. Hij had staan nadenken over de vraag wat hij moest doen als hij haar weer alleen liet, maar nu nam hij een besluit.

'Je mag hier blijven als je wilt. Je hoeft niet in de auto te gaan zitten.'

Het meisje keek verrast en wendde toen haar ogen af alsof ze zijn blik niet kon verdragen. De Larkin die hij op de bar had zien dansen, was niet verlegen en bedeesd geweest, evenmin als de Larkin in de woestijn, maar dit was een andere Larkin. Pike voelde dat ze iets wilde zeggen, maar er nog niet helemaal uit was wat.

'Ik wil graag mee. Als dat mag,' zei ze.

Geen bevel, geen eis. Een verzoek.

'Wat je wilt,' zei Pike.

Vijf minuten later gingen ze naar de auto's.

ACHTENTWINTIG

Pike en Larkin reden zwijgend achter Cole aan uit de heuvels omlaag. Het was abnormaal stil op straat. Het meisje zat niet gedraaid met haar benen opgetrokken en haar schoenen op de stoel zoals gisteren. Ze zat met haar gezicht naar voren en haar voeten op de vloer. Pike zei er niets van. Als ze wilde praten, zou ze praten. Anders niet.

Hij hield haar vanuit zijn ooghoeken in de gaten en twee keer leek ze op het punt te staan iets te zeggen, maar beide keren wendde ze haar hoofd af. Ze staken Sunset Boulevard over toen John Chen belde.

'Ik kon niet eerder bellen.'

Chen fluisterde zo zacht, dat Pike moeite had hem te verstaan. Er waren waarschijnlijk andere mensen in de buurt.

'Kun je ergens anders bellen?'

'Ik ben bij een moordonderzoek in Monterey Park. Een of andere hufter heeft gootsteenontstopper bij zijn moeder naar binnen gegoten. Haar vastgehouden tot ze niet meer bewoog en zich toen aangegeven. Ik ben hier verdomme al sinds zes uur, man. Ik zit op de wc.'

'Wat heb je?'

'Je had helemaal gelijk over die vingerafdrukken.'

'Heb je een naam?'

'Allebei uit de Zuid-Amerikaanse database bij Interpol. Shit, wacht even...'

Chens stem klonk gesmoord, maar harder en Pike hoorde hem zeggen: 'Ik kan er ook niets aan doen dat het zo lang duurt; ik heb iets verkeerds gegeten...'

Chen fluisterde: 'Klootzakken'.

'Vertel eens wat je hebt gevonden.'

'Jorge Manuel Petrada en Luis Alva Mendoza. Petrada, geboren in Colombia en talloze malen gearresteerd in heel Colombia, Venezuela en Ecuador. Mendoza werd geboren in Ecuador, maar is ook overal aan het werk geweest. Ze hebben allebei gezeten en worden op dit moment gezocht voor een aantal moorden, terwijl er voor Mendoza ook nog een opsporingsbevel loopt vanwege drie gevallen van verkrachting. Waar heb je die glazen vandaan, man?'

Pike ging niet op de vraag in.

'Voor wie werken ze?'

'Schijnen handlangers te zijn van een zekere Esteban Barone, iemand van het Quito-kartel uit Ecuador, door de DEA geoormerkt als een van de groepen die de touwtjes in handen hebben genomen nadat het Medellín- en Cali-kartel in Colombia waren opgerold.'

'Hebben ze handlangers of familie hier in Los Angeles?'

'Staat er niet bij.'

'Ergens anders in de Verenigde Staten?'

'Niets over te vinden.'

'Contacten met andere bendes?'

Latijns-Amerikaanse bendes uit Los Angeles zoals Mara 18 en MS-13 hadden zich verspreid naar Centraal- en Zuid-Amerika.

'Nee, man. Het waren soldaten voor die vent, die Barone. Er blijkt nergens uit dat ze hier eerder zijn geweest.'

Chen had bevestigd wat Pike van Jorge te weten was gekomen, maar Pike hoorde niets wat hem dichter bij Meesh zou brengen.

'Heb je de wapens nagetrokken?'

'Kan ik pas doen als ik hier weg ben, maar moet je horen, Justitie heeft de wapens uit Malibu ook geconfisqueerd. Ze zijn het lab van de sheriff binnen gedenderd, net zoals bij ons, en hebben de boel weggehaald; de wapens, de hulzen, alles.'

'Pitman?'

'Op dezelfde manier, alles meegenomen zonder papieren. Die lijken uit Malibu en Eagle Rock, horen die ook bij de Quito-groep?'

'Ja.'

'Weet je wat ik denk? Ik denk dat Justitie allang weet wie ze zijn. Ik denk dat ze hen alleen uit beeld willen hebben.'

'Daar ziet het wel naar uit, John.'

'Ik snap het niet. Dan zijn het dus drugshandelaren. Waarom zou het Justitie iets kunnen schelen als wij de naam van een paar klootzakken uit Ecuador te weten komen? Onze mensen werken voortdurend samen met internationale instellingen. Ik ken een paar jongens van Narcotica die zo veel tijd in Mexico doorbrengen, dat ze er praktisch wonen.'

Pike vroeg zich hetzelfde af. Witwassen was witwassen, of het geld nu van gangsters uit Jersey of van drugsbaronnen uit Ecuador afkomstig was. Het werd met het uur vreemder dat Justitie zo veel moeite deed om hun zaak tegen de Kings af te schermen, en het was niet nodig de politie buiten spel te zetten. Pike vertrouwde het allemaal niet. Hij meende dat Pitman nog iets anders geheim wilde houden, maar hij wist niet wat.

Chen zei: 'Denk je dat ik iets zou vinden als ik de vingerafdrukken uit Eagle Rock en Malibu bij Interpol check? Dat zou een mooie zet zijn, man. Dat zou geweldig zijn.'

'Je kunt het beter laten rusten, John.'

'Echt?'

'Laat het rusten. Het zou wel eens groter kunnen zijn dan we denken.'

'Je vertelt me niet alles, hè?'

'Ik weet nog niet alles. Ik weet wat, maar niet alles. Zo gauw ik meer weet, hoor je het.'

Chen bromde, en dat betekende dat hij zijn water best even wilde ophouden. 'Mag ik je iets vragen? Die kerels uit Ecuador, wat doen die hier?'

Pike gaf antwoord voor zover hij dat kon. 'Doodgaan.'

Pike klapte zijn telefoon dicht en wierp een blik op het meisje. Ze zat alweer naar hem te kijken.

'De volledige naam is Esteban Barone.'

'Zegt me nog steeds niets.'

'De mannen die jou willen vermoorden, werken voor Barone.'

'Ik dacht dat ze voor Meesh werkten.'

'Hij doet zaken met Meesh. Dat beweerde Pitman, dat Meesh hier was om Zuid-Amerikaans geld te investeren.'

Toen ze niet reageerde, keek Pike haar aan. Ze keek net zo peinzend naar hem als ze de hele ochtend al had gedaan, maar nu wendde ze haar blik niet af.

'Ik moet je iets vragen,' zei ze. 'Over wat je gisteravond zei. Dat ik gezien wil worden. Waarom zei je dat?'

Naar Pikes idee lag het voor de hand.

'Je voelt je onzichtbaar. Als niemand je ziet, besta je niet, dus zoek je manieren om gezien te worden.'

Er verscheen een lichte frons tussen haar wenkbrauwen, maar ze was blijkbaar niet boos of beledigd. Pike vond dat ze er verdrietig uitzag.

'Ik ben al sinds mijn elfde in therapie. Jij kent me drie dagen. Ben ik zo doorzichtig?'

'Ja.'

'Hoezo dan? Omdat ik op de bar danste? Moet je zien wat ze met Mardi Gras doen.'

Pike dacht even na om haar een voorbeeld te kunnen geven.

'In de woestijn. Hoe je naar je vader keek. Niet om hem te zien, maar om te zien of hij jou wel zag. Hij stond naar Bud en zijn advocaat en mij te luisteren, dus zei jij iets grofs om zijn aandacht te trekken. Hij moest jou aandacht geven.'

Ze tuurde naar buiten. 'Het kan me niet schelen of hij me wel of niet ziet staan.'

'Nu niet misschien, maar vroeger wel. Je zou er niet zo op gebrand zijn als het je niet kon schelen.'

Ze richtte haar blik weer op hem en nu was de frons tussen haar wenkbrauwen vrijwel verdwenen. 'En dat kun jij allemaal zien door naar me te kijken?'

'Door je te zien. Dat is iets anders.'

'En hoe komt het dat jij zo goed kunt zien?'

Pike dacht even na of hij hier antwoord op wilde geven. Pike was een gesloten man. Hij praatte nooit over zichzelf en had niet veel op met mensen die dat wel deden, maar hij kwam tot de conclusie dat het meisje het recht had het te vragen.

'Vroeger zaten mijn ouders en ik tv te kijken bijvoorbeeld, mijn moeder, mijn vader en ik, of we zaten te eten, en dan werd hij ergens kwaad om. Dan sloeg mijn vader me helemaal bont en blauw. Of haar. Ik leerde op de signalen te letten. De stand van zijn schouders, de manier waarop hij zijn lippen op elkaar perste, hoeveel drank hij inschonk. Een centimeter meer in zijn glas, dan was hij zover. Aan kleine dingetjes kun je het zien. Zie je ze, dan ben je veilig. Mis je ze, dan ga je naar het ziekenhuis. Je leert opletten.'

Ze was stil en toen Pike even haar kant op keek, stond haar gezicht verdrietig.

'Wat vreselijk,' zei ze.

'Het punt is dat ik het spel tussen jou en je vader heb gezien. Je had iets van hem nodig wat je niet kreeg en waarschijnlijk nooit had gekregen.'

Pike wierp een blik op het meisje. Ze zat nog steeds naar hem te kijken.

'Bedankt dat je me ziet,' zei ze.

Pike knikte.

'Bud zei tegen Gordon en mijn vader dat jij me zou beschermen. Mijn vader, die keek alleen naar Gordon. Gordon wilde alleen weten voor hoeveel. Maar Bud zei tegen hem dat jij de man was. Volgens mij ben je dat ook.'

Pike lette op het verkeer. 'Heeft Bud nog meer gezegd?'

'Alleen dat hij met je had gewerkt. Dat we je konden vertrouwen. Hij zei dat jij de klus zou klaren. Dat garandeerde hij.'

Pike hoorde het met een effen gezicht aan zonder commentaar, en verborg zijn verdriet voor het meisje zoals hij bijna al het andere voor haar verborgen hield.

DE SHORTSTOP LOUNGE
7.20 UUR

De Shortstop was een traditie binnen de LAPD. Hij zat op Sunset Boulevard in Echo Park, halverwege Alvarado en het Dodger Stadium, en lag gunstig voor bureau Rampart en de politieacademie. Verjaardagen werden gevierd tussen muren van donker hout die vol hingen met penningen en afdelingsinsignes, en dat gold ook voor echtscheidingen, pensioneringen, promoties, herdenkingen en de zeer geladen, uitvergrote momenten wanneer een agent een schietpartij had overleefd. Carrières begonnen in de Shortstop. Carrières eindigden er ook.

Om 7.20 uur op zijn vrije dag zat Pike aan een klein tafeltje, hij was de enige die alleen zat. Hij negeerde de gespannen blikken en opmerkingen. Pike had erger verwacht, maar hij had er geen problemen mee. Hij had op deze plek met Bud Flynn afgesproken.

Pike zat nu drie jaar, vier maanden en nog wat bij de politie. Zijn eerste jaar was achtentwintig maanden geleden geëindigd. Van zijn jaargenoten van de academie was Pike de eerste en enige die uit hoofde van zijn plicht een ander mens had gedood, een onderscheid waarover hij gemengde gevoelens had. Vijf weken geleden was hij de eerste uit zijn jaar geworden die voor de tweede keer iemand had gedood. Dit tweede schietincident vond plaats op een gure middag bij het Islander Palms Motel, een sjofel stinkhol waar Joe Pike, zoals hij zelf voor een onderzoekscommissie van de politie had verklaard, er de oorzaak van was geweest dat Abel Wozniak, een onderscheiden politieman die al tweeëntwintig jaar bij de LAPD diende, de dood vond toen Pike het leven van ene Leonard DeVille, een pedofiel, beschermde. Abel Wozniak was Pikes partner geweest. Ze hadden samen heel wat keren aan dit tafeltje gezeten, maar dat was nu voorbij.

ONDERZOEKSCOMMISSIE
Onderzoek naar de dood van agent Abel Wozniak

Tijdlijn van de gebeurtenissen (aan de hand van de bevindingen):

9.25 uur: Ramona Ann Escobar (5 jaar, vr.) ontvoerd bij Echo Park Lake

9.52 uur: Opsp.bericht Escobar; verd. L. DeVille, bekend pedofiel, in omgeving

11.40 uur: Agenten Wozniak & Pike vernemen verbl.pl. DeVille, gez. door get. m. minderjarig vr. kind

11.48 uur: Agenten Wozniak & Pike arriveren Islander Palms Motel

11.52 uur: Agenten Wozniak & Pike in kamer DeVille; ondervr. DeVille; vinden fotogr. bewijs van Escobar, maar kind is niet aanw.
(opm.: bij bewijsstukken foto's van minderj. vr. Escobar seks. misbr. door DeVille)

11.55 uur: Agent Wozniak dreigt DeVille te doden tenzij DeVille meisje geeft; agent Wozniak slaat DeVille met dienspistool
(opm.: beh. arts Eerste Hulp bevestigt verwondingen DeVille stroken met verklaring)

11.56 uur: Agent Pike poogt Wozniak tevergeefs te kalmeren; agent Wozniak richt wapen op DeVille; agent Pike grijpt in

11.57 uur: Worsteling agenten Wozniak & Pike; wapen gaat af; agent Wozniak dood bij aankomst ter plaatse
(opm.: resultaten onderzoek Techn. Rech., IZ & lijkschouwer stroken met verklaring)
(opm.: agent Woz eerder in aanraking m. verd. DeVille; twee arrestaties)

Conclusie: Wapen per ongeluk afgegaan. Geen aanklacht ingediend in bovenstaande kwestie.

Om halfacht die ochtend zat de Shortstop vol agenten uit de nachtdienst die het werk van zich af wilden schudden voor ze naar huis gingen. Pike negeerde de manier waarop ze naar hem keken, de agent die de dood van zijn partner op zijn geweten had omdat hij een pedofiel in bescherming had genomen.

Bud had de grimmige blik van een scherpschutter toen hij de bar binnenkwam. Hij had zijn duimen achter zijn riem gestoken. Hij was een van de weinige agenten daar die hun uniform nog aan hadden; de anderen hadden zich allemaal al gedoucht en omgekleed op het bureau. Zijn kaak stond strak en zijn mond was een harde, liploze spleet. Bud keek met samengeknepen ogen speurend de zaal rond tot Pike zijn hand opstak. Ze hadden elkaar al weken niet gezien, in ieder geval niet meer na het schietincident.

Toen ze oogcontact maakten, knikte Pike.

Bud keek de zaal door, nog altijd met zijn duimen achter zijn riem gestoken, en zei zo hard, dat alle agenten in de bar zich omdraaiden om naar hem te kijken: 'Daar zit de beste man die ik ooit heb opgeleid, agent Joe Pike.'

Een anonieme stem op de achtergrond zei even hard: 'Hij kan de pest krijgen, en jij ook.'

Enkele aanwezigen lachten.

Bud liep rechtstreeks naar Pikes tafeltje en ging op een kruk zitten. Misschien hoorde Bud de opmerkingen, maar hij reageerde niet. Pike ook niet. Het was net als bij een relletje: je moest je niet laten provoceren.

'Bedankt voor je komst,' zei Pike.

'Zet die verdomde zonnebril af. Dat ding ziet er dom uit hierbinnen.'

Net alsof Pike nog een rekruut was, en Bud nog zijn opleidingsinstructeur. Pike zette hem niet af.

Hij zei: 'Ik neem ontslag. Ik wilde niet dat je het van iemand anders hoorde.'

Bud keek hem aan alsof Pike hem geld schuldig was en fronste toen zijn wenkbrauwen naar de mannen aan de bar. Een rechercheur Inbraken zat naar hen te kijken en ving Buds blik op.

'Wat nou?' zei Bud zonder zijn blik van de man af te wenden.

De rechercheur draaide zich om naar zijn glas en Bud richtte zijn blik weer op Pike.

'Klootzakken.'

'Niet op letten.'

'Je moet je niet door die eikels laten wegjagen. Probeer het uit te zingen, joh.'

Pike maakte een gebaar dat de bar en alle aanwezigen omvatte. 'We zitten in de Shortstop, Bud. Als iemand iets te zeggen heeft, kan hij het me recht in mijn gezicht zeggen.'

Bud trok een scheve grijns, maar zijn gezicht stond bedroefd. 'Ja. Zo ben je wel. Me hier uitnodigen in plaats van ergens anders.'

'Ik ga straks de formulieren afgeven. Ik wilde het je zelf vertellen.'

Bud slaakte een peinzende zucht en vlocht zijn vingers in elkaar. Pike meende dat Bud teleurgesteld keek en dat deed hem verdriet.

'Doe het niet. Solliciteer bij Metro. Metro is een elite-eenheid, het neusje van de zalm. Als je geen rechercheur wilt worden, kun je proberen bij een SWAT-team te komen. Wat je wilt,' zei Bud.

'Het is over, Bud. Ik neem ontslag.'

'Je bent te goed om ontslag te nemen, verdomme. Je bent polítieman.'

Pike wilde iets zeggen, maar hij kon de juiste woorden niet vinden. Niet voor wat hij echt wilde zeggen. Hoewel hij al drie jaar bij de politie zat, beschouwde Pike zichzelf nog altijd als Buds rekruut en wilde hij zijn goedkeuring hebben, hoewel hij die nu niet verwachtte.

Bud boog zich opeens naar hem toe en liet zijn stem dalen. 'Wat is er in die kamer gebeurd?'

In het Islander Palms Motel.

Pike leunde naar achteren, en vervloekte zichzelf onmiddellijk. Bud zou het idee krijgen dat hij de vraag probeerde te ontwijken. Pikes hele eerste jaar had Bud hem geleerd hoe hij mensen kon doorgronden: nuances in lichaamstaal, gezichtsuitdrukkingen en handelingen konden voor een politieman het verschil tussen leven en dood betekenen.

Pike probeerde zijn fout te herstellen door weer naar voren te komen, maar hij merkte al dat het te laat was. Bud was goed. Bud was een genie.

'Je weet wat er is gebeurd,' zei Pike. 'Dat weet iedereen. Ik heb het aan de onderzoekscommissie verteld.'

'Gelul. Worsteling om het wapen. Maak dat de kat wijs. Ik kende Woz en jou ken ik zeker. Als jij dat wapen wilde hebben, zou je hem al bij zijn lurven hebben voor hij wist wat hem overkwam.'

Pike schudde alleen maar zijn hoofd en probeerde het diep weg te stoppen, probeerde leeg te zijn. 'Zo is het gegaan.'

Bud keek hem aandachtig aan en liet zijn stem nog verder dalen. 'Ik heb gehoord dat er iets met hem was. Liep er een onderzoek naar Woz?'

Pike zag dat Bud het antwoord van zijn gezicht af probeerde te lezen en wist dat elke beweging en elke blik hem zouden verraden, dus antwoordde hij met een effen gezicht en met zo min mogelijk woorden. 'Dat weet ik niet.'

Bud legde zijn hand op Pikes arm. Vroeg dóór. 'Ik heb gehoord dat de lijkschouwer vragen had. Zei dat de hoek waaronder de kogel was binnengedrongen, paste bij een zelf toegebrachte verwonding.'

Zonder één moment weg te kijken lepelde Pike op wat hij de onderzoekscommissie had verteld. 'Wozniak richtte zijn wapen op DeVille. Ik greep het vast en er ontstond een worsteling. In plaats van het wapen van Wozniak af te draaien, draaide ik het naar hem toe. Misschien had ik iets anders kunnen doen, maar zo is het gegaan. Het wapen ging af tijdens de worsteling.'

'Jullie vechten om het wapen,' zei Bud langzaam. 'Dan kan ik me nog voorstellen dat het in zijn buik, of in zijn borst afgaat, maar bij zijn slaap?'

'Laat het rusten, Bud. Zo is het gegaan.'

Bud keek hem zo strak aan, dat Pike het gevoel kreeg dat hij in zijn hoofd naar binnen keek.

'Dus wat er is gebeurd, heeft niets met Wozniaks vrouw en kinderen te maken?'

Alsof Bud het wist. Alsof hij in Pikes gedachten kon lezen dat er een onderzoek naar Wozniak liep in verband met diefstal en criminele samenspanning, dat Pike had geprobeerd hem omwille van zijn vrouw en kinderen ontslag te laten nemen.

'Nee.'

'Het heeft niets te maken met zijn pensioen? Dat ze niets zouden krijgen als hij zelfmoord pleegde, maar dat ze wel een uitkering zouden krijgen, als hij tijdens een gevecht met jou omkwam?'

Alsof alles wat Pike ooit dacht of voelde op zijn gezicht geschreven stond. 'Laat het rusten, Bud. Zo is het gegaan.'

Uiteindelijk leunde Bud naar achteren en Pike waardeerde en respecteerde hem des te meer. Bud scheen tevreden te zijn met wat hij had gezien.

'Weet je wat,' zei Bud. 'Ik ken de sheriff in San Bernardino. Daar zou je naartoe kunnen gaan. Ik ken trouwens ook een paar goede gasten in Ventura County. Daar zou je ook naartoe kunnen.'

'Ik heb al ander werk.'

'Wat ga je doen?'

'Naar Afrika.'

Bud trok een diepe frons, alsof hij wilde zeggen: Waarom zou iemand bij zijn volle verstand een carrière als politieman opgeven om daarheen te gaan?

'Wat zit daar, het Vredeskorps?'

Pike had het er niet over willen hebben, maar nu wist hij niet hoe hij er onderuit moest komen.

'Het is werk op contractbasis. Militair gedoe. Ze hebben daar werk.'

'Wat betekent dat, werk op contractbasis?'

'Ze hebben mensen met gevechtservaring nodig. Zoals toen ik bij de marine zat.'

'Je bedoelt toch niet als huursoldaat, hè?'

Pike gaf geen antwoord. Hij had al spijt dat hij Bud over zijn plannen had verteld.

'Jezusmina. Als je soldaatje wilt spelen, ga dan verdomme terug naar de marine. Wat een achterlijk plan. Waarom wil je jezelf om zeep laten brengen in zo'n godvergeten oord als Afrika?'

Pike had een opdracht aangenomen van een officieel geregistreerd militair bedrijf in Londen. Het was werk dat hij kende en waar hij bijzonder goed in was, duidelijk werk met een helder omschreven doel. En Pike wilde op dat moment helderheid. Hij zou uit de buurt zijn van Wozniaks geest. En ver weg van Wozniaks vrouw.

'Ik moet opstappen. Ik wilde je zeggen dat ik blij ben dat jij mijn opleidingsinstructeur was. Ik wilde je bedanken,' zei Pike.

Hij stak zijn hand uit, maar Bud nam hem niet aan.

'Doe het niet.'

'Het is al gebeurd.'

Pike hield zijn hand uitgestoken, maar Bud nam hem nog altijd niet aan. Bud gleed van de kruk af en stak zijn duimen achter zijn riem.

'De dag dat we elkaar leerden kennen, wilde je beschermen en dienen. Je citeerde het motto. Dat is kennelijk verleden tijd,' zei Bud.

Pike liet eindelijk zijn hand zakken.

'Je stelt me teleur, jongen. Ik dacht dat je meer in je had.'

Jongen.

Bud Flynn wandelde de Shortstop uit en ze zouden elkaar niet meer zien, tot ze elkaar in de woestijn spraken.

Pike zat alleen aan het tafeltje en voelde zich leeg en verdoofd.

Je stelt me teleur, jongen.

Hij luisterde naar de mannen en vrouwen om hem heen. Ze waren vergelijkbaar met zijn directe collega's, de mensen met wie hij had gediend;

ze praatten, klaagden, lachten, logen; voor sommigen had hij respect, voor anderen niet; sommigen vond hij aardig, anderen niet; zo verschillend van elkaar als schelpen op het strand, maar met een bijzondere eigenschap waarin ze verschilden van de meeste andere mensen en waarvoor Pike bewondering had: het waren mensen die het gevaar tegemoet gingen om te beschermen en te dienen. Pike vond het heerlijk politieman te zijn. Hij kon niets verzinnen wat hij liever zou willen zijn, maar je speelde met de kaarten die je kreeg, en nu was dit leven voorbij.

Pike verliet de Shortstop. Hij liep naar zijn auto en dacht aan die eerste avond met Bud Flynn, de avond dat ze op een geval van huiselijk geweld af gingen. Pike dacht zelden aan die avond, zoals hij ook zelden aan zijn gevechtsmissies dacht en aan de pakken slaag die zijn vader hem vroeger gaf. Pike zag de beelden voor zich van Kurt Fabrocini die Bud in de borst stak. Hij zag het vizier van de Beretta dat precies op de bovenkant van Fabrocini's oor was gericht op het moment dat hij de trekker overhaalde; hij zag het rode waas. En daarna Bud die nog natrillend zei: 'Het is niet ons werk mensen te doden; het is ons werk mensen in leven te houden.' En dat over een man die hem in de borst had gestoken. Wat een kerel, Bud Flynn. Wat een politieman.

'Ik zal je missen,' zei Pike.

De vader die hij nooit had gehad.

Pike startte zijn auto. Hij reed weg. Hij speelde met de kaarten die hij had gekregen, ook al waren het slechte kaarten, en hij nam genoegen met het resultaat.

Maar soms wilde hij dat er meer was.

NEGENENTWINTIG

De straat galmde van het geronk van de vrachtwagens die met hun lading langs de rivier in de richting van de snelweg reden. Dezelfde straatverkoper stond met zijn bestelbusje bij het begin van het steegje, alleen hingen de uitgebuite arbeiders vandaag, op dit uur van de dag, op de stoep rond met ontbijtburrito's en plastic bekertjes sinaasappelsap. Pike rook de chorizo en chili toen ze achter Cole langs de stoeprand tot stilstand kwamen.

Pike tuurde naar het pakhuis tot hij het nummer zag, verschoten en afgebladderd maar nog steeds leesbaar, als een schaduw op de lichte muur. 18185. Cole was goed.

Pike wierp een blik op Larkin. 'Weet je zeker dat het gaat?'

'Ik wil erbij zijn. Het gaat best.'

Ze wilde het portier openen, maar Pike hield haar tegen.

'Wacht op Elvis.'

Cole stapte eerst uit zijn auto. Hij speurde de omliggende daken en ramen af als een agent van de geheime dienst die controleert of alles veilig is voor de president en liep toen om zijn auto heen naar de passagierszijde. Hij hees een lange groene plunjezak achter de stoel uit en hing hem over zijn schouder. Pike zag hem knipperen met zijn ogen. Aan de manier waarop de zak trok, kon je zien dat hij zwaar was.

Cole kwam naar de kant van de auto waar het meisje zat. 'Er is een kleine parkeerplaats aan het eind van het steegje. Daar zou het moeten lukken. Hek met een hangslot en een paar deuren. We gaan maar eens kijken.'

'Gaan we inbreken?' zei Larkin.

Cole lachte. 'Dat zal niet de eerste keer zijn.'

Ze liepen achter het bestelbusje van de straatverkoper langs en daarna door het steegje met het leegstaande pakhuis rechts en de fabriek links van hen, Cole voorop, vervolgens het meisje en Pike achteraan. De grote laaddeuren waren nog steeds met een ketting afgesloten, maar Cole liep er voorbij, verder door het steegje, naar de volgende straat. Op de hoek was een kleine parkeerplaats met nog een laadperron uitgespaard in het gebouw. De parkeerplaats lag vol vergeelde kranten en vuilnis, en bruine sprieten staken omhoog uit scheuren in het asfalt waar onkruid was opgeschoten, had gebloeid en was afgestorven. Een laadperron stak ter hoogte van Pikes borst uit een van de muren en in de aangrenzende muur zat een metalen manshoge deur op straatniveau. Aan het hek hing een bekladderd bord van een makelaar waarop het gebouw te koop en te huur werd aangeboden.

Pike keerde zich om om het bestelbusje in de gaten te houden, terwijl Cole door het hek keek, maar Cole zei vrijwel onmiddellijk: 'Ja. Ze zijn hier geweest.'

Toen Pike zich weer omdraaide, wees Cole naar de hoek van het dak. Bijna aan het einde van het gebouw was een lichtblauw paneel van een alarminstallatie bevestigd, maar de voorkant ontbrak. Oude draden waren doorgeknipt en daarvoor in de plaats waren nieuwe draden aangelegd. De mensen die de alarminstallatie onklaar hadden gemaakt, hadden niet de moeite genomen de voorkant terug te plaatsen, alsof het hun niet uitmaakte of iemand ontdekte wat ze hadden gedaan.

Pike keek achterom naar Cole. 'Zie je het nog zitten?'

'Tuurlijk. Verzekeringsmaatschappijen dwingen eigenaren hun gebouwen te beveiligen, zelfs als ze leegstaan. Nu hoeven we ons niet druk te maken over de beveiligingsmensen. Veel makkelijker.'

Cole haalde een tachtig centimeter lange tang uit de plunjezak, knipte het hangslot door en Pike duwde het hek open. Cole liep rechtstreeks naar de deur en Pike liep op enige passen met het meisje achter hem aan om hun rugdekking te geven.

De personeelsdeur was voorzien van een metalen plaat en afgesloten met drie zware sloten. Cole verspilde geen tijd aan een poging de sloten open te maken. Hij tikte ze uit de deur met een stalen beitel en een zware houten hamer. Pike was trots op het meisje. Ze stelde geen vragen en kletste niet. Ze stond vanaf de zijkant met haar armen over elkaar naar Cole te kijken.

Toen de deur openzwaaide, stopte Cole zijn gereedschap weer in de plunjezak, overhandigde een zaklantaarn aan Pike en pakte er zelf eentje. Hij gaf hun ook latex wegwerphandschoenen.

Pike ging als eerste naar binnen en stapte een donkere kantoorruimte binnen waar alle meubilair, apparatuur en andere waardevolle dingen al lang geleden uit waren gehaald. De vloer was bedekt met een dikke laag stof en rattenkeutels en het stonk er naar urine. Pike knipte zijn zaklamp aan en zag allerlei verse voetafdrukken in het stof.

Pike liep verder het kantoor in zodat Elvis en Larkin naar binnen konden en ging op zijn hurken zitten om de voetafdrukken te bekijken.

'Jakkes. Het stinkt hier,' zei Larkin.

Cole deed zijn zaklamp aan en scheen ermee op de voetafdrukken.

'Wat denk je?'

Pike kwam overeind. 'Drie man. Een week geleden ongeveer. Tien dagen misschien.'

Pike volgde met zijn zaklamp een spoor van voetafdrukken naar de hoek van de ruimte waar een grote vlek in de vloer zat.

'Wat is dat?' zei Larkin.

'Een van onze vrienden heeft staan plassen.'

'Getver, wat smerig.'

De voetafdrukken kwamen uit een ruimte achter de eerste.

'Hier,' zei Pike.

De achterste kamer was leeg, net als die ervoor, maar er zaten een deur en een raam in de muur zodat de manager een oogje op de werkzaamheden in het pakhuis kon houden. Door het glas was een immens grote, donkere, lege ruimte te zien met een schemerige gloed uit enkele ramen in het dak. Pike scheen met zijn zaklamp door de ruit, maar de lege duisternis slokte de lichtstraal op. Zijn zicht op de ruimte was beperkt, maar hij zag nog meer voetafdrukken door het glas.

Cole en het meisje kwamen aan weerskanten van hem staan.

'Ze zijn hier maar één keer geweest. Ze hebben rondgekeken en zijn niet meer teruggekomen,' zei Pike.

Het meisje drukte haar neus tegen het glas. 'Waar waren ze naar op zoek? Waarom zou dit pakhuis iets met mij te maken hebben?'

Cole liep naar de deur. 'Dat willen we juist te weten komen. Zeg het me als je een aanwijzing ziet, oké?'

Toen Cole de deur opendeed, drong er opnieuw een scherpe ammoniaklucht in Pikes neusgaten, maar er zat een sterkere geur achter; iets gronderigs en organisch.

Larkin sloeg een hand voor haar mond. 'Oef.'

Pike liep met Cole het pakhuis in en het meisje kwam achter hem aan. Hun voetstappen galmden luid en de lichtstralen van hun zaklantaarns zwaaiden als sabels door het donker.

Het meisje zag hem het eerst. 'O, mijn hemel. Daar staat die auto.'

Pike en Cole zagen hem daarna tegelijk. Vlak bij het laadperron aan de kleine parkeerplaats stond een zwarte Mercedes, eenzaam en opvallend in het lege pakhuis. De bumper achter het linkerachterwiel was gedeukt en verbogen.

'Dat is de auto die ik heb aangereden. Dat is de Mercedes,' zei Larkin.

Het meisje liep ernaartoe alsof het allemaal niet vreemd en angstig was, niet iets wat ze dagelijks meemaakte.

'Larkin,' zei Pike.

'Dat is de auto!'

Ze liep rechtstreeks naar de auto, keek naar binnen, greep naar haar buik en kokhalsde.

Cole ging snel naar haar toe en draaide haar van de auto af, terwijl Pike met zijn zaklantaarn door het glas scheen. Een dode man op de passagiersplaats voorin hing in elkaar gezakt over de middenconsole. Een dode vrouw lag met opgetrokken benen op haar zij op de achterbank. Beiden waren naakt en geboeid aan handen en voeten. Ze waren verkleurd en zo erg opgezwollen, dat hun boeien in hun vlees waren gedrongen. Ze waren allebei door het achterhoofd geschoten. Pike vermoedde dat het de Kings waren, maar hij had de Kings nooit gezien. Hij keerde zich om naar het meisje.

'Ik denk dat het de Kings zijn, maar dat weet ik niet zeker. Kun jij het zien?'

Larkin ademde door haar mond. Haar gezicht was grauw geworden, maar ze kwam dichterbij. 'Ik was er niet op bedacht. Dat is alles.'

Pike ging tussen haar en de auto staan. 'Kijk niet achterin. Kijk alleen naar de man voorin.'

Pike lichtte bij met zijn zaklantaarn. Het meisje leunde net ver genoeg opzij om om hem heen in de auto te kunnen kijken en draaide zich toen af.

'Dat is hem. Dat is George King. O, jezus.'

Pike wierp een blik op Cole en Cole knikte.

'Ga met Elvis mee. Ik kom over een paar minuten,' zei Pike.

'Nee. Ik kan wel blijven.'

'Je hoeft niet te blijven.'

Haar gezicht verstrakte en Pike had bewondering voor de manier waarop ze zich vermande.

'Ik blijf. Niets aan de hand.'

Pike keerde zich weer om naar de Mercedes en scheen nogmaals met de zaklantaarn naar binnen. De sleuteltjes zaten nog in het contactslot. De auto zat dus niet op slot. Pike keek achterom naar het meisje.

'Bedek je mond en je neus. Met een zakdoek. Als je geen zakdoek hebt, gebruik je T-shirt dan.'

Ze keek verbaasd. 'Hè?'

'De stank. Bedek je mond en je neus.'

Ze trok haar T-shirt omhoog en drukte het met beide handen stevig op haar mond en neus, maar ze ging een stukje achteruit. Cole deed ook een paar stappen naar achteren.

Pike trok het portier aan de bestuurderskant open. De gassen uit de lijken hadden zich meer dan een week in de auto verzameld. De stank sloeg hem in het gezicht met de rotte eierenlucht van een stoffelijk overschot in ontbinding. Pike had het eerder geroken, in Afrika en Zuidoost-Azië en elders; lijken die dagenlang in gebouwen lagen, of langs de kant van de weg in ondiepe open graven. Niets stonk erger dan de dood van een medemens. Paarden niet, vee niet, verrotte walvissen die aanspoelden op een strand niet. De dood van een mens was de geur van wat er voor je in het verschiet lag.

Achter hem zei het meisje: 'Mijn hemel!'

Pike haalde de sleuteltjes uit het contactslot en onderzocht het lijk van de man. George King had een kogel achter het rechteroor gekregen. Deze was er bij zijn linkerslaap uit gekomen en had daarbij een stuk van zijn hoofd ter grootte van een citroen meegenomen. Als King een horloge, ringen of andere sieraden had gedragen, dan waren die hem afgenomen. Pike kon geen andere verwondingen vinden. De afwezigheid van bloedspetters en stukjes weefsel in de auto wees erop dat hij buiten de wagen was neergeschoten en er daarna in was gezet.

Pike bekeek de vloer onder het stuur, het gedeelte onder de stoel en de zonneklep. Een strookje van de California Vehicle Registration en een bewijsje van de autoverzekering, uitgegeven op naam van George King, zaten achter de zonneklep. Pike ging verder met de achterbank.

De vrouw was er slechter aan toe dan de man. Ze was ook van achteren neergeschoten, maar op haar was twee keer geschoten, alsof de eerste kogel haar niet had gedood. Haar rechteroog en -wang waren grotendeels weg, evenals haar sieraden. Ze lag met opgetrokken benen op haar rechterzij, maar haar linkerarm en linkerheup vertoonden dieppaarse vlekken omdat het bloed daar na haar dood in was gezakt. Dit wees er ook op dat ze niet in het pakhuis maar elders waren omgebracht en hierheen waren vervoerd, toen er enige tijd was verstreken en de verkleuringen zich al hadden gevormd.

Pike bekeek de vloer en de bank onder haar lijk, maar trof niets aan. Hij krabbelde achteruit de auto uit, maakte de kofferbak open en vond een laag met bloed doorweekte kranten. Dit bevestigde het verhaal. Ze waren ergens anders neergeschoten, in de kofferbak gelegd en in hun eigen auto naar het pakhuis vervoerd.

Pike stak het sleuteltje weer in het contactslot, deed de auto dicht en liep naar Cole en het meisje toe. Ze stonden bij de deur van het laadperron, zo ver mogelijk bij de auto vandaan. Pike was halverwege voor hij zijn eerste grote hap lucht nam. De stank was zo erg, dat zijn ogen brandden.

Cole richtte zijn zaklantaarn op het plafond en daarna op de bandensporen op de stoffige vloer. 'Ze zijn door het dakraam gekomen, hebben de deur van binnenuit opengemaakt en zijn zo het laadperron op gereden.'

'Ik geloof dat ik weer moet overgeven,' zei het meisje.

'Kom mee. We gaan weg.'

Buiten trokken ze de latex handschoenen uit en haalden diep adem om de geur te verdrijven. Cole begon te hoesten om de smaak uit zijn mond te krijgen en het meisje hoestte ook. Pike keek haar met samengeknepen ogen aan in het felle licht. Hij was kwaad omwille van haar, omdat het allemaal erger was dan ze hadden geweten. Ze merkte dat hij keek.

'Het gaat wel weer. Het kwam door die stank.'

'Toen Pitman en Blanchette je benaderden, zijn ze toen naar je huis gekomen?' zei Cole.

'Ja.'

Ze hoestte opnieuw en trok nog steeds een lelijk gezicht vanwege de stank.

'Toen je ze in de stad sprak, waar hadden jullie toen afgesproken?'

'In het Royal Building. Daar zit een afdeling van Justitie.'

'Waren Pitman en Blanchette er alleen, of waren er nog andere agenten bij?'

'Wat maakt dat nou uit?'

'Hij probeert te bepalen of Pitman echt een federaal agent is. Alles wat Pitman je verder heeft verteld, blijkt gelogen te zijn,' zei Pike.

Ze schudde niet begrijpend haar hoofd. 'De kamer zat vol mensen. Mijn vader. Gordon had twee andere juristen van zijn kantoor bij zich. Wij doen níéts zonder onze advocaten. Gordon onderhandelde over elk punt van mijn rol in het geheel.'

'Waarom wil Meesh je vermoorden?' zei Pike.

'Zodat ik niet kan getuigen tegen...'

Ze begreep het en zweeg, maar Cole maakte het voor haar af.

'Volgens Pitmans verklaring wil Meesh je dood hebben zodat je niet tegen de Kings kunt getuigen. Alles wat je is overkomen, gebeurde zogezegd omdat Meesh de Kings beschermde.'

Larkin schudde haar hoofd.

'Maar de Kings zijn dood.'

'Ja, en de mannen van Meesh hebben ze hier neergelegd. Meesh weet dat ze dood zijn. Het zou Meesh niet uitmaken of je wel of niet tegen hen getuigde. Je kunt dode mensen niet aanklagen.'

'Misschien heeft iemand anders ze vermoord. Misschien was het Meesh niet.'

'Luis had George Kings horloge om. Het was Meesh,' zei Pike.

'Waarom wil hij me dan nog steeds vermoorden?'

'Dat weet ik niet.'

Cole draaide zich om naar het pakhuis. 'Ik vraag me af waarom zijn mensen de lijken hier hebben neergelegd, op de plek waar jij het ongeluk had. Hij had ze overal kunnen dumpen, maar hij legt ze hier neer.'

'Vertel haar de rest,' zei Pike.

Larkin sloeg haar armen over elkaar en trok wit weg. 'Is er nog meer?'

Cole keek haar aan. 'De dag na je ongeluk – de volgende middag – twee dagen voor ze jou spraken, hebben Pitman en Blanchette en minstens twee andere agenten de mensen hier ondervraagd. Ze lieten foto's van twee mannen zien. Een van die foto's komt overeen met jouw beschrijving van Meesh. Pitman wist of vermoedde al dat Meesh in de auto zat, voor hij jou had gesproken. Ze hebben tegen je gelogen over wat ze wisten.'

Larkin hief haar handen en drukte de handpalmen tegen haar hoofd. Het kostte haar zichtbaar moeite zichzelf in de hand te houden. 'Zeg alsjeblieft dat het niet erger kan worden.'

'We lossen het wel op. We gaan met Bud praten. Ze hebben niet alleen tegen jou gelogen; ze hebben tegen iedereen gelogen,' zei Pike.

Ze snikte, maar het leek meer op lachen. 'Zeg alsjeblieft dat het niet erger kan worden.'

Pike trok haar naar zich toe en hield haar vast. Het leek of hij haar heel lang vasthield, maar in werkelijkheid was dat niet zo.

Pike leidde hen terug naar hun auto's, hoewel het hem opviel dat Cole treuzelde en het gebouw bekeek alsof het fluisterde, geheimen vertelde die ze geen van allen konden verstaan.

DERTIG

ELVIS COLE

Het gebouw met de lijken erin liet Cole niet los. Daar stond dat pakhuis, precies op de plek waar het leven van Larkin, dat van de Kings en Meesh elkaar als overlappende golfjes kruisten, en nu had iemand de Kings vermoord en een enorm risico genomen door hun lijken op die plek neer te leggen. De plek was de aanwijzing. De moordenaar had ze in dat gebouw neergelegd bij wijze van boodschap. Wat Cole nog moest uitzoeken was wie de boodschap stuurde, en voor wie hij was bedoeld. Het gebouw was naar zijn idee de sleutel.

Cole schoot lekker op in de korte stilte tussen de ochtendspits en de drukte rond lunchtijd. Hij ging bij Santa Monica Boulevard de snelweg af en zette koers naar zijn kantoor. Pike en Larkin waren op weg naar Echo Park om Bud Flynn te bellen, maar Cole vond dat ze Flynn er niet bij moesten halen tot ze wisten wie ze konden vertrouwen, en op dit moment was Cole van mening dat ze niemand konden vertrouwen. Hij vroeg zich af of Pitman en Blanchette op de hoogte waren van de lijken in het pakhuis. Hij vroeg zich af of Pitman en Blanchette ze daar neergelegd hadden.

Donald Pitman en Clarence Blanchette waren bij hem thuis geweest en hadden zich gelegitimeerd als speciaal agenten van het ministerie van Justitie. Cole ging ervan uit dat dat waar was. Legitimatiebewijzen konden worden vervalst, maar deze jongens hadden de LAPD buiten spel gezet en de LAPD liet zich niet buiten spel zetten door een paar bedriegers. Bovendien hadden Larkin, haar vader en hun advocaten verschillende besprekingen met hen en andere federale ambtenaren gehad in officiële overheidsgebouwen en hadden diezelfde mensen de Barkleys in contact gebracht met de United States Marshals. Cole nam aan dat Pitman en Blanchette echt waren, maar hun hele operatie leek één grote zwendel, en Cole vroeg zich af waarom.

Cole had een kantoor aan de westkant van Hollywood, vier hoog. Hij was er sinds hij uit het ziekenhuis was gekomen maar een paar keer geweest, maar nu klom hij de trappen op naar zijn kantoor. Hij had zijn aantekeningen, zijn kaarten en de lijst met telefoonnummers en andere informatie bij zich. Pitman, Meesh en de huurmoordenaars uit Ecuador stonden hem geen van allen op te wachten, wat een hele teleurstelling en volkomen normaal was. Schurken stonden zelden op je te wachten. Je moest naar ze op zoek.

'Hé, sufkop. Hoe is het?' zei Cole.

Pinokkio hing aan de muur naar hem te grijnzen. Cole had de klok gevonden op een rommelmarkt. Hij had een grote Pinokkio-grijns en ogen die heen en weer gingen als hij tikte. Potentiële klanten vonden er meestal niets aan, maar boeven, schurken en politieagenten raakten er altijd door gefascineerd. Cole probeerde al lang niet meer te bedenken waarom.

Cole hield van zijn kantoor en van hoe hij zich voelde als hij er was. Hij had nog een kamer, voor Joe Pike, hoewel Pike er nooit gebruik van had gemaakt. Twee directiefauteuils stonden voor zijn bureau, voor die zeldzame keren dat meer dan één klant om zijn aandacht vocht. Achter de stoelen gaven openslaande deuren toegang tot een balkonnetje. Op mooie dagen kon hij op het balkonnetje gaan staan en de hele Santa Monica Boulevard af kijken tot de Channel Islands. Op nog mooiere dagen ging de vrouw in het kantoor naast het zijne zonnebaden in een bikinitopje ter grootte van een postzegel.

Cole zette de deuren open voor frisse lucht en ging aan zijn bureau zitten. Allereerst hield hij zich bezig met het gebouw. Hij spreidde zijn kaarten uit en belde een zekere Marla Hendricks in Florida die de eigendomsgeschiedenis, evenals alle pandrechten, rechtszaken, overdrachten en uitzettingen die op het gebouw betrekking hadden, kon – en zou – uitzoeken. Cole maakte al jaren gebruik van haar diensten, zoals veel vergunninghoudende privédetectives in het hele land. Ze was een honderdtwintig kilo zware, rolstoelgebonden oma uit Jupiter, die de kost verdiende door onderzoek te doen in online databases, waarop ze zich had geabonneerd. Ze had geen toegang tot militaire, medische en justitiële bronnen die bij wet waren afgeschermd, maar verder kon ze vrijwel overal in.

Toen Cole klaar was met Marla, bestudeerde hij de lijst telefoonnummers en belde hij zijn vriendin bij de telefoonmaatschappij.

Het eerste wat ze zei was: 'Ik dacht al dat je niet meer van me hield.'

'Jij houdt alleen maar van me omdat ik goeie kaartjes voor de Dodgers regel.'

'Nee, mijn man houdt van je omdat je goeie kaartjes voor de Dodgers regelt. Ik hou van je omdat jouw kaartjes hem blij maken.'

'Nou, dan zullen we alle drie de liefde weer voelen, denk ik.'

Cole had een topauteur geholpen een stalker op internet ervan te overtuigen dat hij zijn tijd beter op positievere manieren kon besteden. De auteur had fantastische plaatsen in de exclusieve Dodgers Dugout Club en gaf die een paar keer per jaar aan Cole. Voor niets.

'Ik heb een lijst met telefoonnummers waar ik namen bij moet hebben,' zei Cole.

'Geen punt.'

'Voor je dat zegt, moet ik je even waarschuwen. De meeste nummers horen waarschijnlijk bij wegwerptelefoons, en er zitten vier buitenlandse nummers bij.'

'De buitenlandse nummers zouden een probleem kunnen zijn, als ze niet in het telefoonboek staan.'

'Het zijn waarschijnlijk nummers uit Ecuador.'

'Al waren ze uit Siberië. Dat maakt niet uit. Buitenlandse maatschappijen werken niet graag mee, tenzij we via de officiële kanalen gaan, en dat kan ik niet doen, gezien het feit ik dit voor kaartjes voor de Dodgers doe.'

'Ik snap het.'

'De wegwerptelefoons – tja, ik zeg het je maar direct – als ze contant betaald zijn, kan ik niet achterhalen van wie ze zijn. Die informatie bestaat dan gewoon niet.'

'Als je de naam van de eigenaar van een bepaald nummer niet kunt achterhalen, kun je dan wel de gespreksgeschiedenis van dat nummer opzoeken?'

'Misschien wel.'

'Vroeg of laat bellen deze telefoons echte telefoons en bij die telefoons horen namen. Misschien kunnen we er via die weg achter komen.'

Ze zei een paar seconden niets. Cole liet haar nadenken.

Ten slotte zei ze: 'Ik zal het proberen. Het hangt van de maatschappij af. Sommige van die kleine bedrijfjes... nou ja, geef me de nummers maar. Ik zie wel wat ik kan doen.'

'Het is een lange lijst. Kan ik hem faxen?'

Cole schreef haar faxnummer op, verzond de lijst en zette het koffieapparaat aan. Toen de koffie aan het doorlopen was, ging hij weer aan zijn bureau zitten en herlas hij het rapport van het NCIC over Alexander Meesh. Hij wilde kijken of hij iets over het hoofd had gezien wat het accent verklaarde dat Pike had gehoord, of dat Meesh met Esteban Barone of een zekere 'Carlos' in verband bracht. Dat had hij niet. Slechts één zin bracht

Meesh in verband met Zuid-Amerika: '...het land ontvlucht en nu waarschijnlijk woonachtig in Bogota in Colombia.'

Cole concludeerde dat de agenten die het onderzoek hadden uitgevoerd, bewijzen of verklaringen moesten hebben gehad waaruit bleek dat Meesh in Bogota was, anders zouden ze zo'n opmerking niet in het verslag hebben gezet.

Cole bladerde naar het einde van het rapport en las de naam van de agent in kwestie: speciaal agent Daryl Willis van het ministerie van Justitie van de staat Colorado. Justitie was er waarschijnlijk later bij gekomen, maar Willis was de eerstverantwoordelijke omdat moord een misdrijf was dat op staatsniveau werd vervolgd. Er stond een telefoonnummer onder Willis' naam. Het was zes jaar oud, maar Cole probeerde het toch.

Een vrouw nam op.

'Recherche.'

'Mag ik Daryl Willis van u?'

Ze zette hem bijna vijf minuten in de wacht. Om de tijd te doden, keek Cole naar Pinokkio's ogen tot er een mannenstem aan de lijn kwam.

'Met Willis.'

'Mr. Willis, u spreekt met Hugh Farnham. Ik ben van de afdeling Moordzaken van bureau Devonshire in Los Angeles. Ik bel u over een moordzaak waar u een paar jaar geleden aan gewerkt hebt, over een zekere Alexander Meesh, een voortvluchtige.'

Cole verzon een penningnummer en ratelde het op. Hij betwijfelde het dat Willis het echt zou noteren, maar hij wist dat het zo hoorde.

'O, ja, natuurlijk. Wat wil je weten?'

Het leek of Cole naar de kleur van zijn auto had gevraagd, zo weinig geïnteresseerd klonk Willis.

'We hebben het rapport opgevraagd bij het NCIC en daar staat die waarschuwing in dat hij naar Colombia is gevlucht...'

'Dat klopt. Hij had daar ten tijde van de moorden connecties. Hij vond dat hij niet genoeg verdiende met roofovervallen; hij wilde drugs het land in brengen, dus fikste hij iets met, eh... eens even denken... met een zekere Gonzalo Lehder. Ging er een paar keer naartoe om afspraken te maken en blijkbaar konden ze het goed met elkaar vinden. Toen we de aanklachten tegen hem indienden, is hij daarheen gegaan.'

Cole schreef de naam op. Lehder.

'Was Lehder leverancier?'

'Een van die gasten die ineens opdoken toen het Cali- en het Medellínkartel vielen. Er schoten daar toen overal van die kleine onderneminkjes uit de grond, wel een stuk of veertig. Sommige zijn zo klein niet meer.'

'Had Meesh iets te maken met een zekere Esteban Barone?'

'Sorry, zou ik je niet kunnen zeggen.'

'Barone komt uit Ecuador.'

'Ik wist alleen van Lehder.'

Zes jaar was een lange tijd. Meesh begon waarschijnlijk met Lehder en breidde later uit naar Barone en de andere kartels. Honderdtwintig miljoen dollar was heel veel beleggingskapitaal.

'Goed dan. Even terug naar Meesh. Deed hij zaken hier in L.A.?' vroeg Cole.

'Er schiet me niets te binnen, sorry.'

'En Lehder? Schiet u iets te binnen als u aan Lehder en Los Angeles denkt?'

'Moet je luisteren, Farnham, ik heb hier, hoe lang, vijf, zes jaar niet veel aandacht aan besteed. Mag ik vragen waar het om gaat?'

'Meesh is in Los Angeles. We denken dat hij betrokken is bij een meervoudige moord.'

Willis zei niets, dus keek Cole naar Pinokkio's ogen en wachtte.

'Heb je het nu over Alexander Meesh?' zei Willis.

'Jazeker.'

'Alexander Liman Meesh?'

'Dat klopt.'

'Meesh is niet in Los Angeles, kerel. Alex Meesh is dood.'

Cole haalde zijn blik van Pinokkio en liet zijn voeten op de vloer zakken. Hij wist niet wat hij moest zeggen. Een kamer vol federale agenten had Larkin een week lang ondervraagd en was zeker van haar identificatie. Cole vermoedde dat ze ook vingerafdrukken van Meesh in de auto van George King hadden gevonden, maar Willis klonk zeer stellig, en alle verveling was nu uit zijn stem verdwenen.

'We hebben een bevestigde identificatie van het ministerie van Justitie,' zei Cole.

'Waar baseren ze die op? Hebben ze vingerafdrukken? Hebben ze DNA?'

Cole wist niet wat ze hadden, maar als Meesh Meesh was, dan was Meesh Meesh.

'Ja, allebei.'

'Dan kunnen die gasten nog geen labtest van een aambei onderscheiden. Alexander Meesh is dood.'

Willis' verveeldheid was omgeslagen in interesse en daarna in boosheid, alsof hij het persoonlijk opvatte.

'Waarom zegt u dat hij dood is?' zei Cole.

Willis aarzelde, alsof hij overwoog of hij wel antwoord zou geven, dus zette Cole hem onder druk.

'Ik zit hier met een meervoudige moord, Mr. Willis. Ik heb opdracht Alex Meesh op te sporen en nu zegt u tegen me dat het ministerie van Justitie zich vergist. Hoe weet u dat zo zeker?'

Willis bromde iets en schraapte zijn keel. 'De Colombianen en de Drug Enforcement Administration zaten met man en macht achter Lehder aan. Zo komt het dat we weten dat Meesh het loodje heeft gelegd. De Landelijke Politiedienst van Colombia belde de DEA en de DEA belde mij. Meesh zat er toen een maand of acht en was bezig een drugsdeal te sluiten tussen Lehder en een paar Venezolanen, alleen heeft Lehder zich tegen hem gekeerd. Hem vermoord.'

'Als Meesh dood is, waarom loopt er dan nog een arrestatiebevel tegen hem?'

'Dat komt door de DEA. We wisten dat Meesh daar zat via undercoveragenten in Lehders organisatie. Als we in het dossier noteerden dat Meesh dood was, of Lehder als een bekende handlanger vermelden, zouden we die agenten in gevaar brengen. Je kunt een sterfgeval trouwens ook niet bevestigen zonder een overlijdensakte en die zullen we waarschijnlijk wel niet krijgen.'

'Hoezo niet?'

'Lehder kwam erachter dat Meesh tegen hem loog over de hoeveelheid drugs die de Venezolanen gingen verkopen. Meesh loog erover omdat hij het verschil achterover wilde drukken. Lehder deed alsof hij nergens van wist en stuurde Meesh met een stuk of vier van zijn mannen naar Venezuela om de drugs op te halen. Alleen schoten Lehders mannen Meesh dood in het oerwoud. Het is een groot oerwoud. Het stoffelijk overschot is nooit gevonden en zal waarschijnlijk ook nooit gevonden worden.'

'Hoe kunt u er dan zeker van zijn dat hij dood is? Misschien is hij ontsnapt of heeft hij het overleefd. Misschien heeft hij Lehders mannen omgekocht.'

'Een agent van de DEA en een undercoveragent uit Colombia waren erbij toen Lehders mannen terugkwamen. Ze hadden Meesh' hoofd bij zich om aan Lehder te laten zien. Lieten het lichaam achter, maar namen het hoofd mee. Die agenten stonden allebei bij Lehder toen die jongens dat hoofd uit een tas haalden. Lehder zegt: goed werk, jongens, en dat was het.'

Cole wist niet wat hij moest zeggen. Maar toen ging Willis verder.

'Wij dachten allemaal dat Lehder Meesh echt naar Venezuela had gestuurd om de drugs te halen. We verwachtten dat Meesh zou terugkomen met een paar honderd kilo ruwe cocaïne en dan zouden de DEA en de Colombianen hen arresteren. Meesh kon ze niet schelen. Ze wilden Lehder hebben. Ik wilde Meesh hebben voor de moorden hier en daarom mocht ik mee van ze. Ik was erbij in die kamer, rechercheur, ik heb het hoofd gezien. Omdat de drugs er niet waren, bliezen de Colombianen de arrestatie af. Ze wilden zelfs niet proberen die klootzak te arresteren voor de moord op Meesh, dus moest ik daar nog een uur zitten theedrinken en doen alsof er niets aan de hand was. Ik weet nog steeds niet wat Lehders jongens met het hoofd hebben gedaan, maar ik heb het gezien. Ik herkende hem. Het was Meesh. Dus ik weet niet wie jullie daar in Los Angeles hebben, maar Alexander Meesh is het niet.'

Cole had een hol gevoel in zijn buik en een rare zoemtoon in zijn hoofd alsof hij te lang niet gegeten had.

'Mag ik u nog één vraag stellen, Mr. Willis?'

'Daar sta je versteld van, hè?'

'Ja.'

'Wat wil je vragen?'

'Had Meesh een spraakgebrek, of sprak hij met een accent?'

Willis lachte. 'Waarom zou hij een accent hebben?'

'Dankuwel, Mr. Willis. Dank u voor de moeite.'

Cole legde zijn voeten op het bureau, zakte onderuit en staarde naar de Pinokkio-klok. Het enige geluid in zijn kantoor was het tikken van de ogen.

Het telefoontje met Willis had simpel moeten zijn. Cole was er aan begonnen in de hoop dat hij iets te weten zou komen over de relatie van Meesh met Barone, en Barones relatie met Los Angeles, en misschien zelfs of Meesh wel of niet met een accent sprak... Maar dit? Nee.

Is dit de man die u hebt gezien, miss Barkley?

Ja. Hoe heet hij?

Alexander Meesh.

Cole keek naar de Pinokkio-klok en daarna naar een klein porseleinen beeldje van Japie Krekel dat een klant hem had gegeven. Laat je geweten je leidsman zijn. Iedereen had een Japie nodig.

Hij bladerde door het rapport van het NCIC, dat geen foto's, vingerafdrukken en DNA-gegevens bevatte. Waar zou je die dingen voor nodig hebben als je geloofde wat je werd verteld?

EENENDERTIG

Pike reed langzaam toen ze bij het pakhuis vertrokken. Hij liet de raampjes zakken, zodat de wind hen zou schoonblazen en nam een lange omweg door Chinatown, die meer dan een uur kostte. Ze hadden niet ontbeten, maar ze had geen honger. Hij ging toch naar de Chinees om wat te halen. Pike hoopte dat ze door de rit en de frisse lucht de lijken zou vergeten, maar zodra ze in het huis waren, liep ze naar de tafel waar de schoonmaakspullen voor zijn wapens op lagen, goot oplosmiddel voor kruit op de katoenen doek en drukte hem tegen haar neus alsof ze een snuiver was die verf snoof.

'Ik ruik ze nog,' zei ze. 'Ze zitten in mijn haar. Ze zitten overal.'

De Kings.

Hij nam haar de doek af. 'Ga douchen en poets je tanden. Trek schone kleren aan. Ik ruim straks wel op.'

Pike belde Bud toen zij onder de douche stond, maar Bud nam niet op. Pike overwoog een boodschap in te spreken, maar een boodschap zou door iemand anders beluisterd kunnen worden, dus vond hij het beter later nog een keer te bellen.

Toen het meisje terugkwam in schone kleren en met nat haar, ging Pike zich wassen. Hij boende hard en masseerde de zeep stevig in, spoelde zich af, waste zich nog een keer en bleef onder de hete straal staan tot al het warme water op was. Toen hij klaar was, maakte hij zijn kleren nat, zeepte ze in en legde ze in het bad te weken. Hij had de kleren van het meisje ook willen wassen, maar hij was bang dat hij ze zou verpesten.

Pike trok zijn laatste stel schone kleren aan, liep de badkamer uit en zag Cole en Larkin samen in de woonkamer zitten. Cole had een bruine envelop in zijn hand.

'Ik miste jullie zo vreselijk. Ik moest gewoon langskomen.'

'Hij is er net,' zei Larkin. 'Hij zegt dat hij ze ook nog kan ruiken.'

Pike wist dat er iets was. De spanning in Coles lichaam kon je onmogelijk niet opmerken. Cole deed of er niets aan de hand was voor het meisje.

'Wat is er?' zei Pike.

'Ik heb iets wat ik aan Larkin wil laten zien. Zullen we even kijken?'

Pike liep achter hen aan naar de tafel, waar Cole de envelop openmaakte.

Hij legde twee korrelige foto's neer die eruitzagen alsof ze door een faxmachine waren gehaald. Het waren arrestantenfoto's van een donkerharige man met een rond gezicht, een pokdalige neus en kleine ogen. Cole deed een stap achteruit zodat Larkin even goed kon kijken, maar Pike lette op Cole.

'Wat denk je? Heb je die vent ooit gezien?'

Gemoedelijk, met een achteloosheid alsof het niet belangrijk was. Wilt u daar patat bij, mevrouw?

'Nee. Wie is het?'

'Alexander Meesh.'

Larkin schudde haar hoofd alsof Cole een onschuldige vergissing had begaan. 'Nee, dat is Meesh niet.'

'Het is Meesh. Hij is vijf jaar geleden vermoord in Colombia. Dit zijn zijn foto's van de politie in Denver.'

Pike legde zijn hand op haar schouder. Hij voelde de spanning in haar monnikskapspier. Ze wilde het niet geloven.

'Nou, misschien heeft hij plastische chirurgie gehad. Dat kan toch? Criminelen doen dat toch?'

Cole schudde zijn hoofd. 'Het spijt me, Larkin. Dit is Meesh. Het dossier dat Pitman je heeft gegeven, was dat van Meesh, maar de man die je samen met de Kings hebt gezien, was Meesh niet.'

'Wie was dat dan?'

'Dat weet ik niet.'

'Waarom zeggen ze dan tegen mij dat het deze vent was?'

'Om dezelfde reden als waarom ze over al het andere hebben gelogen,' zei Pike.

Cole keek naar Pike. 'Ik zou maar even met je vriend Bud gaan praten. Eens zien waarover ze nog meer gelogen hebben.'

Larkin verstijfde opeens onder Pikes hand. 'O, hemel, we moeten het aan mijn vader vertellen.'

Pike aarzelde. Waar Pitman ook mee bezig was, ze hadden een voorsprong op hem zolang Pitman niet wist dat ze hem doorhadden. Pike durfde er niet van uit te gaan dat Conner Barkley en zijn advocaten hun mond zouden houden.

'We kunnen het niet tegen je vader zeggen. Nog niet.'

Larkin versteende en verschoot van kleur. 'Ik mag het niet tegen mijn vader vertellen! Die mensen hebben overal over gelogen en nu is Meesh Meesh niet eens! Wie is het dan? Waarom liegen ze?'

'Larkin...'

Ze greep hem bij zijn shirt.

'Ze liegen ook tegen hem en hij gelooft ze nog! Hij is mijn vader. Als jij het niet tegen hem zegt, doe ik het zelf!'

Pike keek haar onderzoekend aan en zag zowel angst als hoop in haar ogen. Conner Barkley was haar vader. Ze wilde hem beschermen. En als zij hem beschermde, zou hij haar misschien eindelijk zien staan.

Pike pakte zijn telefoon en toetste Buds nummer in. Dit keer nam Bud op. Pike zei tegen Bud dat hij hem en de vader van het meisje zo snel mogelijk moest spreken. Het was ernstig, zei Pike hem. Pike gaf een locatie op en maakte een einde aan het gesprek voor Bud iets kon vragen. Toen hij de telefoon liet zakken, drukte het meisje zijn arm. Ze was alweer iets rustiger, maar niet bijzonder vrolijk. Pike kon het haar niet kwalijk nemen.

Cole zei: 'Toen we in het pakhuis waren...'

Pike wachtte.

'Ik ben blij dat je toen niet tegen haar hebt gezegd dat het niet erger kon worden.'

Pike keek naar het meisje. 'Pak je spullen. We gaan.'

TWEEËNDERTIG

De oorlog in Californië tussen Mexico en de Verenigde Staten was geëindigd in Universal City. Ver van de schermutselingen die nog in de omgeving van Mexico-Stad en de Texaanse grens plaatsvonden, werd het verdrag om een einde aan de plaatselijke vijandelijkheden te maken ondertekend in Campo de Cahuenga, een kleine missiepost boven op de Pas van Cahuenga. De missiepost was bewaard gebleven, maar stond nu onzichtbaar en onopgemerkt tegenover Universal Studios, in het volle zicht verborgen door opritten van de snelweg, parkeerplaatsen en twee rare torens die de ingang van een station van de ondergrondse markeerden. Het was een goede plek om af te spreken.

Pike en het meisje zaten in de auto, met draaiende motor, te wachten toen de zwarte Hummer aankwam over Lankershim Boulevard.

De Hummer reed langs de missiepost en over de parkeerplaats voor hij in de rij naast hen stopte. De portieren gingen open zodra hij stilstond en Bud, Conner Barkley en Barkleys advocaat Gordon Kline, stapten uit. Pike was niet blij toen hij Kline zag.

'Kom mee,' zei Pike.

Ze stapten uit toen Bud en de anderen op hen af kwamen lopen.

'Dat werd tijd, Larkin,' zei haar vader. 'We waren doodongerust. Kom mee, dan gaan we.'

Larkin verroerde zich niet. 'Ik ga nergens heen. We willen je alleen waarschuwen.'

Haar vader maakte een nerveuze indruk, alsof hij bang was dat ze elk moment kon ontploffen. 'Maar je moet mee naar huis gaan. We zijn zo ongerust geweest.'

Hij keek naar Kline. 'Zeg het dan, Gordon. Zeg tegen haar dat ze hiermee moet ophouden.'

Pike had zijn buik al vol van hen. Hij richtte zich tot Bud en sprak alleen tegen hem. 'Pitman is niet eerlijk geweest. De man die hij Alexander Meesh noemde, is Meesh niet. Meesh is vijf jaar geleden overleden.'

Gordon Kline wierp zijn handen in de lucht. Pike had dat vaak genoeg gezien toen hij bij de politie was. Theatraal juristengedoe voor in de rechtszaal.

'Hier gaan we niet naar luisteren. Ik ga je laten vervolgen voor ontvoering. Ik dacht al dat je gek was zodra ik je zag.'

Larkin verhief haar stem en er zat nu een harde, boze ondertoon in. 'Hou verdomme je mond dicht!'

Barkley stond nog altijd naar Kline te kijken. Larkin greep haar vader bij de arm. 'Luister nou naar me! Wil je me alsjeblieft áánkijken en naar me lúísteren? We willen je wáárschuwen.'

Conner Barkley keek bedroefd. 'Doe eens normaal, Larkin. Iedereen is ongerust.'

Kline zei: 'We brengen je naar huis...'

Hij wilde haar beetpakken, maar Pike greep zijn hand en draaide hem om. Kline sprong achteruit. 'Vuile klootzak! Flynn! Doe iets...'

'Hij had hem zo van je arm kunnen rukken, Gordon. We kijken wat ze te melden hebben.'

Pike haalde de gefaxte arrestantenfoto uit zijn zak en gaf hem aan Flynn. 'Dit is Meesh. Het is niet de man op de foto's die Pitman aan Larkin heeft laten zien.'

Kline en Barkley keken allebei over Flynns schouder om de foto te bekijken. Barkley leek te twijfelen, maar Kline was ongeduldig en stapte achteruit.

'Nee, dat is hem niet, maar wat dan nog? Misschien heb je dat ding zelf wel gemaakt.'

Bud keek hem langzaam aan. 'Waarom zou hij dat doen?'

'Om meer geld van ons los te krijgen.'

Larkin had alleen oog voor haar vader. 'Dit is niet de man op hun foto's. Ze hebben tegen ons gezegd dat die man Alexander Meesh was, maar hij is het niet. Ze hebben tegen ons gelogen, papa.'

Papa. Pike had dat woord niet uit haar mond verwacht. Hij vond het lief van haar dat ze het gebruikte, maar het stemde hem ook treurig.

Kline zuchtte en bond een beetje in. 'We hebben die foto's allemaal gezien en ik ben het met je eens: de man op die foto's is niet deze man. Maar jij doet het voorkomen alsof ze ons hebben misleid. Twee mensen kunnen dezelfde naam hebben,' zei hij op vriendelijke toon.

Bud wierp een blik op de aangehechte vellen papier. 'Zelfde naam misschien, maar niet hetzelfde strafblad. Dit strafblad komt overeen met dat wat Pitman me gaf toen jullie mijn hulp hadden ingeroepen.'

Gordon trok zijn wenkbrauwen op. 'Echt? Dan weet ik al wat we moeten doen: we moeten nu direct alle banden met Pike verbreken. Pike moet weg. We moeten Larkin naar huis brengen en dan kunnen we Mr. Pitman ernaar vragen. Reken maar dat ik heel wat vragen heb. En als de antwoorden me niet bevallen, zou hij willen dat hij nooit was geboren.'

Conners hoofd wipte druk op en neer, alsof dit het beste idee was dat hij ooit had gehoord. 'Zullen we naar huis gaan, lieverd? We horen wel wat die Pitman te zeggen heeft als we straks thuis zijn.'

'Ik ga niet naar huis.'

Kline keek naar de grond alsof hij haar ongelooflijk lastig vond en zei met vermoeide stem: 'Flynn. Zet haar in de auto, wil je?'

'Nee, sir. Alleen als het vrijwillig is.'

'Ze is thuis niet veilig, Kline. Snap je dat dan niet?' zei Pike.

Gordon Kline keek vanonder zijn borstelige wenkbrauwen op naar Pike en zijn stem was nog steeds angstvallig vriendelijk. 'Ga je met haar naar bed?'

Pikes mondhoeken trilden, maar hij lette op Conner Barkley. Barkley reageerde niet en Pike kreeg nog meer medelijden met het meisje.

'Krijg toch de pest, Gordon,' zei Larkin.

'Dit is obstructie van de rechtsgang. Je bent een getuige in een federaal onderzoek. Deze man, die Pike, die brengt je in gevaarlijke situaties...'

'Dit is een gevaarlijke situatie.'

'...en hij jaagt de mensen weg die je willen helpen. Ik wil alleen maar zeggen dat Pitman misschien een goede reden heeft voor zijn gedrag. We zullen het hem vragen en dan zal hij met een verdomd goede verklaring moeten komen.'

'Vraag hem waarom hij deed alsof hij niet wist wie er bij de Kings was in de nacht dat Larkin hen aanreed,' zei Pike.

'Wou je beweren dat hij dat wist?'

'Hij liep de dag na het ongeluk al met foto's van de man rond, twee dagen voor hij contact opnam met Larkin. Je kunt hem ook vragen waarom de man die volgens zijn zeggen Meesh is, Larkin wil vermoorden terwijl de Kings dood zijn.'

Kline wierp een blik op Conner Barkley en schudde zijn hoofd.

'Ik heb agent Pitman vanochtend nog gesproken. Hij zei dat ze nog op zoek waren naar de Kings.'

'Ze zijn al meer dan een week dood. We hebben ze gisteren gevonden.'

'Dat snap ik niet.'

'We hebben ze gevonden, in de zin van: we gingen op zoek en we hebben ze gevonden,' zei Larkin. 'Iemand heeft hun lijken precies neergelegd op de plek waar ik die aanrijding heb gehad, Gordon. Wil je het adres? 18185. Volgens mij was het een boodschap. Dat ik de volgende ben.'

Kline likte langs zijn lippen. Hij wierp een blik op Barkley en schudde zijn hoofd. 'Weet je zeker dat het de Kings waren? Wil je zeggen dat George King dood is?'

Larkins stem klonk breekbaar. 'En zijn vrouw. Ze lagen in de Mercedes.'

Bud keek naar Pike. 'Hoe?'

'Door het hoofd. Geëxecuteerd op een andere locatie, daarna naar het pakhuis gebracht. De auto stond op naam van George King.'

'Wat wil je nou zeggen?' zei Kline. 'Dat Pitman ze heeft vermoord?'

'Dat zou ik niet weten.'

'Denk je dat Pitman achter die aanslagen op Larkin zit?'

'Ook dat zou ik niet weten. Het zou de lekken verklaren, maar het enige wat we zeker weten is dat alles wat hij aan jullie heeft verteld, gelogen is.'

'Je moet voorzichtig zijn, papa. Je kunt hem niet vertrouwen,' zei Larkin.

Kline keek naar de grond en sloeg toen zijn ogen op naar Bud. 'Ga jij daar even kijken? 18185.'

'Ja, direct.'

Kline richtte zich tot Pike. 'De man op de foto, de man die Meesh niet is, heb je enig idee wie dat is?'

'We hebben misschien zijn vingerafdrukken. Dat weet ik niet zeker, maar het zou kunnen. We zouden hem misschien kunnen identificeren.'

'Als jurist zeg ik je dat je waarschijnlijk zal worden aangeklaagd wegens obstructie van de rechtsgang als je bewijs achterhoudt voor de politie, en mogelijk als medeplichtige. Als je dat maar goed begrijpt.'

'Dat weet hij. Jezus,' zei Bud.

'Ik neem het risico,' zei Pike.

Kline knikte. 'Als je het maar weet. Je bent ontslagen. Is dat duidelijk, Bud? Deze man is niet meer bij ons in dienst. Hij werkt niet meer voor jou, en hij zal geen geld van ons of van jou krijgen zolang jij bij ons in dienst bent.'

Larkin riep dwars door hem heen. 'Ben je niet goed bij je hoofd? Heb je niet opgelet?'

Haar vader zei: 'Larkin, lieverd, hij overtreedt de wet. Dat kunnen we niet hebben.'

'We willen je wáárschuwen, papa!'

Kline kwam tussenbeide. 'Ik moet aan het werk, Conner. We gaan weg.' Hij liep terug naar de Hummer.

Conner Barkley keek fronsend naar zijn dochter. Zijn gezicht was verstrakt en zijn vragende blik was veranderd in ergernis. 'Ik kan hierdoor in de problemen komen met de overheid, Larkin. We hadden er nooit bij betrokken moeten raken. We hadden Pitman weg moeten sturen, maar jij moest je verhaal vertellen en nu zitten we er maar mee. Dit trekt alleen maar de aandacht, van de belastingdienst, van de SEC. Ze zouden me te grazen kunnen nemen, Larkin.'

Het ging niet om Larkins veiligheid. Het ging om haar vader. Het bedrijf. De ongewenste aandacht.

'Even voor de administratie van Mr. Barkley, Bud: ik ben niet bij jou en ook niet bij hem in dienst, en ook nooit geweest,' zei Pike.

Pike keek even naar Larkin. 'Ik help een vriendin.'

Larkin rende naar de Lexus en Pike ging achter haar aan.

'Agent Pike...'

Pike keek achterom en zag dat Bud een strakke glimlach trok. Kline en Conner Barkley waren al bij de Hummer.

'Bel me als je me nodig hebt,' zei Bud.

Pike stapte in de Lexus en reed snel weg. Hij draaide de weg op en keek in zijn spiegeltje, maar de Hummer stond nog op de parkeerplaats. Ze zouden gauw een andere auto nodig hebben. Kline of Larkins vader zou de politie misschien een beschrijving van de Lexus geven.

Pike wist dat ze hun voorsprong hadden verloren. Ze waren het verrassingselement kwijt. Gordon Kline zat waarschijnlijk al aan de telefoon met Pitman. Ze moesten snel handelen. Nog sneller dan eerst.

'Wat doen we nou?' zei Larkin.

'Doorgaan.'

Ze raakte zijn schouder aan. Ze legde haar hand op zijn deltaspier. 'We geven ons niet gewonnen.'

'We geven ons nooit gewonnen.'

Pike draaide in Burbank een parkeerplaats van Safeway op en liep naar de kofferbak. De zwarte rugzak die Pike had meegenomen uit het motel lag erin, samen met hun andere spullen. Alles wat hij van Jorge en Luis had afgepakt zat in de tas. Pike zocht tussen de kaarten en paspoorten tot hij de plastic map met Larkins foto vond. Hij deed de kofferbak dicht, ging aan het stuur zitten en reed de weg weer op.

'Wat is dat?' zei ze.

'Een foto van jou. De man die achter je aan zit, heeft hem aan Luis gegeven. Hij heeft hem aangeraakt, vastgehouden, dus misschien zitten zijn vingerafdrukken erop. Dat was niet belangrijk toen we dachten dat het Meesh was. Nu wel.'

Pike haalde zijn telefoon tevoorschijn. Hij toetste net een nummer in toen Larkin weer wat zei.

Ze zei: 'Weet je wat nou zo klote is? Ik hou van hem.'

'Ja. Ik hield ook van die van mij.'

Pike had die woorden nog nooit tegen iemand gezegd. Zelfs niet tegen Elvis Cole.

DRIEËNDERTIG

JOHN CHEN

Daar was hij dan, alweer na kantooruren stiekem en tegen alle regels in aan het werk, aan het laagvliegen in een gevarenzone waar het vrij schieten was. Hij zou een pak op zijn lazer krijgen als dat kreng van een Harriet erachter kwam, maar John Chen genoot. Hij vond het geweldig. Misschien wel net zo geweldig als zijn Porsche. Misschien wel net zo geweldig als zijn naam in de krant zien staan. Misschien wel net zo geweldig als seks.

Nou ja, niet overdrijven. Niets was zo geweldig als seks.

Chen giechelde toen hij besefte wat hij dacht, een soort snorkend hè-hè-hè. Chen had altijd een hekel aan zijn lach gehad. De andere kinderen hadden er grapjes over gemaakt (zoals over alles wat met hem te maken had) maar het kon Chen geen ene reet meer schelen want – sinds twintig minuten geleden – was John Chen dé man!

Het licht was voor Chen gaan schijnen toen Joe Pike belde en hem vroeg alles uit zijn handen te laten vallen om een stel vingerafdrukken na te trekken.

Zijn persoonlijke vriend Joe Pike...

...die Chen nódig had.

...die waardéring had voor Chens kennis en kundigheid.

...die hem vertróúwde.

(En was Joe Pike niet helemaal te gek, de beste vent in de hele stad? Was hij niet de dapperste, sterkste, meest gevreesde ex-politieman op aarde? De geniaalste detective [zonder Pike was Cole nergens]? Was hij geen superheld in spijkerbroek [Chen dacht dat ze misschien wel geld konden verdienen met Joe Pike-actiepoppetjes]? Had hij niet de meeste seks [zoals met die bloedgeile meid die met Pike op de parkeerplaats zat te wachten]?) Joe Pike was dé man en wíé belde Pike als hij hulp nodig had?

John Chen, verdomme!

'John! Waarom ben je er nog?' zei Harriet.

Ze had hem zo van achteren beslopen, de trut.

John boog geschrokken zijn hoofd en trok zijn schouders op. De huid op zijn rug begon te prikken en hij kromp ineen in dat eerste moment van paniek zoals hij vele duizenden keren eerder in elkaar was gekrompen... maar toen dacht John Chen: nee, dé man krimpt niet ineen.

Chen rechtte zijn rug, draaide zich om en trok zijn meest zelfverzekerde glimlach. En weet je, hij vóélde zich ook zelfverzekerd.

'Wat werk van gisteren afmaken. Maak je niet druk, Harriet. Ik heb al een uur geleden uitgeklokt.'

Chen zat al aan zijn overwerklimiet voor die week.

Harriet gluurde langs hem heen naar de lijmdoos. De lijmdoos was een luchtdichte kast van plexiglas waarin superlijm en andere toxische chemicaliën aan de kook werden gebracht om vingerafdrukken naar voren te halen. Op dit moment lag er een foto van Pikes vriendinnetje in de giftige dampen te weken.

Harriet keek achterdochtig naar de foto. 'Ze ziet er bekend uit.'

'Ja, dat denkt nou iedereen.'

'Welke zaak?'

'De Drano-moord. De rechercheurs vermoeden dat er een derde persoon bij aanwezig is geweest.'

John had nog nooit met zo veel overtuiging gelogen. Alsof zijn leugens uit een kern van absolute waarheid kwamen.

Harriet wierp nog een blik op de foto, deed een stap achteruit en keek hem onderzoekend aan. 'Fijn dat je die overuren niet rekent. Die bezuinigingen doen ons echt de das om.'

'Weet ik, Harriet. Is er verder nog iets?'

'Nee. Nee, niets. Hoe is het trouwens met die kies van je?'

'Ik voel het niet eens meer.'

'Sorry dat ik daar zo moeilijk over deed. Het was misschien een beetje harteloos van me.'

'Het geeft niet, Harriet. Maak je niet druk.'

Harriet sloop weg alsof ze zich voor zichzelf schaamde en Johns glimlach werd nog breder. Hij had het in haar ogen gezien. Ze wist dat hij dé man was.

Chen richtte zijn aandacht weer op de doos en bestudeerde de foto door het glas. Op de voor- en achterkant van de foto verschenen witte vlekken, maar er moest nog heel veel gedaan worden. Een vingerafdruk was eigenlijk alleen maar zweet. Nadat het water was verdampt, bleef er een organisch residu achter. De dampen van de superlijm reageerden met de aminozuren, glucose en peptiden in de organische stoffen en vormden een witte kleverige brij, maar dat proces had tijd nodig. John dacht dat hij nog zo'n tien tot vijftien minuten had te gaan voor de vingerafdrukken bruikbaar waren.

Een spiegelbeeld bewoog in het glas en Chen zag LaMolla aan de andere kant van het lab. Ze was voorzichtig naar de deur geslopen omdat ze Harriet niet tegen het lijf wilde lopen. Ze wenkte hem, gebaarde naar de wapenkamer en liep weg.

Chen overtuigde zich ervan dat Harriet weg was en liep snel het lab uit. LaMolla stond in de deur van de wapenkamer te wachten.

'Kom binnen,' zei ze. 'Ik wil niet dat iemand ons samen ziet.'

Ze trok hem zo hard naar binnen dat hij bijna viel en draaide toen de deur achter hem op slot.

'Heb je iets gevonden?' zei Chen.

LaMolla keek hem dreigend aan. 'Als je me verlinkt, kom ik je in je slaap vermoorden.'

'Waarom zou ik je verlinken?'

'Vertrouw niemand, John. We werken voor de godvergeten overheid.'

LaMolla nam hem mee naar haar werktafel en ondertussen vertelde ze hem wat ze had gevonden.

'De Browning was waardeloos; hij werd in 1982 gestolen van een zekere David Thompson, een politieman in Houston. Het BIN leverde afgezien van de gegevens over Thompson niets op en hij kwam mij ook niet bekend voor.'

De ATF, het Bureau voor alcohol, tabak en vuurwapens, was verantwoordelijk voor het National Integrated Ballistic Information Network – het BIN – en registreerde gegevens over vuurwapens, kogels en patroonhulzen die op plaatsen delict waren aangetroffen, of op een andere manier in het systeem terechtkwamen. LaMolla had beide wapens natuurlijk opgezocht in het BIN, maar het kwam zelden voor dat dit iets opleverde. Chen was veel geïnteresseerder in wat LaMolla wel bekend voorkwam.

'Maar de Taurus, dat is een ander verhaal. Moet je kijken...' zei LaMolla.

Ze ging met hem aan haar computer zitten. Op het scherm stond een foto van de onderkant van een patroonhuls. De koperen huls vormde een ring om een rond, zilverkleurig slaghoedje. Een iets donkerder deuk in het midden van het slaghoedje gaf aan waar de slagpin het slaghoedje had geraakt.

'Zie je het? Valt nogal op, hè? Vind je niet?'

De huls zag eruit als alle andere hulzen die Chen ooit had gezien. 'Wat?'

'De inslag van de slagpin. Kijk, hier aan de bovenkant waar hij een beetje puntig is. Toen ik dat zag, dacht ik: Hé, die slagpin ken ik.'

De deuk was naar Johns idee volmaakt rond, maar daarom waren vuurwapenanalisten dan ook magiërs.

'De afgelopen paar jaar is de Taurus gebruikt bij een paar moordaanslagen vanuit rijdende auto's en bij een roofoverval met dodelijke afloop in Exposition Park. De politie heeft niemand gearresteerd, maar de verdachten waren allemaal lid van dezelfde bende, MS-13. Het is een doorgevertje, John.'

Een doorgevertje was een wapen dat meestal geen vaste eigenaar had, maar binnen een bende van hand tot hand ging.

LaMolla schudde haar hoofd. 'Sorry, joh, ik wou dat ik iets specifieker kon zijn, maar dit is alles wat ik heb. Veel is het niet.'

'Het is meer dan we hadden.'

Chen bedankte haar en haastte zich terug naar de lijmkast. De sluimerende vingerafdrukken waren mooi opgekomen, maar er zaten zo veel vingerafdrukken op de foto, dat John zich afvroeg of er bruikbare bij zouden zijn. Er zaten allerlei afdrukken over elkaar heen, de ene boven op de andere, omdat mensen nu eenmaal zo met dingen omgingen. Niemand pakte een boek of een kopje of een tijdschrift één keer stevig vast; mensen pakten iets op, gaven het aan elkaar door, legden het neer, pakten het weer op, zodat hun vingerafdrukken over elkaar heen kwamen te zitten en er een onduidelijke smeerboel ontstond.

Met de foto van het meisje was het niet anders.

Chen ventileerde de kast om de dampen af te zuigen, haalde de foto eruit met een pincet en bestudeerde hem onder een vergrootglas. Vlekkerige, ronde afdrukken zaten vooral op de zijranden van de foto waar mensen hem met hun duim hadden vastgehouden, maar op de onder- en bovenrand zaten ook veel afdrukken en ook op de glanzende foto zelf zaten her en der vegen van vingers. Chen zag verschillende afdrukken die naar zijn idee bruikbaar waren, maar met de achterkant van de foto kon hij niets beginnen. Het witte residu van de organische stoffen was niet te zien op het witte papier.

Chen nam de foto mee naar zijn tafel. Hij hing de foto op aan een klein metalen lijstje en kwastte de hele achterkant voorzichtig in met een fijn, blauw poeder. Vervolgens blies hij het overtollige poeder weg met behulp van een spuitbus lucht en werden er donkerblauwe vlekken zichtbaar, waarvan sommige bruikbaar waren, maar de meeste niet. Hij draaide de foto om, voerde dezelfde procedure daar ook uit en bekeek toen elke vingerafdruk afzonderlijk.

Chen was tevreden. Hij had twaalf losse, afzonderlijke afdrukken, allemaal met duidelijke typica: de karakteristieke punten aan de hand waarvan vingerafdrukken konden worden herkend, de lussen en lijnen en splitsingen die met elkaar een vingerafdruk vormen.

Chen haalde elke afdruk met een stukje transparante folie van de foto en drukte de folie vervolgens op een vel doorzichtig plastic. Hij legde ze een voor een op een digitale scanner met hoge resolutie en fotografeerde ze. Hij sloeg de foto's op in zijn computer en bracht met een speciaal programma de karakteristieke punten in kaart. Het Nationale Misdaadinformatiesysteem van de FBI vergeleek geen foto's van vingerafdrukken; het vergeleek een numerieke lijst van specifieke karakteristieke punten. Het keek naar getallen. Zo gauw je de getallen had, was het een fluitje van een cent.

Chen verstuurde het speciale verzoek voor een controle op alle internationale databases.

John keek nogmaals op zijn horloge. Pike en het meisje zaten te zweten op de parkeerplaats en hij wilde ze niet te lang laten zweten. Hij wilde niet dat Pike het vertrouwen in hem verloor. Hij wilde met resultaten komen.

Chen had zich geen zorgen hoeven maken.

Het logo van NCIC/Interpol verscheen op zijn scherm toen de binnenkomende bestanden werden geopend en John Chen las de resultaten.

Alle twaalf vingerafdrukken hadden iets opgeleverd en John had daarmee zeven verschillende mannen geïdentificeerd, waarvan Chen er twee al eerder had geïdentificeerd: Jorge Petrada en Luis Mendoza. Net zoals Petrada en Mendoza waren vier van de overige mannen criminelen uit Zuid-Amerika die banden hadden met Esteban Barone, maar de zevende man niet.

Chen realiseerde zich dat zijn mond droog was toen hij moeite had met slikken.

Hij wist waarom het ministerie van Justitie erbij betrokken was.

Hij wist waarom het hoofdbureau zich buiten spel had laten zetten.

John drukte de zeven bestanden af, niette ze zorgvuldig aan elkaar en verwijderde de opgevraagde gegevens van zijn computer zodat niemand ze zou zien. Hij verzamelde de plastic vellen met de vingerafdrukken en de foto van het meisje en deed ze in een envelop. Hij stopte de envelop en de afgedrukte bestanden onder zijn arm en wandelde het lab uit.

De zon stond laag aan de westelijke hemel en kleurde de lucht vlammend rood. De Verdugo Mountains waren paars en neigden al naar zwart. Chen liep rechtstreeks naar Pikes auto, en het kon hem geen barst schelen of Harriet hem zag, omdat hij wist dat dit belangrijker was; dit was belangrijker dan alles waar hij ooit aan had gewerkt en misschien ooit aan zou werken.

Pike en het meisje keken toe terwijl hij aan kwam lopen.

John Chen was de man.

John Chen kwam met resultaten.

John Chen gaf Pike de papieren.

'Lees maar.'

Het meisje zag de foto op de voorste bladzijde en zei: 'Dat is hem! Dat is de man van de foto's.'

Het meisje schoof dicht naar Pike toe en ze lazen samen. Chen dacht er niet aan hoe geil ze was. Hij schonk geen aandacht aan het feit dat haar hand onder het lezen op Pikes bovenbeen rustte en fantaseerde ook niet over de smaak van haar huid. Hij dacht alleen aan wat ze lazen.

De vingerafdruk was van een zekere Khali Vahnich. Vahnich was een voormalige investeringsbankier van 42 uit Tsjechië die, voor hij dat land verliet, was veroordeeld voor drugshandel. Zijn activiteiten sindsdien bestonden onder andere uit nog meer drugshandel en illegale wapenhandel. Bovendien onderhield hij contacten met terroristenorganisaties in Europa en het Midden-Oosten. Midden op de bladzijde stond een grote, zwarte waarschuwing. John kende hem uit zijn hoofd en vermoedde dat hij hem nooit zou vergeten. Het oppervlak golfde. Een monster dook op.

Hij luidde:

WAARSCHUWING: DEZE MAN STAAT OP DE TERRORISTENLIJST. VERWITTIG DE FBI ZODRA HIJ WORDT GESIGNALEERD. AANHOUDEN ONDER ALLE OMSTANDIGHEDEN.

Pike keek op naar John toen hij klaar was met lezen en Chen zou zijn blik nooit vergeten. Pikes gezicht verried niets, absoluut niets, maar in de glimmende, zwarte brillenglazen smeulde vuur. Op dat moment was Chen zo trots op Pike, zo vreselijk, akelig trots dat deze man hem in de arm had genomen.

Pike zei: 'Dankjewel, John.'

'Je komt maar, hoor. Als ik iets kan doen, zal ik het doen. Maakt me niet uit wat. Ik zal het doen.'

'Dat weet ik.'

Pike stak zijn hand uit en Chen pakte hem beet en wilde hem niet meer loslaten, nooit meer, want John Chen had het gevoel dat hij nu iets had, iets wat hem beter maakte dan hij ooit was geweest of ooit zou kunnen zijn geweest, iets wat Chen voor altijd wilde vasthouden.

'Succes, man,' zei John Chen.

VIERENDERTIG

Die avond zetten ze jasmijnthee en aten ze de Chinese maaltijd op terwijl Larkin televisiekeek, een komische serie over een stel van middelbare leeftijd dat lelijke dingen tegen elkaar zei. Pike vond het niet grappig, maar het meisje scheen het leuk te vinden. Pike belde Cole, praatte hem bij en ze maakten een plan voor de volgende dag.

Toen het televisieprogramma was afgelopen, ging Larkin naar haar kamer, maar ze kwam een paar minuten later terug in een korte broek en een ander topje. Ze installeerde zich aan haar kant van de bank en bladerde door een tijdschrift. Het was een kleine bank. Haar blote voeten lagen dicht bij Pike. Pike wilde zijn hand op haar voet leggen, maar deed het niet. Hij verhuisde naar de stoel.

Pitman, Pitmans onderzoek en de reden waarom Pitman had gelogen, konden Pike niet schelen, maar wel dat ze het meisje raakten. Het kon hem niet schelen of Pitman een eerlijke of een corrupte agent was, of hij zakendeed met Vahnich en de Kings of niet. Hij was op zoek geweest naar een man die Meesh heette, maar nu zat hij achter een man aan die Vahnich heette. Als Pitman het meisje kwaad probeerde te doen, zou Pike achter Pitman aan gaan. Pikes enige interesse gold het meisje.

Pike keek naar haar terwijl ze zat te lezen. Ze merkte dat hij keek en lachte, niet de akelige scheve glimlach, maar een lievere. Met slechts een klein beetje van de andere.

'Jij glimlacht nooit,' zei ze.

Pike raakte zijn kaak aan. 'Nu glimlach ik.'

Larkin lachte en ging verder met haar tijdschrift.

Pike keek op zijn horloge. Hij vond dat ze lang genoeg hadden gewacht en pakte de telefoon. 'Daar gaan we.'

Larkin sloeg het tijdschrift dicht met een vinger tussen de bladzijden en keek met ernstige ogen toe.

Pike had Pitmans nummer nog van de keer dat Pitman een bericht had achtergelaten en nu nam Pitman op.

'Met Pike.'

'Je bent me er een, hoor.'

'Van Kline gehoord?'

'Kline, Barkley, Flynn. Waar ben je nou toch mee bezig?'

'En Khali Vahnich? Iets van hem gehoord?'

Pitman aarzelde.

'Je moet hiermee ophouden, Pike.'

'Vahnich verandert de zaken. Larkin wil terugkomen.'

Pitman aarzelde opnieuw. 'Oké, dat is goed. Dat is het beste wat ze kan doen. Het gaat tenslotte om haar veiligheid.'

'Ja, het gaat mij erom dat ze veilig is,' zei Pike.

Het meisje glimlachte opnieuw toen Pike de details regelde.

DAG VIJF

GERECHTIGHEID

VIJFENDERTIG

Om drie voor zeven de volgende ochtend zag Pike een metallic-blauwe Ford vanaf Alameda Street de parkeerplaats bij Union Station op draaien. De auto remde af voor de honderden forenzen die uit het station van de ondergrondse kwamen en reed heel langzaam naar de andere kant van het parkeerterrein.

Donald Pitman zat aan het stuur en Kevin Blanchette zat naast hem. Dit was de eerste keer dat Pike beide mannen zag, maar Cole had hen goed beschreven en Pitman had gezegd dat ze in de blauwe auto zouden komen. Het waren allebei keurig geschoren, vriendelijk uitziende mannen van achter in de dertig. Pitman had een smal gezicht met een scherpe neus; Blanchette was dikker en had mollige wangen en een kalende kruin.

Zij en de andere zeven federale agenten die zich verdekt hadden opgesteld rondom het station, zagen Pike niet. Pike nam aan dat het federale agenten waren, maar hij wist het niet zeker en het kon hem ook niet schelen. Ze hadden anderhalf uur geleden hun positie ingenomen. Pike zat al sinds drie uur op zijn post.

Pike hield hen door zijn Zeiss-verrekijker in de gaten vanuit de voorraadkamer op de eerste verdieping van een Mexicaans Restaurant in Olvera Street dat eigendom was van zijn vriend Frank Garcia. De benedenverdieping werd verbouwd, zodat de keuken gesloten was. Pitman verwachtte dat Pike en Larkin om zeven uur zouden arriveren, maar dat gebeurde niet. Larkin en Cole zaten nu ongeveer aan het ontbijt en Pike zat in de voorraadkamer.

Om 7.22 uur stapten Pitman en Blanchette uit de auto. Ze keken aandachtig naar de passerende auto's en de forenzen die uit het station kwamen, maar Pike wist dat ze ongerust waren.

Om 7.30 uur stapten ze weer in hun auto. Het zou niet lang meer duren voor ze accepteerden dat ze belazerd waren.

Pike haastte zich de trap af naar het personeelstoilet bij de keuken. Er zat één raam in dat uitkeek op Union Station. Pike had het al opengezet toen hij aankwam, zodat niemand zou zien dat het bewoog.

Om 7.51 uur kwamen de zeven agenten die de omgeving in het oog hielden, tevoorschijn uit hun schuilplaats en verzamelden zich aan de noordkant van de parkeerplaats. Pitman had de actie afgeblazen. Pike verliet het restaurant en wandelde naar Coles auto, die hij aan het einde van Olvera Street had neergezet. Cole had geruild voor de Lexus.

Pike volgde de blauwe Ford in zuidelijke richting over Alameda naar het Royal Building, het federale kantoorgebouw. Het verkeer was één lange file en er mochten maar een paar auto's per keer door het spaarzame groene licht, maar Pike rekende erop dat dit in zijn voordeel zou werken.

De blauwe Ford bevond zich drie auto's voor hem toen het licht rood werd en Pitman vaststond. Pike stuurde Coles auto een laadzone in, stapte uit en hield de verkeerslichten in de gaten. Toen het licht knipperde om aan te geven dat het zo op groen zou springen, schoot Pike naar voren.

Pike naderde de Ford als een haai die een bloedspoor volgt en viel aan vanuit hun dode hoek. De mannen zagen hem geen van beiden en verwachtten zijn aanval ook niet. Pike kwam bij Blanchettes kant van de auto op het moment dat het licht op groen sprong en sloeg Blanchettes ruitje kapot met zijn pistool.

Pike rukte het portier open en duwde, luid schreeuwend om de man nog meer in verwarring te brengen, zijn wapen in Blanchettes zij. 'Je gordel. Maak je gordel los...'

Pike nam Blanchette zijn wapen af, trok hem uit de auto en legde hem op zijn buik op straat, terwijl hij zijn wapen op Pitman richtte.

'Handen op het stuur! Op het stuur of ik schiet.'

De auto's voor hen waren weg, de rijbaan was verlaten. Achter hen werd getoeterd toen Pike snel in de auto stapte.

'Pike?' zei Pitman.

Pike nam Pitman zijn wapen af en gooide het op de achterbank. Buiten kwam Blanchette overeind.

'Rijden!'

Pitman verroerde zich niet, misschien omdat hij een beetje beduusd was, maar zijn ogen vlamden van boosheid.

'Ik ben een federaal agent. Je kunt niet...'

Pike sloeg hem hard op het voorhoofd met zijn pistool, greep het stuur en scheurde door het rode licht.

ZESENDERTIG

Ze bevonden zich onder de First Street Bridge toen Pitman bijkwam, tussen hoge betonnen kolommen aan de oever van het Los Angeles River kanaal. Achtergelaten personenauto's, die door de gemeente in beslag waren genomen, stonden keurig naast elkaar in de ongebruikte ruimte onder de brug, achter een hek dat ze beschermde tegen alles behalve stof, vogels en graffitispuiters. Pike had de Ford aan het eind van het hek geparkeerd. De vrachtwagens die boven hun hoofd voorbijreden, lieten het hek zoemen als een zwerm bijen. Ze bevonden zich op nog geen acht blokken van Coles auto.

Pitman schoot overeind en probeerde weg te komen, maar Pike had zijn polsen met plastic boeien aan het stuur vastgebonden. Pitman schoof zo ver mogelijk bij Pike vandaan.

'Wat is dit? Waar ben je nou in godsnaam mee bezig, Pike? Laat me gaan!'

Pitman zag er jonger uit nu Pike dicht bij hem was. Op de plek waar Pike hem had geraakt, zat een snee in zijn voorhoofd, waaruit een korstig rood masker over zijn gezicht liep. Pike keek hem aan en hield zijn pistool losjes op zijn schoot.

'Je hebt een federaal agent aangevallen. Je hebt me verdomme ontvoerd,' zei Pitman. 'Laat me gaan! Snij me los, dan praten we nergens meer over. Ik kan je helpen.'

Pike gaf een klopje op het pistool. 'Ik ben niet degene die hulp nodig heeft.'

Pitman verhief zijn stem en zijn gezicht vertrok en bewoog alsof het op hetzelfde moment alle kanten op wilde. 'Jij zit in de nesten, diep in de nesten! Je overtreedt belangrijke federale wetten! Hou er nu mee op, anders wordt het gevangenisstraf.'

'Khali Vahnich. Een terrorist,' zei Pike.

'Ik waarschuw je, Pike, hou ermee op!'

'Een erkend terrorist.'

'Ik ga dit niet met jou bespreken!'

Pike tilde de Kimber net ver genoeg op om hem te richten. 'We hebben het over de vraag of jij wel of niet doodgaat.'

'Ik ben een federaal agent. Je zou een federaal agent doden!'

Pike knikte, rustig en kalm. 'Als dat nodig is.'

'Allejezus!'

Pike hield Pitmans penning omhoog. Hij had in Pitmans zakken naar zijn legitimatie gezocht. 'Dit ging helemaal niet om de Kings. Het gaat om Vahnich. Je gebruikt haar als schietschijf om die terrorist te pakken. Of om hem te beschermen.'

'Dat is gelul. Ik probeer hem niet te beschermen.'

'Je hebt tegen haar gezegd dat Khali Vahnich Alex Meesh was.'

'De zaak moest geheim blijven.'

'Je hebt haar wijsgemaakt dat hij haar wilde vermoorden om de Kings te beschermen vanwege zijn investering, maar de Kings waren dood. Er viel niemand te beschermen.'

'We wisten tot gisteren niet dat ze dood waren, Pike! Dat wisten we niet! We dachten dat hij ze –'

'Er is geen "wij", Pitman. Het komt allemaal op jou neer. De Kings zijn dood, dus waarom zou Vahnich haar willen vermoorden?'

'Dat weet ik niet!'

'Volgens mij heb jij ze vermoord en het meisje verraden om Vahnich te helpen.'

Pike richtte opnieuw zijn pistool en Pitman trok hard aan het plastic.

'We wisten het niet! Dat is de zuivere waarheid! Moet je horen, we wisten dat ze zakendeden, Vahnich en de Kings, maar we wisten niet dat Vahnich in Los Angeles was tot kort voor het ongeluk. Kijk in de kofferbak, mijn koffertje ligt in de kofferbak. Kijk ernaar, Pike! Ik spreek de waarheid...'

Pike nam Pitman op om te zien of hij eerlijk was, pakte de sleuteltjes en vond een bovenmaats aktekoffertje in de achterbak. Het koffertje zat op slot. Hij nam het mee naar de voorbank.

'Sleuteltje zit in mijn zak...' zei Pitman.

Pike nam niet de moeite het sleuteltje te pakken. Hij sneed het koffertje open met zijn mes. Allerlei brieven, memo's en dossiers met het briefhoofd van het ministerie van Justitie en de Binnenlandse Veiligheidsdienst lagen dwars door elkaar in het koffertje gepropt.

'Je zit niet bij Georganiseerde Misdaad,' zei Pike.

'Binnenlandse Veiligheidsdienst. Lees mijn notities –'

'Kop dicht, Pitman.'

Veel stukken waren voorzien van het opschrift VERTROUWELIJK. Pike zag memo's over financiële transacties en het schaduwen van de Kings en andere memo's waarin Vahnich in verband werd gebracht met Barone en talloze bij naam genoemde en naamloze derde partijen in Zuid-Amerika. Veel memo's beschreven de activiteiten van Khali Vahnich zowel in Amerika als elders.

Pike las tot hij het begreep en keek toen op naar Pitman. 'Vahnich verdient geld voor terroristen.'

Pitman zag er moe uit. Hij knikte. 'Dat is de korte versie. De allergrootste financiële bron van het georganiseerde terrorisme, buiten bijdragen van de staat in het Midden-Oosten, zijn drugs. Ze kopen en verkopen ze, investeren erin, en pakken de winst. Die vuilakken zijn rijk, Pike. Niet die idioten die zichzelf opblazen, maar de organisaties. Zoals elke oorlogsmachine op aarde vreten ze geld en willen ze meer. Dat doet Vahnich. Hij is investeringsbankier voor die vuilakken. Investeert hun geld, maakt winst en stopt die weer in de machine.'

'Met de Kings?'

'Economie werkt hetzelfde voor iedereen, voor Republikeinen, Democraten, drugsbaronnen en Al Qaida. Je beperkt het risico door het te spreiden. De Kings zijn belangrijk in onroerend goed en Vahnich wil spreiden. Hij komt met honderdtwintig miljoen bij de Kings aanzetten; zestig van de kartels, maar zestig kwam rechtstreeks uit de oorlogszone. Het is mijn taak dat geld op te sporen en in beslag te nemen.'

'Geld.'

'Terroristengeld. We willen niet dat het straks wordt gebruikt om de opleiding van bommenleggers te financieren.'

'Waar is het?'

'Dat weet ik niet. De Kings zijn ermee akkoord gegaan dat het op een van hun buitenlandse rekeningen werd gezet, maar het geld is daar die zelfde dag weer vanaf gehaald en we weten niet waar het heen is gegaan. Misschien heeft Vahnich ze daarom vermoord. Misschien wilde hij het geld terug.'

'Dus dit gaat allemaal om vastgoed.'

Pitman lachte, maar het klonk cynisch en droog. 'Alles wat er vandaag de dag in de wereld gebeurt, gaat om vastgoed, Pike. Lees je de krant niet?'

Pike keek naar Pitman en dacht aan Khali Vahnich en de Kings en al die jongens die uit Ecuador waren gekomen. Buiten siste de brug door passerende auto's en het hek zoemde. Pike dacht aan Larkin in het huis in Echo Park, afgesneden van haar vrienden en haar leven, terwijl een man als Khali Vahnich haar dood wilde hebben.

'Waarom wil Vahnich haar vermoorden?'

'Dat weet ik niet. Ik dacht dat ik het wist. Ik dacht dat het met de Kings te maken had.'

'De Kings zijn dood.'

'Ik wist niet dat Vahnich haar zou willen te doden. Hoe zou ik dat hebben moeten weten?'

'Je had ze de waarheid moeten vertellen. De terroristen hebben Los Angeles nog niet overgenomen, Pitman; we leven nog altijd in een vrij land. Je had die mensen moeten vertellen met wie ze te maken hadden.'

Pitman keek alsof hij niet begreep wat Pike bedoelde en schudde zijn hoofd.

'Ik heb het ze gezegd.'

'Hè?'

'Ze wisten dat het Vahnich was. Het meisje niet, maar haar vader wel. Hij adviseerde ons het niet tegen haar te zeggen.'

Pike keek kennelijk beduusd want Pitman begon het uit te leggen.

'We hebben er vergaderingen over gehad, Pike; haar vader, zijn juristen, onze mensen. Je wilt een bereidwillige getuige niet kwijt, maar ze moest wel kunnen zwijgen. Barkley zei dat ze daar niet toe in staat was. Ze adviseerden ons niet te zeggen dat het om Vahnich ging tot vlak voor de getuigenverklaring.'

'Dat hebben ze je geadviseerd? Haar vader heeft tegen haar gelogen?'

'Ze is nou niet bepaald een stabiele persoonlijkheid. Ze zou het hebben gebruikt om aandacht te trekken.'

Pike had het koud, ook al was het een warme ochtend. Hij haalde zich het meisje voor de geest zoals ze gisteravond was, toen ze koste wat het kost haar vader wilde waarschuwen. Dat zelfs eiste.

'Ze is gek, man. Dat heb je inmiddels toch wel door?' zei Pitman.

Pike keek nogmaals naar Pitmans penning. Hij dacht aan zijn eigen penning. Hij had hem opgegeven om Wozniaks vrouw en kinderen te helpen. Die penning en alles waar hij voor stond, waren hem veel waard geweest, maar Wozniaks vrouw en kinderen waren hem nog meer waard geweest. Een gezin moest worden beschermd. Een gezin had iemand nodig die het beschermde. Zo dacht Pike erover.

'Ze wilde enkel haar plicht doen,' zei Pike.

Pike borg zijn wapen op. 'We zijn klaar hier.'

Pitman trok aan zijn boeien.

'Snij die dingen door. Breng haar terug, Pike. We kunnen haar beschermen.'

Pike deed het portier open.
'Je zit vastgebonden aan een stuur. Je kunt jezelf niet eens beschermen.'
Pike stapte uit met de sleuteltjes en de penning.
Pitman besefte dat Pike wegging en rukte nog harder aan het stuur. 'Hé, waar ga je heen?'
Pike gooide Pitmans penning in het kanaal.
'Niet mijn penning! Pike...'
Pike gooide de sleuteltjes erachteraan.
'Pike!'
Pike liep weg zonder om te kijken.

ZEVENENDERTIG

ELVIS COLE

Cole haalde die ochtend op kantoor de gespreksgeschiedenissen op, voor hij verder reed om het meisje gezelschap te houden. Zijn vriendin bij de telefoonmaatschappij had zesentwintig pagina's met nummers van uitgaande en binnenkomende gesprekken gefaxt, waarvan sommige voorzien waren van een naam, maar veel niet. Cole zou de nummers een voor een moeten controleren, maar het meisje zou waarschijnlijk wel helpen. Cole vond haar aardig. Ze had humor, ze was slim en ze lachte om zijn grapjes. Alle belangrijke ingrediënten.

Toen hij zichzelf binnenliet, lag ze languit op de bank tv te kijken met de koptelefoon van de iPod in haar oren.

'Hoe kun je nou tegelijkertijd tv-kijken en naar muziek luisteren?' zei Cole.

Ze zwaaide met zijn iPod. 'Is er na 1980 geen muziek meer gemaakt?'

Zie je wel? Humor.

'Ik moet een paar telefoontjes plegen en daarna moet je me ergens mee helpen.'

Ze ging geïnteresseerd rechtop zitten. 'Waarmee?'

'Met telefoonnummers. We moeten een schema opzetten om de gesprekken van en naar de telefoons die Pike heeft gevonden in kaart te brengen. We volgen de gesprekken van de ene telefoon naar de andere tot we bij iemand terechtkomen die ons kan helpen Vahnich, op te sporen. Leuk, hè?'

'Nee.'

'Het is hetzelfde als de puntjes met elkaar verbinden. Zelfs jij kunt het.'

Ze stak haar middelvinger op.

Cole vond haar geweldig.

Hij zette haar aan tafel met de lijst nummers en wees haar de nummers van Jorge en Luis aan en van de man van wie ze aannamen dat het Khali Vahnich was. Hij liet haar zien wat ze moest doen en ging naar de bank met zijn telefoon. Die ochtend op kantoor had hij een bericht van Marla Hendricks gevonden, waarin ze hem meedeelde dat 18185 eigendom was van de Tanner Family Trust, die ook enkele andere grote bedrijfspanden in het centrum van Los Angeles bezat, die allemaal te koop stonden. Zoals gebruikelijk was Marla grondig te werk gegaan. 18185 was in 1968 gekocht door dr. William Tanner en in 1975 ondergebracht in een trust. Er waren uit die periode geen boetes, overtredingen, vonnissen of pandrechten met betrekking tot het gebouw te vinden. De bewindvoerder van de trust was Tanners oudste dochter, Ms. Lizabeth Little, een voormalig advocaat, en de verkoop van het onroerend goed gebeurde onder haar verantwoordelijkheid. Marla had het adres in Brentwood en drie telefoonnummers van Lizabeth Little bijgevoegd.

'Gaat het goed daar?' zei Cole.

Larkin was druk bezig met de nummers. 'Het is geen hogere wiskunde.'

'Ik ga nu even bellen. Niet storen, graag.'

Ze stak opnieuw haar middelvinger op.

Cole belde Lizabeth Little en had direct beet. Zo te horen had Lizabeth haast.

'Met Lizabeth Little.'

'U spreekt met Elvis Cole. Ik ben privédetective en ik ben bezig met –'

'Hoe bent u aan dit nummer gekomen?'

'Dat is het geheim van de smid, mevrouw. Ik bel over een pand dat u te koop hebt staan. Ik vertegenwoordig een geïnteresseerde koper.'

Speel in op hun hebzucht. Werkt altijd.

'Welk pand?'

'Een pakhuis in het centrum. 18185.'

'O, ja. Dat is van mijn vader. We zijn de trust aan het ontbinden. Ik zal uw vragen zo goed mogelijk beantwoorden, maar u zult met onze makelaar moeten overleggen over de voorwaarden.'

Ze klonk normaal. Niet als iemand die een paar lijken zou verstoppen, of iemand kende die dat zou doen.

'Ik wilde alleen wat inlichtingen over het gebouw,' zei Cole.

'U werkt voor een koper?'

'Dat klopt.'

'Dan is er wel iets wat u moet weten. We zullen een bod wel in overweging nemen, maar elk bod dat we accepteren, zal in reserve worden gehouden. Gaat uw koper daarmee akkoord?'

'In reserve. Is het pand al verkocht?'

'We hebben een optieovereenkomst met een koper voor de zeven panden. Maar ik denk niet dat uw koper zich er zorgen over hoeft te maken. De optie is bijna verlopen.'

'Koopt iemand de zeven panden tegelijk?'

'De winstverwachtingen zijn enorm gezien de snelle stijging van de prijzen voor onroerend goed in de stad. Zou uw koper in alle panden geïnteresseerd zijn?'

'Over wat voor bedrag praten we dan?'

'Rond de twee.'

'Twee miljoen dollar?'

Ze lachte. 'Tweehonderd miljoen.'

'Het was maar een grapje. Ik wist wel wat u bedoelde.'

'Dat dacht ik al. Opties zijn gebruikelijk bij transacties van deze omvang. Mensen hebben tijd nodig om het geld bij elkaar te krijgen. Soms gaat de koop door, soms niet. Het ziet ernaar uit dat deze niet doorgaat. Als dat zo is, zullen we de panden afzonderlijk verkopen. Als uw koper geïnteresseerd is, moeten we praten.'

'Ik zal het doorgeven. Hoe lang liep de optie?'

'In dit geval vier maanden.'

'Hm, en hoeveel kost een optie van vier maanden op tweehonderd miljoen aan pakhuizen?'

'In dit geval zes miljoen.'

'Dat u mag houden als de optie verloopt?'

'O, ja. Volgens mij verloopt hij, o, even nadenken, ik heb mijn agenda niet hier... over vier dagen. Misschien over drie. U kunt de makelaar bellen voor de precieze datum.'

'Dat zal ik doorgeven. Nog één vraag. Zou ik de naam van de koper mogen weten?'

'Natuurlijk. Stentorum Real Holdings. Ik heb het nummer niet, maar mijn makelaar kan u het nummer geven. Nu zij het geld niet bij elkaar hebben kunnen krijgen, kan uw koper misschien helpen en een deel van het krediet verschaffen. We zouden het erg op prijs stellen als deze transactie doorging.'

Cole noteerde de naam op zijn blocnote. Stentorum Real Holdings. Hij hing op toen Joe Pike binnenkwam.

Pike bleef als een standbeeld bij de deur staan.

'Hé, Pike!' zei het meisje opgewekt.

Cole zei: 'Hoi.'

Pike bleef doodstil staan en zei geen woord. Pike zag er altijd vreemd uit, maar nu zag hij er nog vreemder uit. Cole vroeg zich af wat er was.

'Heb je met die kerel gesproken?'

Pike liep de woonkamer uit naar de badkamer. Vreemd.

Cole pakte zijn telefoon weer en belde Inlichtingen. 'Ik wil graag het nummer van Stentorum Real Holdings. Ze zitten in Los Angeles,' zei hij.

Larkin keek op. 'Wat zei je?'

'Stentorum Real Holdings.'

'Dat is een van mijn vaders bedrijven.'

De computer van Inlichtingen hoestte het nummer op. Cole noteerde het, maar haalde zijn blik geen moment van het meisje. Toen hij klaar was, liep hij naar de tafel. Hij legde zijn blocnote op tafel en draaide het zo dat zij het kon lezen. Stentorum Real Holdings.

'Is dit van je vader?'

'Ook van mij, technisch gezien. Het is een van onze familiebedrijven.'

De kraan werd dichtgedraaid en Pike kwam de badkamer uit. Hij had geen overhemd aan en was fris gewassen, alsof hij bij thuiskomst de plek waar hij was geweest of de persoon bij wie hij was geweest, direct van zich af had moeten poetsen. Een spinnenweb van oude littekens sierde zijn borst op de plaats waar hij door kogels was geraakt. Hij trok zijn sweatshirt aan.

'We hebben je nodig,' zei Cole.

Cole wachtte tot Pike naar hen toe kwam.

'Wat is er?' zei Pike.

'Larkins vader is eigenaar van iets wat Stentorum Real Holdings heet. Stentorum wil 18185 kopen, met nog zes andere panden van dezelfde eigenaar. Ze hebben een koopoptie van vier maanden gekregen, maar hun optie loopt binnenkort af.'

Cole keek naar Pike en Pike keek terug met een ondoorgrondelijk en effen gezicht. Larkin had door dat er iets ernstigs aan de hand was, maar ze begreep niet waarom, omdat ze nog niet wist wat zij wisten. Cole liet de beslissing wat ze haar wel en niet zouden vertellen over aan Pike.

Larkin schudde haar hoofd. 'Wat betekent dat? Weet je het zeker? Mijn vader is bezig dat pand te kopen waar we de lijken hebben ontdekt?'

Pike boog zich over de tafel heen en bood haar zijn hand aan. Larkin legde haar vingers op de zijne. Pike kneep. Cole had Pike zich zien opdrukken op zijn duimen; push-ups zien doen waarbij hij enkel zijn twee wijsvingers gebruikte. Pike kraakte walnoten als zeepbellen, maar nu niet.

'Hou je vast, oké? Zet je schrap, want het wordt nog erger,' zei Pike.

Vijf minuten geleden vond Cole Larkin net een meisje van twaalf. Nu zag ze eruit alsof ze honderd was. Ze keek even naar Cole, richtte haar blik weer op Pike en knikte.

‘Vertel het maar. Recht voor zijn raap.’

‘Je vader en Gordon Kline wisten allebei dat Meesh Khali Vahnich was. Ze hebben met Pitman afgesproken dat het voor jou zou worden verzwegen. Pitman zegt dat dat niet zijn idee was. Hij zei dat het van je vader kwam.’

Cole keek naar haar hand in die van Pike. Haar vingers spanden zich tot de pezen strak stonden, maar haar gezicht verried niets.

‘Waarom deden ze dat?’

‘Dat weet ik niet.’

‘Deden ze zaken, die walgelijke mensen en mijn vader?’

‘Daar lijkt het wel op.’

Larkin leunde naar achteren en lachte, maar ze bleef zijn hand vasthouden.

‘Het zijn maar vermoedens. We gaan het vragen,’ zei Cole.

‘Ik ben hiermee opgegroeid! Ik weet wel hoe een zakelijk geschil eruitziet! Ze konden de deal niet sluiten, dus moet iemand de aanbetaling voor zijn rekening nemen. Vahnich heeft de Kings vermoord. Nu wil hij mij en mijn...’

Opeens zweeg ze en ze liet haar ogen over de vele vellen met telefoonnummers gaan voor ze opkeek. ‘Was het mijn vader?’

Cole begreep niet wat ze bedoelde, maar Pike kennelijk wel en hij antwoordde: ‘Dat zal ik uitzoeken.’

Ze trok wit weg en in haar ogen stond het soort verdriet dat je zou voelen als je vermorzeld werd, alsof het laatste beetje liefde uit je hart werd gewrongen.

‘Ik wil het niet weten. Zoek het alsjeblieft niet uit. Vertel het me alsjeblieft niet,’ zei ze.

Toen besefte Cole wat ze aan Pike had gevraagd: was haar vader de persoon geweest die Vahnich had verteld waar zij te vinden was.

‘We zitten maar een beetje te gissen. We gaan ons als detectives gedragen en gaan op onderzoek uit,’ zei Cole.

Hij stond op en liep naar de deur. Pike talmde een moment en liep toen achter hem aan het huis uit.

ACHTENDERTIG

LARKIN CONNER BARKLEY

Larkin keek Pike na en op het moment dat hij naar buiten stapte, stond hij ingelijst in de open deur van hun huis in Echo Park als een foto in een tijdschrift, bevroren in de tijd en ruimte. Een grote man, maar geen reus. Eerder van gemiddelde lengte. Nu de mouwen zijn armen bedekten en zijn gezicht was afgewend, zag hij er hartverscheurend normaal uit, en daardoor hield ze des te meer van hem. Een superman riskeerde niets, maar een normale man riskeerde alles.

Toen hij achteromkeek voor hij de deur dichttrok, zag ze de leegte op zijn gezicht, de glimmende donkere brillenglazen; daarna ging de deur dicht en was ze alleen.

'Zorg dat het goed komt. Zorg alsjeblieft dat het goed komt.'

Ze zei het tegen het lege huis en schaamde zich toen dat ze het had gezegd.

Ze was nu nog banger dan die keren dat de mannen uit Ecuador aan het schieten waren. Als haar vader haar in de steek had gelaten, was ze werkelijk alleen, eenzamer dan ze ooit was geweest en ooit voor mogelijk had gehouden. Ze had het gevoel dat ze buiten haar eigen lichaam stond, hoewel de lucht leek te tintelen op haar huid, en het was zo stil in het huis, dat de stilte herrie was. Alsof ze twee keer op hetzelfde moment op dezelfde plaats was, twee momenten die over elkaar heen waren geschoven en niet helemaal waren versmolten. Afgezien van de angst voelde ze niets. Ze probeerde zichzelf iets anders te laten voelen. Ze vond dat ze boos of verontwaardigd hoorde te zijn, maar er was een schakelaar omgezet en ze was leeg vanbinnen.

Larkin ging naar de badkamer en bekeek zichzelf in de spiegel. Ze wilde kijken of de leegte op haar gezicht te zien was zoals ze hem bij Pike kon zien. Ze kon het niet zeggen. Wanneer ze naar zichzelf keek, zag ze haar vader. Ze had zijn ogen en oren en kaaklijn. Ze had de neus en mond van haar moeder.

'Het kan me niet schelen,' zei ze.

Het kon haar niet schelen wat hij had gedaan. Hij was haar vader. Als

Pike zijn vader kon verduren, kon zij de hare verduren.

Larkin ging terug naar de tafel en bestudeerde de lijsten met telefoonnummers en de telefoonbomen die ze had opgesteld. Ze zag het nummer van Khali Vahnich staan en keek op al de zesentwintig dichtbedrukte bladzijden hoe vaak het erop voorkwam. Elke keer dat ze het tegenkwam, streepte ze het aan. Toen ze klaar was met de zesentwintig bladzijden, ging ze weer naar het begin en richtte haar aandacht op de nummers die Vahnich had gebeld.

Het stond bijna onder aan de tweede bladzijde. Ze zag het nummer en herkende het omdat het zo vertrouwd was.

Vahnich had het hoofdkantoor van haar bedrijf gebeld. De Barkley Company.

Larkin zag het nummer en dacht: wauw, dit is bizar, omdat ze niets voelde, maar alleen die vreemde gewaarwording had dat ze buiten haar lichaam stond terwijl de lucht op haar huid tintelde. Haar blik werd wazig en daardoor wist ze dat ze huilde, maar ze snikte en snoof niet en haar neus raakte niet verstopt; het was net of er iemand anders huilde en zij er van binnenuit naar keek.

Ze droogde haar ogen om beter te kunnen zien en ging verder met zoeken. Ze vond het nummer nog twee keer en hield er toen mee op, want wat had het in feite voor zin?

Joe en Elvis hadden gelijk. Haar vader had met deze mensen te maken en nu zaten ze allebei in de problemen. Vahnich wilde haar gebruiken om iets van haar vader gedaan te krijgen, of om hem te straffen. Hoe dan ook, hij had er een zootje van gemaakt.

Pikes vader was een monster geweest. Haar vader was een prutser. Maakte niet uit. Ze hield van hem.

'Zorg dat het goed komt.'

Ze zei het tegen zichzelf.

NEGENENDERTIG

De Barkley Company zat in Century City op de bovenste drie verdiepingen van een zwartglazen fort met genoeg gewapende bewakers, controleposten en metaaldetectors om een internationale luchthaven te beveiligen. Pike belde Bud om de afspraak te maken. Hij dacht dat Barkley thuis zou zijn, maar Bud vertelde hem dat Barkley naar kantoor was geroepen. Pike legde niet uit waarom ze hem wilden spreken, alleen dat het over Larkin ging. Bud was bereid mee te gaan; ze hadden Bud nodig om langs de beveiliging te komen.

'Geen wapens, Joe. Dat kan ik niet toestaan,' zei Bud.

'Tuurlijk,' zei Pike.

'Breng je Larkin mee?'

'Breng jij Pitman mee?'

'Ik ga niets aan Pitman vertellen. Ik breng zelfs Barkley niet op de hoogte. We spreken gewoon af in de hal en dan breng ik jullie naar boven.'

Bud hing op.

Parkeren bij Barkleys kantoor was een hele belevenis. Toen Pike en Cole arriveerden, werd hun naar hun naam en identiteitsbewijs gevraagd en onderzochten bewakers de onderkant van Coles auto met spiegels.

'Als we hier snel weg moeten, zijn we de klos,' zei Cole.

Pike ging niet in op Coles poging tot een grapje. Hij dacht aan het meisje. Hij wilde de mensen die haar pijn deden, pijn doen. Hij moest telkens aan het verdriet in haar ogen denken, dat ze door zichzelf gevangen werd gehouden in een wereld vol kwellingen, alleen met een verdriet dat ze aan niemand kon vertellen en waaraan ze nooit kon ontsnappen. En elke keer dat hij het in haar zag, zag hij het in zichzelf en wilde hij hen straffen. Hij wilde hen zo graag straffen, dat hij bereid was zijn vader te worden om het te doen en zij zouden hem zijn. Hij wilde het hun op die manier laten voelen, omdat ze dit meisje kwaad deden. Omdat ze hun macht misbruikten. Vanwege hun arrogantie.

'Je bent akelig stil,' zei Cole. 'Zelfs voor jouw doen.'

'Niks aan de hand.'

Bud stond in de hal te wachten met twee bezoekerspasjes die ze om hun nek moesten hangen. Bud had hen al aangemeld.

'Vertel je me nog waar dit over gaat voor we naar boven gaan?' zei Bud.
'Nee.'
Pike maakte uit Buds gedrag op dat Pitman niet had gebeld. Ze gingen door een metaaldetector en stapten in een speciale lift die rechtstreeks naar de bovenste verdieping ging. In de lift zei Bud: 'Hoe is het met haar?'
'Niet zo goed.'
'Zorg jij er maar voor dat ze veilig is. Daarom ben je hier. Volgens mij verzwijgen die klootzakken een heleboel voor ons.'
Toen de deuren open schoven, ging Bud hen voor naar een receptie waar een oudere vrouw met blond krullend haar aan een bureau zat. Ze herkende Bud en gebaarde dat hij mocht doorlopen.
'Hij is daar ergens. Als hij niet in zijn kamer zit, moet je maar even vragen. Ze zitten met een of ander probleem.'
Cole stootte Pike aan en fluisterde: 'Nu al? We zijn er net.'
Ze liepen achter Bud aan door een lange gang die eruitzag als een galerie en daarna langs lege kamertjes die vol hadden moeten zitten met mensen die Bud omschreef als assistenten. Conner Barkley stond voor zijn kamer met een kleine groep goedgeklede mannen en vrouwen. Zij waren tot in de puntjes verzorgd in hun Brioni en Donna Karan, maar Barkley zag eruit alsof hij net uit bed was gerold. Zijn haar stond alle kanten op en zijn ogen waren schichtig en rood. Hij knipperde met zijn oogleden toen hij hen zag aankomen en haalde een hand over zijn hoofd terwijl hij Bud boos aankeek.
'Ik wist niet dat je met die mensen zou komen.'
Pike greep Barkley bij de keel en duwde hem achteruit zijn kamer in.
Bud was hier niet op bedacht geweest. 'Joe!'
Er brak chaos uit alsof er een bom was ontploft, maar Pike schonk er geen aandacht aan. De goedgeklede mensen waren geschrokken en schreeuwden en Cole zei tegen iemand dat hij moest maken dat hij wegkwam. Pike drukte Barkley tegen de muur terwijl Cole en Bud achter hem aan de kamer binnen stoven en de deur dichtsloegen. Bud probeerde hem van Barkley af te trekken.
'Ben je gek geworden? Ben je niet goed bij je hoofd?'
Pike kneep Barkleys keel dicht. Niet hard. Een beetje.
'Stentorum Real Holdings,' zei Pike.
Barkleys ogen dreven rond in roze poelen. Hij haalde piepend adem en sprak bijna onverstaanbaar. 'Ik weet niet wat je wilt.'
Bud had Pike bij de arm. Cole kwam naast hem staan.

Bud zei: 'Laat hem los. Jezus. Ze bellen de politie! Wil je de politie erbij hebben?'

En Cole zei: 'Zal ik het woord maar doen?'

Pike stapte achteruit. Barkley greep naar zijn keel, hoestte en spuwde op de grond. 'Waar had ik dat aan te danken? Waarom ben je zo kwaad?'

Pike vroeg zich af of Barkley gek was.

Bud ging tussen Pike en Barkley in staan en hief zijn handen. 'Rustig aan allemaal. Jezus, waar ben je nou mee bezig?'

Cole zei: 'Stentorum Real Holdings is een bedrijf dat eigendom is van Mr. Barkley. Stentorum wil het pand kopen waar we de lijken van de Kings hebben aangetroffen. Ze hebben al vier maanden een optie op dat pand. Het is het gebouw waar Larkin dat ongeluk had.'

Barkley stond nog steeds over zijn keel te wrijven. 'Waar heb je het over? Daar weet ik niets van. Stentorum is van mij, ja, maar ik weet niet waar je het over hebt.'

Pike hield Barkley in de gaten toen Cole de feiten oplepelde en Barkley antwoord gaf. Pike lette op zijn ogen en zijn mond en de onzekere manier waarop hij zich gedroeg. Hij luisterde naar het timbre van Barkleys stem en zette het rijzen en dalen daarvan af tegen Barkleys schichtige ogen en de nerveuze bewegingen van zijn handen. Pike kwam tot de conclusie dat Barkley de waarheid sprak.

'Wist u dat Alex Meesh een leugen was?' zei Pike.

Barkley bloosde. Hij verbrak het oogcontact en keek weg. Toen draaiden zijn ogen omhoog en naar links. Pike zag dat hij zich schaamde.

'We dachten dat het de enige manier was.'

Bud pakte Barkley bij de arm. 'Wist je van Vahnich? Jezus, Conner. Allemachtig.'

'Hoe zit het met het pand? Ik heb met de executeur van de trust gesproken. Ze heeft een voorlopig koopcontract met Stentorum Real Holdings,' zei Cole.

'Ik hou me niet bezig met dat soort dingen. Daar heb ik mensen voor.'

'Kline,' zei Pike.

Barkley haalde nogmaals zijn handen over zijn hoofd en duwde het sluike haar uit zijn gezicht. 'Gordon is weg. Hij is verdwenen. Ik zal het je laten zien...'

Barkley ging hen voor door de gang naar de kamer van Gordon Kline aan de andere kant van het gebouw. Pike begreep waarom de verdieping bij Barkleys kamer leeg was: een grote groep mensen had zich naar Klines kant van de verdieping begeven. Ze doorzochten zijn archief en computer en de computers die door zijn assistenten werden gebruikt.

'We denken dat hij gisteravond is vertrokken,' zei Barkley. 'Ik weet het niet. Er zijn spullen verdwenen...'

'Geld?' zei Bud.

'Dat denken we wel. Er waren verschillen. Hij woonde hier. Hij is hier ingetrokken toen die ellende met Vahnich begon. Hij zei dat hij bang was.'

Cole liep naar Klines bureau waar een groepje mensen bezig was met zijn computer.

'Kon hij Stentorum gebruiken om het pand te kopen zonder dat u ervan wist?'

'Uiteraard. Ik liet Gordon dat soort dingen afhandelen. Ik vertrouwde hem.'

Cole sprak luid tegen de aanwezigen. 'Wie heeft het overzicht met zijn telefoongesprekken? Kom op, mensen, jullie houden de gesprekken vast bij. Is er al iemand mee bezig?'

Twee vrouwen die samen op een bank zaten, keken alsof ze niet wisten of ze antwoord moesten geven, maar Cole was in gezelschap van Mr. Barkley, dus stak de oudste haar hand op. 'Dat hebben wij.'

Cole liep naar hen toe. 'Begin ongeveer een maand geleden, maakt niet uit op welke dag. Staan zijn privégesprekken en de gesprekken met zijn mobiel ook in die overzichten?'

'Jazeker.'

Voor leidinggevenden van een zekere rang behoorde vrij telefoneren vaak tot de secundaire arbeidsvoorwaarden. Het bedrijf betaalde hun telefoonrekeningen vanuit de overweging dat leidinggevenden een groot deel van hun zaken telefonisch deden.

De vrouw bladerde door de bladzijden tot ze de juiste data vond en Cole liet zijn vinger over de bladzijde omlaag glijden. Hij werkte één bladzijde af, sloeg om en keek toen op.

'Het is hetzelfde nummer als we van Luis' gsm hebben gehaald. Vahnich.'

Pike deed een stap naar Barkley toe en liet zijn stem dalen. 'Stelde Kline voor om tegen Larkin te liegen over Vahnich?'

Barkley knikte en realiseerde zich toen waarom Pike dat had gevraagd.

'Vertelde Gordon aan Vahnich waar hij haar kon vinden?'

Bud zag er inmiddels beroerd uit, bijna net zo beroerd als Barkley.

'Wat een vuilak. Hij wilde waarschijnlijk tijd winnen. Misschien beweerde hij dat de deal door jou werd tegengehouden.'

Barkley draaide zich opeens om en gaf over. Bijna iedereen in de kamer keek zijn kant op, maar draaide zich snel om. Slechts één persoon deed iets om te helpen. Een goedgeklede jongeman met een bril op liep naar een bar en kwam snel aangelopen met een servetje.

'Het spijt me,' zei Barkley.

Pike vond dat hij er ellendig uitzag en had medelijden met hem.

'Vahnich stak honderdtwintig miljoen dollar in een investering met de Kings, zestig van een drugskartel in Ecuador en zestig uit zijn eigen bronnen, oftewel: geld van terroristen, Conner. Waarschijnlijk traden de Kings op als makelaar en dachten ze dat ze de rest van jou kregen.'

'Er is niemand bij me geweest. Ik weet er niets van.'

'Ze kwamen bij je bedrijf, en je bedrijf was Kline.'

'Ze hadden tweehonderd miljoen nodig om het onroerend goed te kopen,' zei Cole. 'Kline dacht waarschijnlijk dat hij het verschil van jou kon stelen, of de positie van je bedrijf kon gebruiken om het nodige geld bij elkaar te krijgen, maar niet als investeerder in samenwerking met de Kings. Hij moest de panden via jouw bedrijf kopen om te verbergen waar hij mee bezig was. Dus gaven de Kings hem de honderdtwintig, maar hij kon de rest niet bij elkaar krijgen. Misschien werd Vahnich bang omdat het zo lang duurde en wilde hij zijn geld terug. Kline zei waarschijnlijk dat het jouw schuld was, dat jij de boel ophield.'

Barkley luisterde naar hem als een hond die op een schop wachtte. Alle aanwezigen luisterden mee.

Barkley veegde zijn mond af. 'Mijn advocaten hebben me geadviseerd de politie en de bankcommissie te bellen. Ik zou agent Pitman op de hoogte moeten brengen. Er moeten een paar financieel rechercheurs hierheen komen.'

'Het geld dat Kline heeft meegenomen, is niet uw grootste probleem. Vahnich wil nog steeds zijn geld terug,' zei Pike.

Barkley snakte naar adem toen hij zich realiseerde wat dat betekende en werd opnieuw rood. 'Is alles goed met Larkin?'

'Ja, prima.'

'Weet ze...' Hij aarzelde wederom, maar kreeg het ten slotte toch uit zijn mond. 'Weet ze dat ik tegen haar heb gelogen?'

'Ja.'

'Ik wil haar zien. Ik wil nu direct naar haar toe.'

Pike keek even naar Cole en Cole knikte.

'We zullen u naar haar toe brengen.'

VEERTIG

Pike stapte bij Bud en haar vader in de auto en Cole reed er in zijn eentje achteraan. Bud zat aan het stuur, Pike naast hem en Conner Barkley zat op de achterbank. Pike bracht Bud op de hoogte van alles wat hij van Chen had gehoord over de identiteit van de mannen uit Ecuador en de mogelijke relatie met de Mara Salvatrucha-bende, MS-13. Bud belde een vriend die bij de Bende-eenheid van de LAPD werkte en vroeg hem uit te zoeken of er iemand met de naam Carlos tussen de leden van MS-13 in Los Angeles voorkwam. Na het telefoontje van Bud reden ze in stilte verder.

Met Bud aan het stuur in de auto zitten was vreemd vertrouwd, maar Pike vond dat niet prettig, alsof hij gedwongen werd ergens naar toe terug te gaan terwijl hij er vrede mee had dat hij daar weg was. Pike luisterde naar Conner Barkley om er niet aan te hoeven denken. Barkley zat bijna de hele rit hijgend van de zenuwen te telefoneren om zijn managers en juristen op de hoogte te brengen.

'Dat is lang geleden, agent Pike,' zei Bud.

Pike keek opzij en wist dat Bud het ook voelde, de vertrouwdheid met elkaar in de auto, terwijl ze de misdaad en slechteriken aanpakten. Bud scheen ervan te genieten, maar voor Pike was niets uit die tijd nog hetzelfde. Hij wees naar voren.

'Daar slaan we af.'

Pike leidde hen door de slingerende straten naar het kleine huis. De Lexus stond nog voor de garage en de oude mensen zaten op hun veranda. De twee jongste Armeense neven, Adam en eentje met wie Pike nog geen kennis had gemaakt, waren hun BMW aan het wassen. Ze keken op toen de Hummer achter de Lexus parkeerde. Cole parkeerde een stukje verderop.

Conner Barkley klapte eindelijk zijn telefoon dicht en leunde naar voren om het huis te bekijken. 'Hebben jullie hier gezeten? Wat zal Larkin dat vreselijk hebben gevonden.'

Pike stapte uit zonder antwoord te geven, wachtte tot Cole kwam aanhinken en liep naar het huis. Pike sprong de veranda op en klopte één keer hard op de deur om haar te waarschuwen.

'Ik ben het.'

Pike stak de sleutel in het slot terwijl hij het zei en voelde direct dat de deur niet op slot zat. Pike duwde de deur open.

'Larkin.'

In het huis hing die stilte die hem vertelde dat er niemand was.

Cole, Bud en Barkley klosten de veranda op en kwamen naar binnen.

Pike riep: 'Larkin!'

'Larkin, waar ben je?' zei Barkley.

Pike keek naar Cole en ze gingen ieder een kant op, Cole naar de keuken terwijl Pike haar slaapkamer en de badkamer controleerde. Haar spullen lagen er nog, er was niets verdwenen, geen sporen van een worsteling, het was precies hetzelfde als twee avonden geleden. Larkin was weg.

Barkley zette zijn handen in zijn zij en fronste zijn wenkbrauwen. 'Ik dacht dat je zei dat ze hier was.'

Pike was al op weg naar de deur toen iemand riep: 'Hé, man!'

Adam stond op blote voeten en nat van zijn auto in de voortuin. Hij schermde zijn ogen af tegen de zon, maar Pike wist dat hij iets had gezien, en dat het foute boel was.

'Alles goed bij jou, man? Alles oké met Mona?'

'Ze is er niet. Heb je gezien waar ze naartoe is gegaan?'

Cole, Bud en Barkley waren allemaal naar buiten gekomen. Ze stonden bij elkaar achter Pike op de veranda.

'Met een paar gasten mee. Was toch niet die stalker, hè?' zei Adam.

'Welke stalker? Waar heeft hij het over?' zei Barkley.

Pike sprong van de veranda. Bud volgde zijn voorbeeld en Cole hobbelde het trapje af. De melkachtige hemel was verblindend, ook al droeg Pike een zonnebril.

'Kwam iemand haar ophalen?' zei Pike.

'Ze scheen het prima te vinden, ja? Anders hadden we wel iets gezegd.'

Cole probeerde de jongen op zijn gemak te stellen. 'Je hebt niets verkeerds gedaan. Vertel eens wat er is gebeurd.'

'We stonden daar. Ze riep niet en ze deed niet alsof er iets was. Ze stapten gewoon in de auto.'

'Hoe lang geleden?'

'Halfuurtje, zoiets. We waren net die auto aan het soppen.'

Bud deed een stap dichterbij. Hij zag er zelfs in zijn mooie kostuum uit als een straatagent, maar Pike kon aan hem zien dat hij gespannen was. De witte lucht leek nu te zinderen van Larkins afwezigheid.

'Heb je die mensen en hun auto goed kunnen zien? En je vriend?'

'Dat is mijn neef Garo. Ja, we hebben hem allebei gezien. Een paar Zuid-Amerikaanse figuren en een blanke gozer. Echt een prachtkar. Niet mijn stijl, maar vet, joh, een grote Amerikaan, zo eentje die zo laag op zijn wielen staat.'

'Een lowrider?'

'Ja, zo eentje. Ik weet het merk niet, maar hij was echt vet, man. Diepzwart, chroom bumpers...'

'Heb je het kenteken?' zei Pike.

'Nee, man, sorry.'

Bud liep naar Garo toen Pike de foto van Interpol van Khali Vahnich openvouwde. Adam knikte. 'Dat is hem, ja. Is dat die stalker?'

Cole siste zacht. 'Allemachtig. Hoe heeft hij haar gevonden? Hoe heeft hij haar hier kunnen vinden?'

Pike had het gevoel dat hij had gefaald. Hij dacht terug aan de dansclub. Misschien was het toen gebeurd. Misschien was ze herkend en had hij niet gezien dat ze werden gevolgd.

Barkley riep vanaf de veranda: 'Weet hij waar ze is of niet? Kan iemand me alsjeblieft vertellen hoe het zit?'

Pike keek naar het kleine huis waar hij met Larkin Barkley in had gewoond en liep toen naar het midden van de weg. Hij deed het zonder erbij na te denken en hij wist niet zeker waarom. De zwarte lowrider zou niet aan het einde van de straat staan en op het wegdek zouden geen zichtbare bandensporen gedrukt zijn, maar er was iets wat hem dreef. Iets diep in het DNA. Iets primitiefs dat hem aanzette tot de jacht.

Pike sloot zijn ogen. Hij had haar vijf dagen buiten gevaar gehouden, maar nu was hij haar kwijt. Larkin Conner Barkley was weg.

Iemand raakte zijn rug aan.

Pike opende zijn ogen en zag Cole.

'We vinden haar wel.'

Pike keek Cole in zijn ogen en zag schaduwen achter de bemoediging. Twee kleine weerspiegelingen; Joe Pikes die terugkeken.

Pikes mobiele telefoon ging. Pike keek naar het nummer, maar herkende het niet. Hij nam toch op. De timing was zo gruwelijk perfect, dat het onmogelijk iemand anders kon zijn.

'Pike.'

'Ik wil het geld.'

Pike had het lichte accent eerder gehoord. Het was Khali Vahnich.

EENENVEERTIG

Pike hield zijn stem neutraal. Zijn hart sloeg een slag over, maar hij wilde Khali Vahnich niet laten merken dat hij bang was. 'Is mijn vriendin in leven en ongedeerd?'

'Nog wel. We zullen zien. Met wie spreek ik?'

Pike gebaarde naar Cole dat het Vahnich was en liep snel terug naar het huis. Hij wilde stilte om zich heen zodat hij Vahnich duidelijk kon horen, en een pen om aantekeningen te maken. Verwarring en fouten zouden net zo fataal zijn voor haar als paniek.

'Geef haar eens,' zei Pike.

Binnen liep Pike direct naar het papier en de pennen die op de eettafel verspreid lagen. Hij noteerde het nummer het nummer dat hem gebeld had.

Vahnich zei beledigd: 'Het gaat prima met haar. Ik vermoord haar alleen als ik het geld niet krijg.'

'Aan dit gesprek komt nu een einde tenzij ik weet dat ze nog leeft.'

Cole en Barkley waren achter hem aan het huis in gekomen en Barkley had genoeg gehoord om te beseffen wat er aan de hand was. Hij kwam aan gestampt alsof hij de telefoon wilde hebben.

'Gaat het over Larkin? Is ze dood?'

Pike gebaarde dat hij stil moest zijn. Cole legde een hand op Barkleys mond. Barkley verzette zich, maar Cole fluisterde iets in zijn oor en hij werd rustig.

'Geef haar de telefoon, Vahnich. Geef haar de telefoon of hang op.'

Pike concentreerde zich op het gesprek. Hij dekte zijn vrije oor af en luisterde of hij achtergrondgeluiden hoorde waaruit hij kon opmaken waar Vahnich zich bevond. Hij hoorde stemmen, maar niets wat de locatie aangaf. Toen kwam Larkin aan de telefoon. Zo te horen ging het goed met haar.

'Joe?'

'Ik kom eraan.'

'Alles is in orde...'

Pike hoorde een klap alsof de telefoon was gevallen. Larkin schreeuwde iets wat Pike niet verstond, gaf toen een gil, maar de gil brak af. Vahnich kwam weer aan de lijn.

'Ben je blij te horen dat ze nog leeft? Is dat wat je wilde?'

Pike aarzelde. Het was dit keer moeilijker zijn stem neutraal te houden. Hij knikte om Cole en Barkley te laten weten dat ze nog leefde.

'Ja. We praten alleen als ze in leven is.'

'Met wie spreek ik?'

'Haar lijfwacht.'

'Ik wil haar vader spreken.'

'Je krijgt alleen mij aan de lijn. Alles gaat via mij.'

'Genoeg geluld dan. Haar vader maakt het geld over en dan zijn we klaar. Ik geef jullie het rekeningnummer en de toegangscodes.'

'Wacht... luister... Kline heeft je geld. Hij heeft het overgemaakt naar het buitenland. We weten niet waar hij is.'

'Dat is niet mijn probleem.'

De voordeur ging open en Bud stormde naar binnen. Cole gebaarde direct dat hij stil moest zijn. Bud knikte, maar liep naar de tafel en schreef iets op.

Pike zag het allemaal, maar concentreerde zich op Vahnich.

'De Kings hebben je waarschijnlijk wel verteld wat er is gebeurd voor je ze vermoordde. Dit was een zaak van Kline. Barkley had er niets mee te maken.'

'Ik zal je iets vertellen. Dat geld is niet van mij. Gevaarlijke mensen hebben het me toevertrouwd en ze verwachten dat ik het ze teruggeef. Het maakt hun niet uit waar het vandaan komt.'

Vahnich had een vergissing gemaakt. Dat was het probleem met praten en Vahnich had veel gepraat. Hij had geprobeerd hem te overreden en dat betekende dat hij niet het gevoel had dat hij bevelen kon geven. Pitman had zich overal in vergist, maar Pike had zich ook vergist. Vahnich en zijn teams hadden het meisje nooit willen doden; ze hadden haar willen ontvoeren zodat ze haar als pressiemiddel konden gebruiken. De mensen die het geld hadden verstrekt, wilden het terug en Vahnich probeerde zijn eigen hachje te redden. Zijn angst kon worden gebruikt om tijd te winnen, of Vahnich zo te manipuleren, dat hij nog een vergissing maakte.

'Als we jou nu eens helpen Kline te vinden? Dan werken we samen,' zei Pike.

Vahnich lachte. 'Tuurlijk, wij samenwerken. Nee, dan zou mijn positie te zwak worden. Ik sta nu sterk, volgens mij.'

Bud draaide zich om met zijn briefje en hield het omhoog voor Pike: *Zij heeft hem gebeld. Met de telefoon van de buren.*

De lijst met telefoonnummers lag nog op tafel. Larkin had de gesprekken tussen Vahnich en Kline gevonden en hem gebeld. Pike gebaarde dat Bud het briefje ook aan Larkins vader moest laten zien.

'Waarom heeft ze je gebeld, Vahnich?'

Pike was ervan overtuigd dat hij dat al wist.

'Ze wil haar vader helpen, maar in plaats daarvan helpt ze mij. Wat zijn ze toch dom, hè, die jonge meisjes?'

Pike gaf geen antwoord. Hij keek naar Conner Barkley. Barkley zag er beduusd uit.

'Zeg het tegen haar vader. Zo'n dochter zal hij niet kwijt willen,' zei Vahnich.

Cole kwam naar de tafel en schreef ook iets op. *Spreek met hem af.*

Pike knikte.

'Hij houdt van haar, Vahnich. Hij verafgoodt dat meisje. Ik denk dat we wel tot een oplossing kunnen komen...'

Buds mobiele telefoon ging, maar hij draaide zich snel om en sprak achter zijn hand. Pike ging verder met Vahnich.

'Laten we een afspraak maken om de overdracht te regelen. Zeg maar waar we elkaar kunnen zien.'

Vahnich lachte. 'Neem je het bedrag mee in contanten? Met hoeveel vrachtwagens kom je? Toe nou. Hij maakt het geld over. Als het geld binnen is, laat ik haar vrij. Jij en ik zullen elkaar nooit zien, kerel.'

'Hij is niet achterlijk, Vahnich. Hij zal het geld niet overmaken voor hij zijn dochter heeft.'

'Dan krijgen we geen van beiden wat we willen en zijn we allebei verdrietig.'

Pike wilde zo veel mogelijk tijd winnen. Als Vahnich niet wilde afspreken, zouden ze hem moeten opsporen.

'Ik zal met hem praten. Ik moet hem opzoeken, maar ik zal met hem praten. Hij wil haar veilig terug hebben.'

'Schrijf deze getallen op...' zei Vahnich.

Hij ratelde een reeks cijfers op, maar Pike viel hem in de rede.

'Ik weet niet hoe lang het zal duren voor –'

'Schrijf ze op en lees ze dan voor.'

Pike schreef ze op en las ze voor. Het waren overboekings- en rekeningnummers.

'Mooi,' zei Vahnich. 'De getallen die je hebt, kloppen. Hij zet het geld binnen twee uur op die rekening, anders hak ik haar hand af.'

Pike zei: 'Vahnich...'

'Halfuur daarna geen geld, dan hak ik haar hoofd af. We hoeven elkaar niet meer te spreken.'

De verbinding werd verbroken.

Pike hield de telefoon stevig vast en luisterde naar de stilte. Cole en Conner Barkley stonden naar hem te kijken. Bud stond op de achtergrond te telefoneren en aantekeningen te maken op een blocnote. Uiteindelijk liet Pike zijn telefoon zakken.

'Ze is nog in leven, maar hij wil niet met ons afspreken. Hij weet wel beter.'

'Wat wil hij?' zei Barkley.

'De honderdtwintig miljoen. We hebben twee uur.'

'Maar ik heb het niet. Ik wist er niets van.'

Barkley liet zich op de bank zakken en drukte zijn handen tegen zijn ogen. Hij vertrok gefrustreerd zijn gezicht.

'Heeft ze die man echt gebeld? Heeft ze zich aan hem gegéven?'

'Ze deed het voor u. Ze dacht waarschijnlijk dat ze tot een soort afspraak kon komen of hem ervan kon overtuigen dat hij u niet moest vermoorden.'

Barkley kwam van de bank overeind alsof hij de situatie in handen nam.

'Goed, ik betaal hem. Ik kan zo'n groot bedrag niet binnen twee uur overmaken, maar ik betaal hem. Bel hem op.'

'Geld is niet het antwoord.'

'Het is niet slim om hem te betalen, Mr. Barkley. Zodra hij het geld heeft, vermoordt hij haar,' zei Cole.

'Hij wil geld, ik heb geld. Wat moeten we anders?'

'Hem opsporen.'

Bud beëindigde zijn telefoontje en kwam weer bij hen staan.

'Ik heb iets. Die relatie met MS-13 heeft misschien wat opgeleverd. Er worden twee *veteranos* genoemd die Carlos heten, eentje zit gevangen, maar de andere hoort bij een groep die al jaren Zuid-Amerikaanse dope het land in smokkelt...'

'Dat zal onze man zijn,' zei Cole.

'Dat is ook het slechte nieuws. Ene Carlos Maroto, hij is afkomstig uit de oorspronkelijke Mara en woont midden in een buurt die Mara in handen heeft. Het zal niet makkelijk zijn hem te vinden. Hem zover krijgen dat hij meewerkt, al helemaal niet.'

Pike wist dat Bud gelijk had. Als ze genoeg tijd hadden, zouden ze hem kunnen vinden, maar er was niet veel tijd en een bendelid opsporen in zijn eigen wijk zou moeilijk zijn. Soms waren hele families, hele wijken, lid van een bende. Niemand zou willen meewerken en het nieuws zou snel de ronde doen. In een wereld waar trots en familie voor alles gingen, zouden Zuid-Amerikaanse bendeleden hun vrienden niet verlinken. Zeker niet voor drie Noord-Amerikaanse buitenstaanders.

Snelheid was leven.

'We hebben zijn hulp nodig,' zei Pike.

'Dat kun je vergeten.'

'Misschien wel als de juiste persoon het vraagt.'

Coles wenkbrauwen gingen omhoog toen hij besefte wat Pike dacht.

'Frank Garcia. Frank kan het voor elkaar krijgen.'

'Dé Frank Garcia?' zei Bud.

Pike keek hoe laat het was. 'Kom mee. Ik bel hem wel uit de auto.'

Cole en Bud liepen naar de deur. Pike wilden hen achternagaan, maar hij bleef staan en keek naar Barkley.

'Ik bel u als we iets weten.'

Barkley kwam overeind. 'Ik ga mee.'

'Mr. Barkley, dit is –'

Barkley werd vuurrood. 'Het is mijn dochter en ik wil erbij zijn. Ik ben niet voor niks haar vader.'

Pike meende dat Barkley hem bijna wilde slaan. Pikes mondhoeken trilden.

'Na u,' zei hij.

Pike liep achter hem aan de deur uit.

TWEEËNVEERTIG

De informatie bracht hen naar een smalle straat op de grens tussen Boyle Heights en City Terrace, niet ver van de Pomona Freeway in het oosten van Los Angeles. In de straat stonden gepleisterde huizen met platte daken, van elkaar gescheiden door een garagepad van één auto breed, als identieke schoenendozen naast elkaar. De meeste hadden een tuin ter grootte van een postzegel. De straat stond vol Amerikaanse auto's; fietsen en speelgoed slingerden rond op de garagepaden; en in een flink aantal tuinen stond een leeggelopen zwembad slap en levenloos in de verzengende hitte.

Bud liet de grote Hummer in zijn vrij door de straat rijden; Pike zat naast hem; Cole en Barkley achterin.

Conner Barkley boog naar voren om naar buiten te kijken. 'Waar zijn we?'

'In Boyle Heights. Je zou het moeten kopen. Zo'n groot klotewinkelcentrum neerzetten,' zei Bud.

Pike wist dat Barkley zenuwachtig was, maar Bud was ook nerveus.

Bud zei: 'Zie je hem? Ik zie hem niet.'

'Hij komt wel. Hij zei dat we in de auto moesten wachten tot hij er was.'

'Ik stap toch niet uit, of hij er nu wel is of niet, met al dat tuig hier.'

Bud trapte zacht op de rem toen ze er waren en ze kwamen tot stilstand voor een klein huis dat identiek was aan alle andere, afgezien van een boot op het garagepad en een Amerikaanse vlag aan de dakrand. Aan de vlag was een geel lint vastgemaakt en de vlag en het lint hingen er allebei al zo lang, dat ze verschoten waren. Bij verscheidene huizen waar ze langskwamen, hing zo'n zelfde lint.

Dreigend kijkende jonge kerels zaten in de geparkeerde auto's of stonden in kleine groepjes bij elkaar, alsof ze ongevoelig waren voor de hitte. De meesten droegen een wit T-shirt en een spijkerbroek die zo wijd was, dat je er met gemak een magnetron in kon verstoppen, en de meesten waren zwaar getatoeëerd. Ze bekeken de Hummer met gemaakte onverschilligheid.

Bud zag aan hun tatoeages bij welke bende ze hoorden. 'Moet je die gasten zien... Florencia 13, Latin Kings, Sureños, 18th Street... Jezus, 18th Street en Mara brengen elkaar zonder pardon om zeep. Die haten elkaar.'

'Zijn dat bendeleden?' zei Barkley.

'Zeg maar tegen jezelf dat je tv zit te kijken. Dan gaat het wel,' zei Cole.

'Frank,' zei Pike.

Aan de andere kant van de straat dook een zwarte Lincoln op die langzaam naar hen toe kwam rijden. Zijn komst wekte beroering onder de jonge bendeleden, die nieuwsgierig uit hun auto's stapten. Barkley zag hun reactie en leunde opnieuw naar voren.

'Is hij het hoofd van de bende?'

Cole lachte.

Pike vond het ook grappig. Als hij dit zou overleven, zou hij het aan Frank vertellen en dan zou Frank ook lachen.

'Hij is kok,' zei Pike.

Bud lachte naar Pike. Toen hij begreep dat Pike niet meer zou vertellen, draaide hij zich om naar Barkley om het uit te leggen.

'Eet je wel eens Mexicaans? Thuis? Ik weet dat je een kok hebt, maar soms wil je misschien wel eens laat op de avond iets eten wat snel klaar is. Dus heb je tortilla's in huis?'

'Hm.'

'De Monsterito?'

'Zeker, die vind ik het lekkerst.'

Pike vond het een belachelijk onderwerp om nu over te praten.

Bud draaide zich weer naar voren om Franks limousine in de gaten te kunnen houden.

'Dat geldt voor iedereen. Voor mij ook. Dat tekeningetje dat op de verpakking staat, die Zuid-Amerikaan met die dikke snor? Dat is Mr. Garcia veertig jaar geleden. Die jongens hier? Frank was er een van. Dat was voor hij bij zijn tante ging werken en tortilla's ging maken. Hij maakte ze in haar keuken, zo'n familierecept, je weet wel. Van die tortilla's maakte hij een voedselimperium ter waarde van, wat...?'

Bud keek naar Pike, maar Pike negeerde hem.

'Vijf-, zeshonderd miljoen,' zei Cole.

Pike wilde dat ze ophielden met praten, maar Bud draaide zich opnieuw om naar Barkley.

'Kan niet aan jou tippen, maar toch niet misselijk. Het mooie is dat hij nooit is vergeten waar hij vandaan komt. Hij heeft hier heel wat doktersrekeningen betaald. Hij heeft voor heel wat opleidingen betaald. Hij geeft terug. Er zitten mannen in de gevangenis – een paar van die klootzakken zitten daar trouwens door mijn toedoen – en Frank heeft hun gezin jarenlang onderhouden. Die jongens hebben alles voor hem over. Hij is rijk nu en hij is oud, maar ze weten allemaal dat hij een van hen was en ze niet de rug heeft toegekeerd toen hij het had gemaakt.'

Franks limousine stopte, neus aan neus met de Hummer. De voorportieren gingen open en er sprongen twee keurig geklede jongemannen uit, Franks lijfwacht en zijn assistent. Pike had hen allebei ontmoet bij Frank thuis.

'Hoe ken jij hem, Pike?' zei Barkley.

'Joe was bijna met zijn dochter getrouwd,' zei Bud.

Pike duwde het portier open en stapte uit. Hij wilde Buds verhaal niet horen. Pike had de Garcia's leren kennen toen hij nog een jonge agent was en Abel Wozniak als partner had. Jaren later, toen Karen Garcia werd vermoord, hadden Cole en Pike haar moordenaar opgespoord.

Pike wachtte tot Frank uit de auto stapte. Frank Garcia zag eruit alsof hij honderd was. Zijn huid, donker als gepoetst zadelleer, had de korstige structuur van boomschors en zijn haar was een zilveren kroon. Hij was de laatste tijd slecht ter been en moest in een rolstoel door de talloze kamers van zijn huis in Hancock Park worden gereden, maar hij kon nog kleine stukjes lopen als hij op iemands arm kon leunen. Toen zijn lijfwacht de rolstoel openvouwde, maakte Frank een afwerend gebaar. Hij wilde lopen.

Een verweerde glimlach verscheen op zijn gezicht toen hij Pike zag en hij klampte zich vast aan Joe's arm. 'Hallo, jongen.'

Pike omhelsde hem en deed een stap achteruit. 'Is Carlos binnen?'

'Abbot heeft met de mensen gesproken die daarvoor konden zorgen. Hij weet niet waarom hij hier is. Dat leek me beter. Zodat die man Vahnich niet kon worden gewaarschuwd.'

Frank Garcia was een scherpe oude man en dat gold ook voor zijn advocaat en rechterhand Abbot Montoya. Ze waren samen opgegroeid, Montoya als Franks kleine broertje. Ze kwamen allebei uit de White Fence en hadden zich er ook samen aan ontworsteld.

De lijfwacht en de chauffeur namen de oude man bij de arm en gevieren liepen ze langzaam in een oudemannentempo het garagepad op. De voordeur ging vrijwel onmiddellijk open en in de deur stond een potige man van halverwege de veertig. Hij was klein, maar breed, had de borstkas van een gewichtheffer en dunne benen. Zijn gezicht was rond en zo pokdalig, dat hij eruitzag als een ananas; zijn armen zaten onder de tatoeages en littekens. Hij nam Pike op, keek daarna naar de oude man en deed de deur wijd open.

'Welkom in mijn huis, sir. Ik ben Aldo Saenz. Mijn moeder, Lupe Benítez, was getrouwd met Hector Guerrero, de neef van Mr. Montoya.'

Frank drukte zijn hand hartelijk.

'Dank u voor uw gastvrijheid, Mr. Saenz. Het is me een eer.'

Pike liep achter Frank aan naar een kleine woonkamer, die enigszins op de woonkamer in het huis in Echo Park leek, met meubels die veel gebruikt, maar schoon en netjes waren. Dit was een familiehuis, met foto's van kinderen en volwassenen rondom een kruisbeeld aan de muur. Op de foto's stonden kinderen van verschillende leeftijden, onder wie een jongeman in een gala-uniform van de marine.

Met inbegrip van Aldo Saenz telde Pike zes mannen, twee in de eetkamer en vier in de woonkamer. Ze vestigden hun blik op Pike zodra hij binnenkwam en twee van de mannen maakten een nerveuze indruk. Saenz gebaarde ongeduldig naar de mannen in de eetkamer.

'Stoel. Kom op.'

Een van de mannen kwam snel aan met een stoel uit de eetkamer voor Frank.

Frank zei: 'Ga toch zitten. Jullie hoeven niet te blijven staan voor een oude man. Ik zal mezelf even voorstellen: Frank Garcia. En als ik mijn vriend mag voorstellen...'

Frank wenkte Pike en pakte zijn arm beet. Pike verbaasde zich er altijd over hoe sterk de oude man was. Een hand als een klauw.

'Toen ik mijn dochter verloor – toen ze werd vermoord – heeft deze man de hufter opgespoord die haar heeft gedood. En nu, nu is hij mijn oogappel. Deze man is als een zoon voor mij. Hem helpen is mij helpen. Dat moeten jullie allemaal goed onthouden. Mogen we nu even met Mr. Maroto praten?'

Saenz wees naar een van de mannen in de eetkamer. Maroto was jonger, begin dertig misschien, en hij verstijfde nu, alsof hij vreesde dat hij zou worden geëxecuteerd. Machtige mensen hadden hem bevolen hierheen te komen, mensen die zonder aarzelen een einde aan zijn leven zouden kunnen maken. Alle aanwezigen keken toe.

'Carlos Maroto van Mara Salvatrucha?' zei Frank.

Maroto's blik schoot heen en weer door de kamer. Hij was bang, maar Pike zag aan hem dat hij nadacht. Hij had opdracht gekregen hierheen te komen, dus was hij hier, maar nu bereidde hij zich voor op een gevecht voor het geval dat nodig was.

'Dat klopt,' zei Maroto.

Frank greep nogmaals Pikes arm. 'Deze man, mijn oogappel, gaat je iets vragen. Hier, in aanwezigheid van de andere leden van ons huis. Voor hij dat doet, wil ik je zeggen dat ik begrijp dat dit gevoelige kwesties zijn, dat er wellicht oude zakelijke afspraken tussen personen en groepen in het geding zijn. Wat we vragen, vragen we niet zomaar.'

De oude man liet Pikes arm los en zwaaide met zijn hand. 'Vraag maar.'

Pike keek naar Maroto. 'Waar kan ik Khali Vahnich vinden?'

Maroto kneep zijn ogen samen om te laten zien dat hij een harde was en schudde langzaam zijn hoofd. 'Geen flauw idee. Wie is dat?'

Pike bedacht dat Maroto Vahnich misschien niet bij zijn echte naam kende. Hij haalde het vel papier met Vahnichs foto tevoorschijn en hield het omhoog. Maroto pakte het niet aan en daardoor wist Pike dat Maroto hem kende.

'Jouw groep doet zaken met Esteban Barone. Barone heeft je gevraagd om voor hem en een paar jongens uit Ecuador te zorgen. Je helpt een vriend. Dat snap ik.'

Saenz zei: 'Geef antwoord, *homes*. Niemand staat hier terecht.'

Maroto was boos en voelde zich voor het blok gezet. 'Wat krijgen we nou? Ja, dat klopt, wat gaat jullie dat aan?'

'Ik wil dat je hem aan mij geeft,' zei Pike.

Maroto begon weer te draaien en nu keek hij niet naar Pike. Hij keek naar de anderen.

'Wat is dit? We kennen deze klootzak niet. Hij zou net zo goed van de politie kunnen zijn.'

Aldo Saenz sloeg zijn grote armen over elkaar en Pike zag aan hem dat hij zijn best deed zichzelf in de hand te houden. Toen Saenz begon te praten, klonk zijn stem als een donderend gerommel.

'Je bent hier als mijn gast. Ik behandel je met respect, maar je moet in mijn huis niet Mr. Garcia beledigen .'

'Ik bedoelde het niet als een belediging, maar mijn groep doet zaken met Esteban Barone. Dat doen we al heel lang, zeer winstgevende zaken. Hij vroeg om een gunst, die bewijzen we hem. Zo is het nu eenmaal.'

Pike zei: 'Khali Vahnich is een vriend van Barone, maar hij is nog meer.'

Pike overhandigde het stuk van Interpol aan Saenz. 'Lees tot onder aan de bladzijde.'

Pike zag hoe Saenz onder aan de bladzijde kwam en zijn wenkbrauwen fronste.

'Wat betekent dat? Terroristenlijst? Wat is dit?'

Frank greep opnieuw Pikes arm beet en hees zichzelf overeind. 'Het betekent dat hij mijn vijand is. Hij onderhoudt de mensen die ons willen doden en bewapent hun dwazen en nu – op dit zelfde moment dat wij hier in dit huis staan – is hij in Los Angeles, in onze *barrio*! En ik wil die vuilak hebben!'

Saenz verroerde zich niet, alleen zijn enorme borstkas ging op en neer. Er verschenen rimpels op zijn gezicht, als laagjes leisteen, en een felle tic in zijn wang. Hij overhandigde het vel papier aan de dichtstbijzijnde man en keek strak naar Maroto.

Maroto verschoot van kleur en schudde zijn hoofd.

'Barone zei: help die vent, dus we hebben geholpen. Denk je dat we dit wisten? Denk je dat hij zei: hier is mijn vriend de terrorist? Wat krijgen we nou?'

De man met het vel papier gaf het door aan de volgende en die weer aan de volgende. Pike herinnerde zich de vlag buiten en het gele lint. Saenz stond naar de foto van de jonge marinier te kijken en Pike wist dat Frank Garcia er goed aan had gedaan dit huis te nemen.

Saenz schraapte zijn keel en keek naar Frank. 'Als u ons een momentje wilt geven. Ik wil niet onbeleefd zijn. Een momentje maar.'

De lijfwacht en de chauffeur hielpen Frank overeind en Pike liep achter hen aan naar buiten. Ze waren pas halverwege naar zijn auto toen Saenz hen inhaalde en hun vertelde waar ze Vahnich konden vinden.

DRIEËNVEERTIG

Vahnich maakte gebruik van een klein huis op een lage helling in de bocht waar de Glendale Freeway de rivier kruiste. Ooit hadden zich hier sinaasappelboomgaarden uitgestrekt zo ver het oog reikte, maar de boomgaarden vielen in handen van ontwikkelaars en de lage hellingen en glooiende heuvels van Glassell Park werden volgebouwd met huizen. Kwijnende sinaasappelbomen gluurden nog tussen de oudere huizen door; oorspronkelijke bewoners met knoestige roetzwarte stammen. Pike en Bud kenden de buurt allebei goed; hij lag recht tegenover de politieacademie op de andere oever van de rivier.

Pike zat nog te mopperen. 'Die Hummer valt verdomme veel te veel op. We zouden net zo goed met een groot bord kunnen gaan lopen met "we komen eraan" erop.'

'Volgende straat rechts en dan de heuvel op. Het moet aan de linkerkant zijn.'

Maroto had hun verteld dat het huis aan het eind van een lange oprit stond en schuilging achter dwergeiken en olijfbomen, zodat het vanaf de straat en vanuit de omliggende huizen niet zichtbaar was. Vahnich verbleef niet in het huis, maar had een plek willen hebben waar hij met de mannen uit Ecuador kon afspreken. Vahnich was blij geweest dat het zo afgeschermd lag.

Larkins vader boog zich naar voren om het huis te zien. 'Als ze er nou niet is? Als hij haar nou ergens anders heen heeft gebracht?'

'Dan heeft Maroto een heel slechte avond. Daarom hebben Saenz en die andere mensen hem vastgehouden, zodat hij die vent niet kon waarschuwen en om er zeker van te zijn dat hij niet loog,' zei Cole.

Bud remde af. 'Daar is het. Links.'

De oprit draaide met de heuvel mee omlaag en weg van de straat. Pike zag een hoek van het huis en de achterkant van een blauwe auto en toen waren ze er voorbij.

Cole zei: 'Ik zag een blauwe auto, maar meer niet. Hij zou een heel leger daarbinnen kunnen hebben.'

Pike vond het niet erg. Als je hen niet kon zien, konden ze jou niet zien.

Bud reed door. 'We bellen de politie. We moeten de politie erbij halen.'

Pike draaide zich om en hield de oprit in de gaten om te zien of er iemand naar buiten kwam.

'We gaan eerst uitzoeken of ze er is.'

'Wat ben je van plan?'

'Even een kijkje nemen. Wacht verderop in de straat. Ik bel je.'

'Ik wil mee,' zei Conner Barkley.

'Ik ga alleen kijken.'

Pike sprong uit de auto terwijl ze stapvoets reden en draafde de oprit van het buurhuis op. De huizen in dit deel van de straat stonden op een flauwe helling, elk huis iets hoger dan het vorige. Pike volgde een laag muurtje aan de zijkant van het huis langs plastic vuilnisbakken en oude goten en ongebruikte zakken mest die zo oud waren, dat ze waren opengebarsten. Hij bleef even staan om te controleren of de achtertuin verlaten was, liep toen tussen drie stokoude sinaasappelbomen door naar de andere kant van de tuin en stapte over het muurtje heen.

Pike ging zijdelings door klimop en ijskruid heen en tussen nog meer sinaasappelbomen door de heuvel af tot hij lager was dan Vahnichs huis. Toen klom hij langzaam weer omhoog. Vanuit zijn huidige positie zag hij een ranch-achtig verveloos huis in een verwaarloosde tuin, bezaaid met rottende sinaasappels. Het buurhuis stond hoger. De oprit liep met een bocht naar een carport aan de voorkant van het huis. De blauwe auto die hij vanaf de straat had gezien, stond voor de lowrider die de neven hadden beschreven, en een nieuwe Chrysler LeBaron die zich onder de carport bevond.

Twee mannen stonden bij de voorkant van de lowrider, een diepzwarte BelAir uit 1962 die glom als gloeiende kolen. De motorkap was open en beide mannen waren verdiept in de schoonheid van de motor.

Uit de manier waarop het huis in de helling was uitgespaard, maakte Pike op dat er aan de andere kant over de hele lengte van het huis een keermuur en een pad liepen. Hij was er ook vrijwel zeker van dat hij ramen zou aantreffen en dan zou hij Larkin misschien vinden.

Pike ging tussen de stakerige fruitbomen op pad naar de nabijgelegen gevel van het huis, maar zodra hij van positie veranderde, zag hij haar door de glazen schuifpui in de achtergevel van het huis. Larkin zat op de vloer tegen de muur in een lege kamer met haar gezicht naar de schuifdeuren. Haar handen leken te zijn geboeid, maar Pike wist het niet zeker. Er liep een man langs, van links naar rechts door de kamer, op weg naar de voorkant van het huis. Het was Vahnich niet. Pike dacht na. Er waren minstens zes mannen: de vijf overgebleven Ecuadorianen, plus Vahnich.

Pike bekeek Larkin en voelde zich enorm opgelucht. Hij was haar kwijtgeraakt, maar nu had hij haar gevonden. Ze zat met haar knieën bij elkaar en met haar handen op haar rug. Pike kon niet zien of ze was geboeid, maar hij wilde het weten. Als ze was vastgebonden, was ze beperkt in haar bewegingen. Ze zag er niet uit alsof ze pijn had of gewond was. Ze hield haar hoofd rechtop; haar ogen waren open; en ze keek in de richting van de voorkant van het huis. Door het rafelige zwarte haar zag ze er stoer en sterk uit. Pike vroeg zich af of ze het zou laten uitgroeien en het weer rood zou laten worden. Ze zei iets tegen de persoon naar wie ze keek. Pike kwam tot de conclusie dat ze boos was en zijn mondhoeken trilden. Hij leunde naar achteren en dacht: je bent een geweldige meid.

Pike klapte zijn telefoon open om Vahnich te bellen en Vahnich nam direct op.

'Ja?'

'Hij maakt het geld over. Hij is het nu aan het regelen.'

'Heel verstandig van hem. Een goede beslissing.'

'Ik moet van hem nagaan of je haar hand niet hebt afgehakt of haar iets hebt aangedaan. Hij wil het zeker weten. Geef haar even.'

Vahnich maakte geen bezwaar.

Er kwam een man van rechts. Hij ging naast het meisje op zijn hurken zitten en drukte een telefoon tegen haar oor. Het was Vahnich en nu wist Pike dat Larkin was geboeid.

Ze zei: 'Joe?'

'Ik zal zorgen dat hij je geen kwaad doet.'

'Hij zegt dat ik tegen je moet zeggen dat hij me niets heeft gedaan.'

'Hou je goed.'

Vahnich kwam naar het glas met de telefoon. Pike schrok niet. Vahnich keek gewoon uit over de Glendale Freeway naar de Verdugo Mountains. Pike had hem kunnen doden, maar er waren nog drie andere mannen binnen bij het meisje.

'Het gaat goed met haar, nietwaar? Ik ben een man van mijn woord. Ik hou me aan onze afspraak,' zei Vahnich.

'Zijn assistent zegt dat het nog een paar minuten duurt om zo veel geld bij elkaar te halen. Het zit overal verspreid.'

'Dat snap ik.'

'Ik bel straks weer. Dan zal haar vader haar persoonlijk willen spreken. Om helemaal zeker te zijn. Daarna geven ze het groene licht.'

'Uiteraard. Daar heb ik geen problemen mee.'

'Mooi. Het komt allemaal voor elkaar.'

Een redelijke terrorist. Beleefd en hoffelijk.

Pike verbrak de verbinding en belde Cole. Vahnich liep weg bij de schuifdeur en verdween links uit beeld. Daar was Pike niet blij mee. Nu zat Vahnich ergens achter in het huis, een andere man aan de voorkant en twee mannen op onbekende plaatsen.

Cole nam op.

Pike zei: 'Ze is er. Twee mannen staan voor het huis bij de auto's. Het meisje is binnen in een soort woon- of studeerkamer aan de achterkant. Er zijn nog minstens drie andere mannen binnen, maar ik kan niet zeggen waar.'

'Vahnich gezien?'

'Dat is correct.'

'Dus Vahnichs aanwezigheid is bevestigd.'

'Ja.'

'Bud zegt dat hij de politie gaat bellen.'

'Hij doet maar. Waar zijn jullie?'

'We staan aan de overkant van de straat.'

'Als jij nou eens een stukje afdaalt en daarvandaan de voorkant in de gaten houdt? Bud kan coördineren met de politie en op de oprit blijven... wacht even...'

Een grote man die Pike nog niet had gezien, kwam de kamer aan de achterkant van het huis binnen en trok het meisje overeind. Hij duwde haar voor zich uit. Pike maakte zich kwaad over de ruwe manier waarop hij haar behandelde, maar hij vond het ook niet prettig dat ze haar verplaatsten.

'Ze verplaatsen haar. Ik ga poolshoogte nemen,' zei hij in de telefoon.

Pike klapte de telefoon dicht en liep voorzichtig terug over de helling naar het eind van de tuin en vervolgens naar het pad achter het huis. Pike sloop naar het raam, luisterde en haalde zijn wapen tevoorschijn. Pike hoefde de slede niet achteruit te trekken en niet te controleren of het geladen was, zoals ze op tv doen. Pike had er altijd een in de kamer zitten, klaar om af te vuren. Hij wist dat het geladen was, omdat het altijd geladen was.

Hij kwam een stukje omhoog, zodat hij door het hoekje van het raam kon kijken. Larkin, de grote man en Vahnich bevonden zich in een slaapkamer. Larkin zat weer op de grond en de grote man stond vlak bij haar. Ze keken naar Vahnich, die een laptop had opengeklapt. Hij bereidde zich voor op het telefoontje van Pike. Hij had het meisje bij de hand, zodat ze met haar vader kon praten, en zijn computer om de overboeking te controleren. Als de overboeking was bevestigd, zou Vahnich haar doden. Vahnich of een van zijn mannen zou waarschijnlijk haar keel doorsnijden of haar wurgen en daarna zouden ze naar LAX rijden en direct het land verlaten. Pike vroeg zich af of Vahnich het zelf zou doen.

Pike liep verder door naar de carport. Toen hij dichterbij kwam, hoorde hij de twee mannen. Hij keek langs de LeBaron. De twee mannen hadden de motorkap dichtgedaan, maar stonden nog bij de auto te praten. Deze twee, Vahnich en de grote man bij Larkin... bleven er nog twee over die overal konden zijn. Pike vroeg zich af of Cole hen kon zien vanaf de andere kant van het huis.

Pike schuifelde een stukje achteruit en belde Cole opnieuw.

'Waar ben je?' fluisterde hij.

'Voor het huis. Ik zit midden in de hulst, iets lager dan de oprit. En jij?'

Op de grens van het perceel recht tegenover Pike stonden hulstbomen.

'Zie je de twee mannen bij de BelAir?' zei Pike.

'Zeven meter voor me.'

'Kijk naar LeBaron. Kijk nu langs LeBaron.'

'Ik zie je.'

'Vahnich plus eentje bij Larkin, plus deze twee is vier. Kun je de andere twee vanaf jouw kant lokaliseren?'

'Wacht even...'

De twee mannen bij de Bel Air gingen opeens rechtop staan en keken naar de oprit. Pike wist dat er iets mis was, maar hij kon niet zien waar ze naar keken. Hij drukte de telefoon tegen zijn oor.

'Wat is er?'

'Geen idee. Ik ga kijken.'

Pike kwam net overeind om zelf te kijken toen hij Coles reactie hoorde.

'O, shit,' zei Cole.

Conner Barkley beende over de oprit.

VIERENVEERTIG

Barkley kwam de oprit op met een gezicht dat op onweer stond, maar de mannen snapten er niets van. Ze dachten waarschijnlijk dat hij een buurman was die ze zouden moeten afpoeieren, maar Pike wist dat hun verwarring niet lang zou duren.

Pike sprintte over de carport. Hij legde de afstand stil en snel af, wetende dat het fout zou gaan. Barkley keek naar hem en beide mannen draaiden zich om om te zien waar Barkley naar keek. Pike gaf de dichtstbijzijnde man een klap met zijn wapen, maar de andere man dook opzij en gaf een luide schreeuw –

Achter Pike klonk een knal en er schreeuwde nog iemand toen Cole uit de struiken opdook. De twee andere mannen stonden bij de voordeur, de ene achter de andere, en de eerste man vuurde opnieuw – *bam, bam* – toen Cole hem in de borst raakte; de schutter zakte in elkaar en op hetzelfde moment duwde de man achter hem de deur dicht voor zijn stervende vriend. Pike wist dat hij naar de achterkant van het huis zou gaan.

Het gebeurde allemaal in een flits: Barkley die dichterbij kwam op abnormaal stijve benen; Bud Flynn die bij de oprit verscheen; Cole die op de tweede man af ging met twee handen om zijn wapen...

...alleen zat de tweede man nu op zijn knieën met zijn handen in de lucht naar Cole te kijken.

Pike zette koers naar het huis. 'Larkin...'

'Snel!' zei Cole.

Pike rende terug zoals hij was gekomen. Binnen zou de schutter die van de voorkant kwam, lopen te schreeuwen over wat er was gebeurd; Vahnich zou er niets van snappen en bang worden; hij zou een of allebei zijn mannen terugsturen om te gaan kijken wat er aan de hand was; en dan zou Vahnich een beslissing nemen...

Midden op de dag, een mooie zonnige dag, en de hel was losgebarsten. Wat ze ook deden, het was slecht: slecht voor Vahnich, slecht voor het meisje en slecht voor Pike. Vahnich kon het laten aankomen op een schietpartij in een gijzelingssituatie, of de benen nemen. Vahnich wist niet met hoeveel mensen hij te maken had, of hij was omsingeld, of er politie aanwezig was, maar de troef met de gijzelaar kon hij beter niet uitspelen; als

Vahnich bleef, zat hij in de val. Van alle kwaden was de benen nemen nog de minst erge, dus zouden ze vluchten: de achterdeur uit en de wijk in, vluchten en schieten als dat moest, op klaarlichte dag een huis binnenvallen, een auto stelen en bidden, maar het was hun laatste, beste en enige kans.

Pike rende hard naar de hoek van het huis en hoorde onder het lopen nog meer schoten. Eén schot zou een executie zijn geweest, maar verschillende schoten, dat gaf hem hoop. Ze stonden bij de voordeur te schieten om hun vijanden op afstand te houden; dat betekende dat ze de benen gingen nemen.

Pike nam aan dat Khali Vahnich Larkin zou doden, maar hij zou haar pas doden als ze het huis uit waren. Vahnich wist niet wat hem te wachten stond en misschien zou hij haar nodig hebben als schild. Als de weg vrij was, zou hij haar wellicht vlak voor hij over het hek sprong doden, maar eerder niet. Hij zou haar doden om haar vader te straffen, en hij zou haar doden om Pike te straffen.

Pike zocht net dekking tussen de sinaasappelbomen achter het huis toen het raam omhoog werd geschoven. De grote man klom als eerste naar buiten, liet zich op één knie zakken en zei iets naar het raam. Ze duwden Larkin naar buiten; ze viel recht omlaag en snakte naar adem toen ze neerkwam. Vahnich kwam boven op haar terecht en toen kwam de laatste man naar buiten, een gedrongen gespierde kerel met een bandana om zijn hoofd; het was even een kluwen van armen en benen en toen trok Vahnich haar naar zich toe.

Pike steunde zijn wapen tegen de sinaasappelboom.

Toen Cole aan de andere kant de hoek om kwam, zag de bandana hem en vuurde één schot af. Cole schoot terug. De bandana ging neer met een hoog doordringend gejammer, maar duwde zichzelf half overeind en schoot nogmaals. Cole liet zich vallen om dekking te zoeken toen de glazen schuifdeur open vloog en Bud Flynn naar buiten kwam met zijn wapen in de aanslag. Bud moest zichzelf hebben vergeten.

'Politie!' schreeuwde hij.

De bandana zwenkte naar Bud en Pike schoot hem door het hoofd.

Vahnich en de grote man zagen Pike, en Vahnich trok het meisje als schild voor hen terwijl ze achteruit in de richting van de helling vluchtten. De grote man vuurde op Flynn en daarna op Cole, maar het waren wilde zinloze schoten.

'Het is afgelopen,' zei Pike.

Bud zat achter een grote terracotta pot en schreeuwde: 'Laat je wapen vallen! Leg neer!'

Conner Barkley kwam de glazen deur uit. Hij had geen wapen en zocht geen dekking. Misschien wist hij niet dat je dat moest doen. Hij stormde langs Bud de tuin in en bleef weerloos, vóór Bud en alleen midden in de tuin staan.

Speeksel vloog van zijn gezicht toen hij begon te schreeuwen: 'Laat haar gaan! Laat mijn dochter gaan!'

De grote man schoof achter het meisje uit om te schieten. Hij verplaatste zich maar een centimeter of vijf, maar Pike had hem prachtig in het vizier, als een punt op een i. Pike schoot hem neer voor hij de trekker kon overhalen en de grote man viel als een zak aardappelen op de grond.

Bud schreeuwde nog altijd, maar hij was een stukje opzij gekropen zodat hij Barkley niet zou neerschieten.

'Leg neer, verdomme! Laat je wapen vallen! Het spel is uit, klootzak. Leg neer!'

En Barkley schreeuwde ook, schreeuwde alsof hij een driftaanval had: 'Laat haar gaan, hoor je me! Laat gaan!'

Pike stapte achter de sinaasappelboom uit. Vahnich zag het vanuit zijn ooghoeken. Hij draaide een beetje om hem in de gaten te houden en hield het meisje tussen hen in. Vahnich had zich zo klein mogelijk gemaakt achter haar rug en gluurde achter haar hoofd uit. Zijn wapen zat hard in haar nek gedrukt, maar dat kon Pike niet toestaan. Hij liep achter de bomen uit, nam een schiethouding aan en richtte op Vahnichs oog. Hij vond het ritme van Vahnichs angst. Het oog bewoog, het wapen bewoog; het oog en het wapen werden één.

'Je bent er geweest,' zei Pike.

Er kwamen wat ijle sirenes de heuvel op gewaaid. Bud en Barkley schreeuwden nog altijd. Pike zag Cole niet, maar vertrouwde erop dat hij in positie stond. Hij keek niet naar Larkin omdat ze misschien zijn angst zou zien. Pike zag alleen Vahnichs oog en hoe het oog terugkeek.

Vahnich liet zijn wapen zakken. Het wapen viel, maar verder bewoog er niets. Vahnich had een besluit genomen. Hij liet het liever op een rechtszaak aankomen.

Vahnich riep vanachter het meisje: 'Ik heb hem laten vallen. Ik geef het op. Ik geef me over.'

Bud schreeuwde de instructies die Pike honderden keren had gehoord: 'Steek je handen in de lucht. Hoog in de lucht! Leg je handen op je hoofd!'

Vahnich stak zijn handen in de lucht. Hij legde zijn handen op zijn hoofd. Het meisje had zich nog niet verroerd, evenmin als Pike.

'Ga naar je vader, Larkin,' zei Pike.

Ze wilde naar Pike toe lopen.

'Ga naar je vader.'

Ze rende naar haar vader.

Vahnich zei: 'Ik geef het op!'

Bud was achter de bloempot uit gekomen. Cole hield de mannen die ze hadden neergeschoten onder schot. Pike bewoog zich zijdelings de tuin door tot hij tussen Vahnich en het meisje in stond. Zijn wapen liet het oog geen moment los.

Achter hem zei Bud: 'Joe, jongen, de politie komt eraan.'

'Larkin, alles goed? Alles in orde?' zei Pike.

'Hij was van plan me te doden. Hij wilde –'

'Dat weet ik.'

'Agent Pike...' zei Bud.

Pike haalde de trekker over. Het wapen gaf een luide knal die hol klonk in de openlucht. De man viel.

Pike liep erheen om hun wapens in te nemen. Hij keek of de mannen nog leefden. Ze waren alle drie dood.

Bud stond met zijn handen slap langs zijn zij naar hem te kijken alsof alle leven uit hem was gevloeid. Conner Barkley hield zijn dochter in zijn armen. Cole stak zijn eigen pistool tussen zijn broekband terwijl hij kwam aan lopen.

'Gaat het?' zei Cole.

'Tuurlijk. Hoe is het met dat been?'

'Beter. We zijn dit keer tenminste niet neergeschoten.'

Pike liep naar het meisje. Conner keek hem aan toen hij er aankwam en Pike zag dat hij huilde. Miljardairstranen zagen eruit zoals die van iedereen.

Pike legde zijn hand op Larkins rug en fluisterde: 'Ik zal zorgen dat ze je geen kwaad doen. Ik zal zorgen dat niemand je kwaad doet.'

Toen draaide ze zich naar hem om en omhelsde hem. Ze legde haar gezicht tegen zijn borst en Pike liet zijn kin op haar hoofd rusten. Bud stond naar hem te kijken. Bud keek verdrietig en teleurgesteld.

'Ik heb nog steeds een pesthekel aan klootzakken. Accepteer het maar,' zei Pike.

Pike stond met het meisje in zijn armen toen de politie kwam.

VIJFENVEERTIG

Ocean Avenue baadde op dat uur van de ochtend, daar aan de kust, in een rokerig goudgeel licht. Pike rende midden op de rijbaan en genoot van de rust en het ritme van zijn lichaam. Het was één minuut voor vier die ochtend. Hij was al vijf kilometer niet door auto's gestoord en de coyotes vergezelden hem niet. Hij was het enige beest in de stad, maar dat zou snel veranderen.

Ze draaide Ocean op bij San Vicente en reed door het donker ronkend op hem af. Hij herkende haar nieuwe auto, dus bleef hij op de middenstreep lopen en hield hij zijn pas niet in.

Larkin zoefde voorbij, keerde en reed in zijn vrij naar hem toe. Ze had een parelwitte Aston cabriolet gekocht. Het dak was open. Ze droeg haar haar nog steeds kort, maar het was wel weer rood. Ze trok de glimlach met de gekrulde lippen. Pike was blij dat ze haar zelfvertrouwen terughad.

'Alleen een gek gaat zo vroeg hardlopen.'

'Alleen een gek die zo vroeg op pad is, ziet me.'

'Ik heb het je vriend Cole gevraagd. Omdat jij me niet meer terugbelt.'

'Hm.'

'Volgens mij wil hij me zoenen.'

'Hm.'

Pike had haar niet meer teruggebeld. Ze hadden elkaar in de weken na het incident vaak gesproken, maar hij wist niet wat hij nog zou kunnen zeggen.

'Kun je praten onder het hardlopen?'

'Zeker.'

Ze nam een moment om het op een rijtje te zetten en zei hem toen wat ze hem wilde zeggen.

'Ik zal je niet meer lastigvallen. Dat ik jou niet meer bel, wil natuurlijk niet zeggen dat je mij niet mag bellen als je van gedachten verandert. Je mag bellen wanneer je wilt, maar jij wilt dat ik ophoud met bellen, dus zal ik ermee ophouden.'

'Oké.'

De oude boosheid vlamde donker op in haar ogen. 'Dat ging véél te makkelijk, mannetje. Je had toch op zijn minst kunnen doen alsof.'

'Niet bij jou.'

De auto reed in zijn vrij met hem mee. Pike zag iets glimmen op de klif en vroeg zich af of het een coyote was.

Na een tijdje zei ze: 'Geloof je in engelen?'

'Nee.'

'Ik wel. Daarom rij ik op dit tijdstip door de stad. Ik zoek engelen. Die komen alleen 's nachts tevoorschijn.'

Dat was opnieuw iets waarop Pike geen antwoord had en hij zei niets.

Ze keek naar hem op. 'Ik zal je niet meer bellen omdat je dat wilt, niet omdat ik ermee wil ophouden. Je denkt waarschijnlijk dat je te oud voor me bent. Je denkt waarschijnlijk dat ik te jong ben. Ik durf te wedden dat je de pest hebt aan rijke mensen.'

'Kies er maar eentje uit.'

Larkin glimlachte nogmaals en dat deed Pike genoegen. Hij hield van haar brutale glimlach. Maar toen verdween haar glimlach en sprongen de tranen haar in de ogen en dat vond hij minder.

Ze zei: 'Je denkt waarschijnlijk dat ik er wel overheen zal komen, maar je vergist je. Ik hou van je. Ik hou zo verdomde veel van je dat ik alles voor je wil doen.'

'Dat weet ik.'

'Ik zal zelfs niet meer bellen.'

De Aston Martin spoot weg. De motor gierde van pijn.

Pike zag haar achterlichten opvlammen. Ze sloeg af naar het oosten op San Vicente en scheurde naar het centrum.

'Ik hou van je,' zei Pike.

Hij rende alleen in het donker en wenste dat de coyotes hem gezelschap zouden komen houden.

DE LAATSTE DAG

AFSCHEIDSKUS

ZESENVEERTIG

SCHILDPADDENEILAND, GOLF VAN THAILAND, 182 DAGEN LATER

Jon Stone keek uit over de azuurblauwe golf en droomde van schepen op zee. Zeilschepen uit de late achttiende eeuw; niet die kunststof waterraketten waarmee iedere idioot kon varen, maar houten schepen die met veel bloed, zweet en tranen met de hand waren gebouwd en bevaren door mannen die in monsters geloofden en daar naar leefden. Jon stelde zich voor dat zijn schip, een fregat met veertig kanonnen, de punt van het eiland om kwam, en dat hij een luitenant in de marine was die uit hoofde van plicht en eer hier aan de andere kant van de wereld zijn leven op zee doorbracht. Dat waren mooie tijden en Jon Stone wenste dat hij er bij was geweest.

Het huis van die kerel had hem in de stemming gebracht; het allerbeste, allerduurste en splinternieuw uiteraard, maar met een wilde, primitieve vrijheid die schreeuwde om die oude tijden. De muren bestonden uit van die grote plantageluiken die opzij konden worden geschoven zodat binnen en buiten één werden, het huis open voor de zee en de jungle en een warme wind die rook naar bloemen in het haar van een vrouw: een tropisch paleis, uitkijkend over de Golf van Thailand, de mooie chaos van de jungle uitlopend in een kokosnootboomgaard, de boomgaard plaatsmakend voor een ongerept wit strand en de blauwe uitgestrektheid van oceaan en hemel, allemaal net zoiets als de fantasie van een rijke jongen over Tarzans boomhuis misschien, of zo'n Afrikaans landgoed waar Britse admiraals zich terugtrokken.

Jon vond het helemaal geweldig.

Jon Stone stond aan de schepen te denken toen de stilte werd verbroken door een enkele *wump* aan de andere kant van het huis, dat ene geluid slechts, als een honkbalknuppel die op een bed slaat.

Stone zuchtte want hij wist dat zijn tijd hier beperkt was.

'Ik vind dit huis geweldig. Ik zou hier kunnen wonen,' zei hij.

Jon sprak duidelijk maar verwachtte geen antwoord. Het was een verdomd groot huis en er was niemand in de buurt die hem kon horen.

Jon wandelde door de open muur naar de rand van een mooi terras van kalksteen en tuurde omlaag naar het strand. Nog een dag of drie, dan zou het strand vol zijn met bands en uitzinnige vrouwen.

'Vollemaansfeesten, man. Zo'n gast in Big Buddha, die zei dat ze ze hier altijd bij volle maan houden. Dan komen er zo'n achtduizend man, allemaal bands en zo: eten, drinken, noem maar op. Het zijn die jonge toeristjes. Die meiden worden wild, zei hij; alleen die ene nacht, omdat die gekke meiden denken: oké, wat hier gebeurt, weet niemand. O, man. We zouden moeten blijven, joh.'

Maar er gaf niemand antwoord, niet hierboven in de jungle. Het was een heel eind naar de stad.

Door de latex handschoenen gingen zijn handen zweten en jeuken. Jon keek op zijn horloge en liep terug door het huis.

Normaal gesproken werkten er vier mensen in het huis. Een kok, een of andere butler, een meid en een fulltime tuinman. De tuinman had twee krachten die hem elke dinsdag kwamen helpen met het zware werk. Elke vrijdag kwam de man van het zwembad het landschapszwembad schoonmaken en een huishoudster kwam helpen met de vloeren. Jon had hun gangen drie weken in kaart gebracht en alles zo geregeld dat er deze dag niemand van hen zou komen opdagen.

Geen visite, geen personeel, geen getuigen.

Gordon Kline noemde zichzelf George Perkins toen Jons man hem op het spoor kwam. Hij had de plaatselijke bewoners verteld dat hij stil ging leven nadat hij de franchise voor tweeëndertig McDonald's in Alberta had verkocht. Gasten in de stad waren gewend aan dat soort verhalen van rijke Europeanen en *Norte Americanos*, voornamelijk perverse kerels die zich kwamen laven aan de speeltjes van Thaise jongetjes, en dat dachten ze ook van de man die zichzelf George Perkins noemde. Alleen had Perkins een veel gevaarlijker geheim dan pedofilie.

Jon nam de lange weg terug naar Klines studeerkamer, alsof hij meeliep met een cameraploeg van MTV die zo'n lul van een rapper of een overbetaalde dj over zijn optrekje liet opscheppen. Plasmaschermen van zestig inch in elke kamer; een bar van bladkoper die zeker zes meter lang was; een wijnkamer zo groot als Jons slaapkamer met temperatuurbeheersing en driedubbel glas; dat gigantische zeewateraquarium vol neonvissen. Jon had altijd zo'n groot aquarium willen hebben. Die kerel had een zwarte Hummer, een kastanjebruine Bentley Continental en een lichtgroene Maserati Quattroporte voor zijn dubbele voordeur staan. Jon geilde op de

Maserati. Hij zag zichzelf al naar het strand toeren in dat ding. Terug komen snorren met een paar dwaze Australische meiden.

Jon haalde zijn wapen tevoorschijn en liet het langs zijn zij hangen.

Met honderdtwintig miljoen kon je heel wat kopen, maar niet alles.

Jon kwam bij de studeerkamer. De kerel lag voorover op een mooie leren bank. Een arm en een been hingen er slap naast. Een enkel schot in de zijkant van de nek had de vuilak bijna onthoofd. Er droop nog steeds bloed op de vloer.

'Zijn we zover, Mr. Katz?' zei Jon.

'Bijna.'

Pike bediende zich van een paspoort waarin hij Richard Katz uit Milwaukee in Wisconsin werd genoemd. In Jons eigen paspoort stond de naam Jon Jordan, ook uit Milwaukee. Zakenpartners samen op vakantie, laat de plaatselijke bevolking maar denken wat ze willen.

Pike zat aan het bureau van die kerel en zette een laptop in een kartonnen doos waar al computer-cd's, stapels papier en een paar harde schijven in zaten. Informatie over rekeningen waar hij het geld van Vahnich heen had gesluisd. Honderd miljoen en nog wat.

Stone keek naar het lijk en richtte zijn pistool. 'Smerige klootzak.'

Jon Stone vuurde twee kogels af in het hoofd. Pike bleef het bureau doorzoeken, zelfs toen de schoten luid als bommen weerklonken.

'Hou op,' zei Pike over zijn schouder.

'De klootzak. Je had hem aan mij moeten overlaten. Ik had hem wekenlang in leven kunnen houden, de smerige verrader.'

Stone vuurde nogmaals op het lijk.

'Alsjeblieft, Jon,' zei Pike.

Stone liet zijn wapen zakken. Hij tikte er geërgerd mee tegen zijn been. Hij voelde zich gefrustreerd. Jon zou de vuilak levend gevild hebben, een Amerikaan die zakendeed met terroristen; hij zou die klootzak zijn vingers en tenen eraf geknipt hebben, kootje voor kootje, en dan het levende vlees zo van zijn botten hebben gesneden. Nou ja, misschien ook niet, Jon zou die dingen niet hebben gedaan, maar het was leuk om erover na te denken, en hij had er elke dag aan gedacht sinds Pike hem opdracht had gegeven de vuilak op te sporen. Stone was soldaat geweest, huursoldaat, handelaar in militaire contracten, en zelfs huurmoordenaar, maar hij was ook een patriot.

Pikes wapen lag op de grond bij de bank. Pike had de vuilak omgelegd en zich daarna ontdaan van zijn wapen, zoals gepland. De wapens waren hier in de buurt speciaal voor deze klus door Jon gekocht; gebruiken en direct weggooien, want dat was makkelijker dan vuurwapens het land in smokkelen.

Pike kwam met de doos om het bureau heen.

'Heb je alles?' zei Jon.

Pike bromde. Wat doorging voor ja.

Stone moest telkens aan het ongelooflijke uitzicht denken en hoe mooi hij het huis vond. Elke maand bij volle maan, een strand vol uitzinnige meiden.

Stone tikte met zijn pistool tegen zijn been.

'Ach wat, man. Laten we het houden. Het zijn niet bepaald waardevolle mensen van wie we dan stelen.'

Pike keek de kamer rond om te controleren of hij niets over het hoofd had gezien.

'Het gaat naar huis. Pitman kan misschien iets met de harde schijven.'

Stone tikte nogmaals met zijn pistool tegen zijn been, gluurde naar Pikes wapen en bedacht hoe makkelijk het zou zijn: twee keer vuren op de centrale massa en de doos was van hem. De rest van zijn leven doorbrengen in dit prachtige, prachtige huis.

'Godver,' zei Stone,

Hij richtte zijn pistool en schoot nogmaals op het lijk, een enkel schot, recht in zijn aars. Toen gooide hij het wapen op de dode man.

Zou niet goed zijn, het geld houden, maar het was leuk om erover na te denken. Jon had trouwens toch een fortuin verdiend aan Pikes contract en Pike had geen cent aangenomen. Wilde hij niet. Hoewel hij Jon dwong hem te helpen Kline op te sporen. Voor niets. Dat was wel klote.

'Hou vast,' zei Pike.

Pike duwde Stone de doos in handen en liep terug naar het bureau. Pike haalde iets uit zijn zak. Stone vroeg zich af waar Pike in godsnaam mee bezig was en zag toen dat het een foto van het meisje was. Larkin Conner Barkley. Pike zette de foto rechtop tegen een sigarenkistje zodat ze uitzicht had op het lijk. Pike was een rare vogel.

In de tijd dat Stone soldaat was, legden de jongens een visitekaartje op militairen die ze tijdens een gevecht hadden gedood. Noemden ze doodskaartjes. Om de vijand te laten weten met wie ze het maar beter niet aan de stok konden krijgen.

Pike raakte de foto aan om ervoor te zorgen dat hij helemaal goed stond en kwam toen terug voor de doos. 'Goed. We zijn klaar.'

Ze reden door het paradijs over een kronkelweg terug naar de luchthaven. Ze leverden hun huurauto in en gingen naar de terminal. De schijven en computerspullen zaten nu allemaal in hun bagage. Het was een kleine terminal: één laag, plat gebouw omgeven door zand, schelpen en kokospalmen.

'Ik ga een sigaretje roken. Ga je mee?' zei Stone.

'Ik zie je bij de gate.'

Stone stak op toen Pike de terminal in liep. Hij wachtte een paar tellen, slenterde toen naar de hoek van het gebouw en leunde naar achteren om van het moment te genieten. De zon was helder en fel op de allerbeste manier en de lucht zo schoon, dat Jon Stone er nooit meer weg wilde.

Stone had zo'n gsm waarmee je naar huis kunt bellen als je in het buitenland bent. Hij draaide een nummer in de Verenigde Staten en wachtte tot de man opnam.

'Geregeld. We komen naar huis,' zei Stone.

'Godzijdank. Gelukkig. Is hij in orde?'

'Fijn dat u vraagt hoe het met mij gaat.'

'Je weet wel wat ik bedoel.'

'Het gaat prima met Pike. Hij heeft gedaan wat hij moest doen, zoals u wel wist. Het is een buldog, die knul.'

'Weet ik, weet ik.'

Jon dacht: jezus, hou je mond nou eens een keer. Die lul was zich al maanden aan het verontschuldigen alsof hij zich schuldig voelde dat hij Pike had losgelaten. Jon vermoedde dat de man van het begin af aan had geweten wat Pike zou doen en hoe.

De man ging maar door.

'Ik wist niet hoe ik dat meisje anders moest beschermen. Ik wist wat er moest gebeuren, maar ik kon het niet aan. Hij wel.'

'Zeg, ik moet ervandoor...'

'Hij is een goeie vent.'

'Ja, dat is hij, Mr. Flynn. Daarom is hij Pike.'

'Zorg dat jullie veilig thuiskomen.'

Stone zette de telefoon uit. Hij rookte zijn sigaret op en genoot van de heldere hemel en heerlijke lucht tot zijn vlucht werd omgeroepen. Toen ging hij naar binnen en voegde zich bij Joe Pike.

DANKWOORD

Aaron Priest, de Joe Pike onder de literair agenten, heeft de stukjes aan elkaar gepast en ervoor gezorgd dat het allemaal voor elkaar kwam.

Pat Crais, de meest gevreesde bureauredacteur in de uitgeverswereld, heeft vol toewijding en ijver mijn missers gecorrigeerd.

Mijn uitgevers, Louise Burke en David Rosenthal, hebben me geïnspireerd met hun steun, aanbevelingen en kracht.

Mijn redacteuren, Marysue Rucci en Kevin Smith, kwamen met ideeën die nieuwe dimensies en diepte aan mijn boek toevoegden, en een heleboel gein. Jon Wood, mijn redacteur in Groot-Brittannië bij Orion, moet ook worden bedankt voor zijn niet-aflatende steun in moeilijke tijden bij onverwachte deadlines.

Laura Grafton, mijn regisseur bij Brilliance Audio, heeft geweldig geholpen.

Clay Fourrier van Dovetail Studio is verantwoordelijk voor het ontwerp en onderhoud van mijn website www.robertcrais.com. Carol Topping beheert de site en maakt onze nieuwsbrief. Clay en Carol maken het mogelijk dat ik met lezers over de hele wereld een fantastisch contact heb.